L'invention de la France

Collection *Pluriel*
dirigée par Georges Liébert

HERVÉ LE BRAS · EMMANUEL TODD

L'invention
de la France

Atlas anthropologique
et politique

LE LIVRE DE POCHE

— **Hervé Le Bras.** Né en 1943. Ancien élève de l'Ecole Polytechnique. Directeur d'études à l'Ecole des Hautes études en Sciences sociales et directeur de recherches à l'Institut National d'Etudes Démographiques (I.N.E.D.).

Auteur de *La Famille et l'Enfant dans les pays développés* (O.C.D.E., 1979), de nombreux articles parus dans la revue *Population* dont il est rédacteur en chef. A participé à plusieurs ouvrages collectifs dont notamment *Statistical studies of Historical social structures* (Academic Press, New York, 1978).

— **Emmanuel Todd.** Né en 1951. Docteur en histoire de l'Université de Cambridge (Grande-Bretagne) (Ph. D.). Auteur d'une thèse d'anthropologie historique sur les structures familiales dans l'Europe pré-industrielle, *Peasant Communities in pre-industrial Europe* (Cambridge, 1975) à paraître à Academic Press.

Deux essais : *La Chute finale* (Laffont, 1977) et *Le Fou et le Prolétaire* (Laffont, 1979, nouvelle édition « Pluriel », 1980). Egalement directeur de collections aux Editions Robert Laffont et chroniqueur au journal *Le Monde*.

© Librairie Générale Française, 1981.

Sommaire

Avant-propos

La société industrielle n'a pas anéanti la diversité française. C'est ce que démontre l'analyse cartographique de plusieurs centaines d'indicateurs, allant de la structure des familles au suicide, de la fréquence des naissances d'enfants naturels à celle du divorce, de l'âge moyen au mariage à l'incidence de l'alcoolisme. Chacun des pays de France représente en fait une culture, au sens anthropologique du terme, c'est-à-dire une façon de vivre et de mourir, un ensemble de règles définissant les rapports humains fondamentaux, entre parents et enfants, entre hommes et femmes, entre amis et voisins. Aujourd'hui, la persistance d'écarts de fécondité importants entre régions, le maintien de différences étonnantes de mortalité entre départements, indiquent que ni le chemin de fer, ni l'automobile, ni la télévision, n'ont réussi à transformer la France en une masse homogène et indifférenciée. Du point de vue de l'anthropologue, la Bretagne, l'Occitanie, la Normandie, la Lorraine, la Picardie, la Vendée, la Savoie et bien d'autres provinces sont toujours vivantes.

Cette persistance des systèmes anthropologiques, nous aurions pu l'étudier à l'échelle de l'Europe, dont les indices de fécondité et les quotients de mortalité continuent de varier fortement de nation à nation. La France fait aujourd'hui beaucoup plus d'enfants que l'Allemagne ; la mortalité « culturelle », d'origine alcoolique principalement, y est plus importante que partout ailleurs, Portugal excepté. Nous avons choisi de montrer la permanence des systèmes anthropologiques anciens à l'intérieur même de l'espace français parce qu'elle est particulièrement impressionnante et significative. La France est, depuis la Révolution, un ensemble administratif unitaire, merveilleusement centralisé, obsédé de rationalité. De haut en bas et de gauche à droite de l'hexagone, on tamponne les mêmes papiers, on passe les mêmes examens, on observe avec une précision maniaque les règles uniformes d'une grammaire et d'une orthographe reconnues comme sacrées. Nulle part ailleurs, en Europe occidentale, l'Etat n'est plus puissant, plus dirigiste. Mais justement, l'Etat est fort, en France, parce qu'il doit assurer la survie d'un système anthropologique décentralisé. La République Une et Indivisible coiffe cent types distincts de structures familiales, cent modèles de comportements absolument indépendants les uns des autres.

La France, qui combine unité administrative et diversité anthropologique, est en Europe, et probablement dans le monde, une exception historique.

Certains pays sont anthropologiquement divers, comme l'Espagne ou la Yougoslavie, mais sans être administrativement et linguistiquement unifiés. Dans la plupart des autres existe au contraire une bonne coïncidence de l'anthropologie et de l'administration. A chaque système de mœurs correspond un appareil d'Etat. Les variations culturelles sont, soit insignifiantes, comme en Angleterre, en Suède, en Pologne, en Russie, soit linéaires, comme en Allemagne ou en Italie, où les écarts entre régions s'organisent selon des axes simples, nord/sud dans le cas de l'Italie, nord-est/sud-ouest dans celui de l'Allemagne.

La France, elle, n'est ni unitaire, ni bipolaire. L'opposition du nord et du sud ne résume nullement la diversité de ses cultures régionales. Quel que soit le phénomène observé, le midi apparaît le plus souvent éclaté en quatre ou cinq composantes, le nord en six ou huit.

L'Invention de la France est un livre d'un genre nouveau, un atlas et un essai, intimement liés. La carte n'est pas pour nous un objet de curiosité, mais une façon de comprendre et de démontrer. Cette conception de la science sociale conduit à une réflexion sur la France, sur une nation pas comme les autres. Car l'analyse anthropologique n'aboutit pas ici, comme il est souvent d'usage dans cette

8

noble discipline, à une simple comptabilisation de coutumes étranges et exotiques. Elle mène droit à une compréhension meilleure de l'histoire et des mythes collectifs français, des conflits nationaux les plus fondamentaux.

Personne, jusqu'à présent, n'a réussi à expliquer pourquoi, en France, certaines régions semblent naturellement de gauche, et d'autres de droite. La sociologie économiste — qu'elle soit marxiste et fanatique du concept de classe sociale, ou libérale et adepte de l'idée de catégorie socio-professionnelle — n'a rien à dire sur ces oppositions d'attitudes. Certaines régions de droite sont riches, et d'autres pauvres. Certaines régions de gauche sont très ouvrières, mais la plupart sont rurales ou tertiaires. L'économie ne guide pas la vie politique française. Pourtant, la gauche et la droite, qui se partagent entre 1789 et 1889 (entre la prise de la Bastille et la construction de la tour Eiffel) le territoire national, n'ont pas choisi leurs provinces respectives au hasard, ou pour la qualité de leurs fromages et de leur folklore. La segmentation politique de la France a suivi des lignes de force anthropologiques très précises. Les grandes idéologies — radicalisme, conservatisme, socialisme, catholicisme, communisme — se sont chacune logées dans un système de parenté particulier. La sensibilité politique dépend en effet étroitement du mode dominant d'affectivité familiale.

Plus généralement, plus fondamentalement, l'examen de la diversité anthropologique française conduit à une interprétation nouvelle d'un mythe central de l'histoire nationale, mythe utile et généreux : l'homme universel, identique à lui-même en tout lieu, en toute culture, rêve révolutionnaire qui ne meurt pas avec la Iʳᵉ République.

Cette attitude radicale aurait-elle pu naître ailleurs qu'en France, nation anthropologiquement diverse, où la citoyenneté n'est pas le simple reflet juridique d'un système de mœurs particulier, mais l'effet d'une volonté des individus et des provinces de « vivre ensemble », d'un désir de dominer, d'annihiler les déterminismes anthropologiques ?

L'invention de la France, c'est ce processus de fabrication d'une nation à partir d'éléments divers et contradictoires.

9

Aujourd'hui, la France craint la montée du racisme, et plus spécifiquement, de l'antisémitisme. Elle se perçoit comme fiévreuse, angoissée. Ses craintes sont vraisemblablement sans fondement sérieux. Sa structure anthropologique très particulière ne lui permet pas la xénophobie. Le racisme, dans ce patchwork de mœurs et de coutumes qu'est la France, trouve un mauvais terrain. Son influence, sans être nulle bien sûr, ne peut guère s'étendre au-delà de quelques petits cercles d'intellectuels sans prise sur les processus politiques. Il est trop dangereux pour l'unité nationale. Même l'antisémitisme, qui pourrait, en théorie, être pratiqué avec un égal entrain par toutes les provinces françaises, est en pratique difficile. Il a besoin, pour se développer pleinement, non d'un seul, mais de deux stéréotypes, opposés : le premier s'appliquant au juif, l'autre présentant son contraire, l'homme idéal, aryen, blond, vert ou rose. La France ne peut, en pratique, sécréter ce deuxième stéréotype : elle est trop diverse pour l'élaborer. Dans l'hexagone, parce que le Français n'existe pas, le Juif ne peut pas exister.

Toute définition fantasmatique d'un type anthropologique français serait en fait une menace pour la plupart des types provinciaux, bien réels eux — Occitans, Bretons, Basques, Artésiens, Berrichons, Rouergats, Alsaciens — qui continuent de vivre, imperturbablement, leurs différences. Tant que durera la diversité française — et ne serait-ce qu'au vu des indices de fécondité et des quotients de mortalité, elle se porte bien — la France sera condamnée à la tolérance.

Anthropologie historique
de la France

Introduction

I

La France a peur de l'anthropologie. Avec raison, puisque cette discipline fut, dans la deuxième moitié du XIXᵉ siècle, une arme de guerre contre sa suprématie intellectuelle et idéologique. Entre 1848 et 1914, l'Europe cherche à se débarrasser de l'idéal d'homme universel proposé et imposé par la Révolution française. Chaque nation se replie sur elle-même, et veut se penser comme mise en forme étatique d'un peuple particulier, unique, défini par ses mœurs, ses coutumes, son génie. A la recherche d'un point d'ancrage, d'une définition et d'une explication étroite de la nation, l'Europe se passionne pour le concept de race. L'être biologique des peuples doit expliquer l'être social des nations. L'anthropologie physique fournira à ces passions une justification « scientifique ». L'Europe se couvre de mesureurs de crânes, de tibias et d'indices nasaux, charlatans besogneux, statisticiens névrosés dont l'instrument favori est une version améliorée du double décimètre. Deux mensurations donnent la clef de l'histoire. L'avenir appartient aux dolichocéphales, dont le crâne s'étale en longueur plutôt qu'en largeur.

Cette évolution intellectuelle enchante l'Allemagne, ne déplaît pas à l'Angleterre, ne gêne pas l'Italie. Elle n'arrange pas du tout la France qui sait d'avance qu'elle ne passera pas le test de l'homogénéité ethnique. Une promenade de Dunkerque à Marseille, ou de Brest à Strasbourg, montre assez que l'hexagone n'a pas d'unité « raciale ». La France n'est ni celte, ni latine, ni germanique. Carrefour ethnique de l'Europe, elle est même incapable de dire si l'une ou l'autre de ces origines fut prépondérante. Mais elle sait très bien, par contre, à quel point ses tempéraments régionaux, normands ou provençaux, auvergnats ou bretons, sont radicalement différents, presque contradictoires. Dans la cacophonie raciste des années 1870-1914, la France est incapable de se situer. Du point de vue des savants mesureurs de crânes, elle est une sorte de miracle, d'impossibilité politique. Son Etat centralisé ne devrait pas exister. Menacée dans son être, la France est donc condamnée au bien, par intérêt national. Ses intellectuels et ses savants devront combattre l'idéologie raciste qui se répand en Europe.

Il est vrai cependant que deux noms français figurent en bonne place au tout début de la saga du racisme et de la craniologie, ceux de Gobineau (1816-1882) et de Broca (1824-1880). L'*Essai sur l'Inégalité des races humaines,* publié entre 1853 et 1855, très connu, au moins de titre, est une rêverie délirante, qui n'a sans doute pas eu en Allemagne autant d'influence que l'on se plaît à l'imaginer [1]. Plus dangereux, mieux oublié, est le travail de Paul Broca, médecin et chercheur dont on reconnaît toujours la contribution scientifique dans certains domaines, mais cofondateur de la Société d'anthropologie de Paris, grand mesureur de crânes et définisseur de races. Républicain et patriote, à la différence de Gobineau, marginal qui déteste son pays, Broca est gêné, dès la fin des années 50 du XIXᵉ siècle, par ses propres théories. Dans un mémoire lu le 21 juillet 1859, *Recherches sur l'ethnologie de la France,* il doit déjà combattre sur deux fronts : pour l'anthropologie physique mais contre le racisme antipatriotique à la Gobineau. Broca veut définir les races françaises et les situer géographiquement dans l'espace défini par les quatre-vingt-six départements de son temps, au moyen d'un indice statistique dérivé du nombre de conscrits exemptés pour défaut de taille. Mais il veut aussi

---

1. Sur ce point voir l'introduction de J. Boissel à *Gobineau polémiste.* Pauvert, Collection Liberté.

démontrer qu'une race croisée peut vivre. Or, les savants de l'Europe du Nord, anglais et allemands, tiennent à démontrer que le métissage racial mène à la stérilité, hypothèse qui semble spécifiquement et vicieusement dirigée contre la France puisque cette nation, ethniquement incertaine, voit son taux de natalité décliner dès 1790, un siècle avant celui des autres pays d'Europe, plus « purs » sur le plan racial. La tentative de Broca est absurde : on ne peut pas délirer à moitié, comme l'a montré Gobineau, qui lui ne se retient pas.

La France savante de la fin du XIXᵉ siècle rejette Gobineau, mais préfère oublier la partie douteuse de l'œuvre de Broca. L'écrasante majorité des penseurs français prend partie, dans la deuxième moitié du XIXᵉ siècle, contre la doctrine raciste et ses diverses applications dans le domaine des sciences humaines. Les trois grands sociologues de la période, Frédéric Le Play, Gabriel de Tarde et Emile Durkheim, en désaccord sur tout, convergent cependant dans leur refus des interprétations raciales de la société, de l'explication du mental par le biologique.

Le Play constate, dans sa gigantesque étude sur les ouvriers européens :

« On ne saurait soutenir l'idée d'une supériorité attachée à l'organisme physique, quand on compare la race de la Norvège aux autres races européennes... Chaque race, sans mêler son sang à aucune autre, s'améliore ou se corrompt quand elle change de lieu ou quand elle modifie ses institutions [1]. »

De même, Tarde écrit dans les *Lois de l'imitation* :

« Entendue en ce sens abusif et erroné, l'idée de race conduit le sociologue qui la prend pour guide à se représenter le progrès social comme un morcellement de peuples murés, embastionnés, clos les uns aux autres et en guerre les uns avec les autres éternellement [2]. »

Durkheim, quant à lui, consacre un chapitre entier de son ouvrage majeur, *Le Suicide*, à détruire l'idée que la race explique les régularités statistiques :

« Cette distribution géographique des suicides français

---

1. Tome III, p. 84.
2. Préface à la seconde édition, p. 18.

peut s'expliquer sans qu'il soit nécessaire de faire intervenir les puissances obscures de la race [1]... »

Le Play, Tarde et Durkheim sont de très grands esprits et, à ce titre, exceptionnels. Mais la piétaille suit, précède même parfois. E. Levasseur, de l'Académie des Sciences morales et politiques, lit le 25 octobre 1885, à la séance publique annuelle des cinq Académies, un petit texte, *Esquisse de l'ethnographie de la France*, tout scintillant de lieux communs sur les diverses races françaises, blondes ou brunes, grandes ou petites, mais qui s'achève, classiquement dans le contexte national, par une mise en garde, et au fond, par un rejet de l'anthropologie physique :

« De pareilles différences, écrit Levasseur, offrent à l'histoire et à la statistique un intérêt dont on ne saurait méconnaître la portée. Mais elles n'affaiblissent en rien l'unité morale d'un peuple ; quelquefois même, elles contribuent à donner à son génie plus de variété et plus de ressort à son activité. »

Quelquefois ? Pas toujours ? La France mollit dans son attachement au principe de diversité. Quinze ans plus tôt, elle a été battue et envahie par la Prusse, dont la victoire apparaît aux mesureurs de crânes comme une vérification de leurs théories. L'universalisme français est en position défensive, dans un gigantesque débat qui déborde largement le cadre des milieux scientifiques. Attaquant à la Chambre Jules Ferry pour sa politique coloniale, Clemenceau souligne que l'argument raciste d'une supériorité des Blancs sur les peuples d'outre-mer est dangereux pour la France, dans la mesure où les savants d'outre-Rhin développent le thème d'une supériorité raciale des Allemands sur les Français. Il s'écrie en juillet 1885, à la Chambre :

« Races supérieures ! Races inférieures ! C'est bientôt dit. Pour ma part, j'en rabats singulièrement depuis que j'ai vu des savants allemands démontrer scientifiquement que la France devait être vaincue parce que le Français est d'une race inférieure à l'Allemand [2]... »

---

1. Pp. 67-68.
2. Philippe Erlanger, *Clemenceau*, Perrin, pp. 157-158.

Cet antiracisme est malheureusement défensif. Les années 1870-1945 ne sont au fond pour la France, nation démographiquement déclinante qui perd la première, puis la deuxième, puis la troisième place en Europe, qu'une longue crise. La grande Nation conquérante de la fin du XVIIIe siècle pouvait être fière de sa diversité. La France rétrécie du XXe siècle, deux fois vaincue par l'Allemagne et épuisée par la victoire de 14-18, perd confiance en ses qualités propres. Elle prend l'anthropologie en horreur, parce que cette discipline, dont l'objet est la comparaison des groupes humains, menace de la dissoudre et de l'inférioriser.

Au lendemain de la première guerre mondiale, l'anthropologie physique a des destins divers. En Allemagne, elle triomphe, s'empare du peuple et de l'esprit d'individus comme Adolf Hitler. En 1933, elle devient l'une des composantes essentielles de l'idéologie du pays. Le monde anglo-saxon, par contre, où l'on a enfin compris que la mesure des crânes peut être prétexte à tuerie, rejoint la France dans son opposition intellectuelle au concept de race. Mais un retour au concept d'homme universel est plus difficile que jamais. La planète, colonisée et unifiée par l'Europe, apparaît comme une Babel culturelle. Cent tribus indiennes d'Amérique du Nord, vivant également de la chasse divergent par la conception de la vie et de la mort. Mille peuples africains, pratiquant la même culture extensive sur brûlis, s'opposent par le système de mariage et de parenté. L'élaboration d'une science de l'homme, qui ne se contente pas d'étudier les sociétés dans leurs aspects rationnels, économiques et techniques, reste nécessaire. De nouveau, sérieusement et raisonnablement cette fois, il va falloir classer et comprendre. Et, de nouveau, la France refuse l'anthropologie, qui n'est plus alors physique mais sociale et culturelle.

Mieux, elle la traite à sa manière, qui n'est pas celle des Anglo-Saxons. D'une comparaison, on peut tirer des ressemblances et des différences. L'anthropologie culturelle américaine et l'anthropologie sociale britannique feront l'inventaire des différences. L'ethnologie française fera l'inventaire des ressemblances.

L'anthropologie anglo-saxonne se complaît dans la classification des cultures : l'opposition des systèmes de parenté — matrilinéaires, patrilinéaires ou bilatéraux, fortement ou faiblement exogamiques — fait la joie des Britanniques [1]. Les différences entre « personnalités » de base des divers peuples — entendre tempérament, sexuel notamment — ravissent les Américains [2]. Au lendemain de la deuxième guerre mondiale, le monde anglo-saxon, victorieux, est pris d'une fièvre d'entomologiste. Il observe, numérote, étiquette les cultures comme autant de papillons. Cette anthropologie, bien que conquérante, n'est nullement raciste. Elle est débarrassée, totalement, des obsessions biologiques du début du siècle. Elle prend plaisir à observer la diversité ; elle s'émerveille des trouvailles innombrables et contradictoires de l'esprit humain.

L'anthropologie française, au contraire, reste fidèle à l'idéal national d'un homme universel, plus ou moins civilisé, plus ou moins primitif, mais toujours situable sur la ligne droite et unique du Progrès. Lévy-Bruhl définit la mentalité primitive, dont il veut saisir les traits caractéristiques sur l'ensemble de la planète [3]. Lévi-Strauss cherche, dans l'ensemble des systèmes de parenté, un ou plusieurs traits qui définissent l'homme. Il croit les trouver dans le principe de l'échange des femmes et dans la prohibition de l'inceste. Son désir d'universel est explicite. Il écrit :

« Le problème de la prohibition de l'inceste n'est pas tellement de rechercher quelles configurations historiques, différentes selon les groupes, expliquent les modalités de l'institution dans telle ou telle société particulière. Le problème consiste à se demander quelles causes profondes et omniprésentes font que, dans toutes les sociétés et à toutes les époques, il existe une réglementation des relations entre les sexes [4]. »

Ce manque d'intérêt, ce rejet de la différence ethnique, étaient déjà présents chez Durkheim. Lui ne

1. Voir par exemple Robin Fox, *Kinship and Marriage,* et Lucy Mair, *What is social anthropology ?* pour une vision de « synthèse » à la britannique.

2. Et Margaret Mead, *Male and Female,* et Ruth Benedict, *Patterns of culture,* pour la « synthèse » à l'américaine.

3. *La mentalité primitive.*

4. *Structures élémentaires de la parenté,* p. 27.

refusait pas d'établir des différences entre Zoulous et Bantous ou entre Cheyennes et Navahos, mais entre Provençaux et Normands.

« Si donc les gens du Nord se tuent plus que ceux du Midi, ce n'est pas qu'ils y soient plus disposés en vertu de leur tempérament ethnique ; c'est simplement que les causes sociales du suicide sont plus particulièrement accumulées au nord de la Loire qu'au sud [1]. »

L'inégalité de développement explique, selon Durkheim, toutes les différences de mœurs. Le progrès gommera, unifiera. Il pulvérisera l'anthropologie.

L'Histoire contre l'anthropologie

Cette forme de pensée est devenue pour bien des praticiens des sciences humaines, et pas seulement en France, une sorte d'automatisme logique. Toute différence observée entre deux régions ou pays, en un instant unique t, est interprétée en termes de niveaux de développement, culturel, mental, économique, sociologique, religieux ou politique. Jamais on n'admettra l'existence simultanée de deux modes de vie distincts et indépendants. L'existence est unique. Le concept de développement permet de définir un temps historique abstrait, dissocié du temps réel, mais capable de s'y substituer. Le chercheur peut alors se déplacer dans un univers relativiste, dans lequel toute différence anthropologique, située par essence dans l'espace, peut être convertie en écart temporel. Une histoire irréelle se substitue à l'anthropologie. Le système de parenté italien actuel, plus complexe que l'américain, sera rejeté dans le passé, sous l'étiquette de primitif, malgré son existence palpable.

Les modèles évolutionnistes les plus simples et les plus courants sont aujourd'hui dérivés du marxisme, et s'appuient sur les conceptions économistes qui dominent les mondes occidentaux et soviétiques. Le degré de développement technologique fournit l'échelle la plus couramment utilisée pour mesurer ce *temps abstrait* permettant de rejeter dans un passé

1. *Le Suicide*, p. 68.

théorique la plupart des structures anthropologiques, d'en garder quelques autres et de définir l'écart existant entre les deux types comme « temporel ». Le P.N.B. par tête italien est largement inférieur au P.N.B par tête américain : les traits culturels spécifiques de l'Italie sont donc situés dans le passé, néantisés. Les modèles évolutionnistes de la société humaine peuvent se passer, éventuellement, de ce substrat économique. Leur construction est devenue, dans un pays comme la France, où l'idéal de l'homme universel règne en maître, une sorte de sport intellectuel. Chaque phénomène humain, infiniment élastique, aura son histoire. Philippe Ariès écrira celle de la famille, de l'enfance, de la mort ; Michel Foucault, celle de la folie, de l'enfermement ; Robert Mandrou, celle de la sorcellerie. L'enfance, la famille, la mort, la folie, l'enfermement, la sorcellerie seront situés dans le temps, *jamais dans l'espace*. Ils n'auront pas droit à une géographie. Il y a une histoire des mentalités ; il n'y a pas de géographie des mentalités. Pourtant la famille n'est jamais la même à Toulouse et à Rouen, quelle que soit la date choisie. On ne meurt pas de la même façon en Provence et en Bretagne ; on n'est pas aussi fréquemment classé comme fou à l'est qu'à l'ouest. Et l'on ne brûle au XVIᵉ et au XVIIᵉ siècle, à l'époque « moderne », des sorcières que dans certaines régions. L'histoire française des mentalités est dans une large mesure mythique, parce qu'elle traite comme nationaux des phénomènes d'échelle régionale, enracinés dans des systèmes anthropologiques locaux. L'histoire existe cependant : il y a, au XVIᵉ et au XVIIᵉ siècle, une montée de la sorcellerie, mieux, des procès réprimant les faits de sorcellerie. Mais leur aire de diffusion ne recouvre pas, loin de là, la totalité de l'ensemble français. Il y a, au XIXᵉ siècle, une montée de phénomènes pathologiques comme le suicide, la folie, l'alcoolisme ; cette augmentation se répartit cependant très inégalement dans l'espace national. Chaque phénomène se développe de préférence dans certains milieux, sur certains terrains dont la nature est anthropologique. Nous voulons, dans cet atlas, étudier les faits de mentalités dans leur totalité, dans le temps et dans l'espace.

Pour cela, il faut échapper à une habitude traditionnelle de la pensée française, qui, systématiquement, convertit le spatial en temporel et l'anthropologie en histoire. Seule la science politique a réussi, en France, à échapper à ce phénomène de déspatialisation des sciences humaines. Il existe, depuis le début du siècle, une tradition française de géographie politique dont l'objet est la représentation cartographique de l'implantation électorale des divers partis. L'existence d'une structure géographique de la politique française crève les yeux. Certaines régions appartiennent à la droite, d'autres à la gauche. Chaque élection municipale, cantonale, législative ou présidentielle, réactive la conscience de cette structure. Mais la géographie politique flotte, isolée au milieu des autres sciences humaines. Il est donc impossible d'établir un rapport cartographique entre la politique et d'autres phénomènes sociaux et mentaux.

Pourtant, la simple constance dans le temps du vote des diverses régions de France suggère l'existence d'une dimension anthropologique du phénomène politique. Il est effectivement facile d'établir, par l'intermédiaire de la cartographie, un rapport entre l'orientation politique des régions françaises et leurs systèmes de parenté.

Le folklore contre l'anthropologie

La France ne peut nier complètement sa diversité. Mais elle la réduit à une variété de paysages, de tempéraments et de goûts indéfinissables, conformément à une tradition établie au début du siècle par l'école géographique de Vidal de La Blache [1]. Avec une grande sûreté de jugement, l'orthodoxie nationale met en valeur les différences secondaires. Un petit ouvrage publié par la très officielle Documentation française en 1979 reste fidèle à la tradition. Il s'ouvre par un paragraphe sur la *Diversité de la France*, qui souligne :

« A la variété du relief correspond une incomparable richesse architecturale : maisons normandes ou demeures alsaciennes, chalets basques ou mas provençaux, somp-

___
1. *Tableau de la géographie de la France* (1903).

tueux châteaux, imposantes cathédrales gothiques, églises villageoises aux beaux clochers donnent à chaque région son caractère [1]. »

La variété est affaire de goût. De même, l'analyse folklorique décèle l'existence de jeux différents dans les diverses régions de France : pétanque en Provence, rugby dans le Sud-Ouest, football dans le Nord. On peut même sans risque souligner la persistance tardive de zones linguistiques distinctes, et de patois discordants. Ces traits, architecturaux, ludiques ou linguistiques sont comme extérieurs à l'homme. Ils sont des attributs sociaux, superficiels et neutres qui ne définissent en rien la nature d'une société paysanne. Leur coexistence nationale ne pose donc aucun problème. Ils laissent soigneusement de côté le noyau dur de l'anthropologie sociale ou culturelle : l'analyse des structures familiales et de parenté.

L'anthropologie est une science des rigidités mentales. Elle cherche à expliquer pourquoi le mélange des cultures ne va pas de soi. Elle veut savoir pourquoi certaines sociétés peuvent coexister sans fusionner durant des millénaires. La vieille anthropologie physique avait trouvé une réponse simple et absurde : la race — c'est-à-dire l'être biologique des peuples — explique la permanence de structures mentales différentes, divergentes, opposées.

L'anthropologie moderne n'a nullement rejeté la problématique de la rigidité mais elle a trouvé un point d'ancrage plus raisonnable à ces persistances mentales et culturelles : la famille, agent essentiel de la socialisation des enfants, lieu idéal de formation des névroses, instrument puissant, inconscient, invisible et silencieux de reproduction de la société, dans les tribus africaines comme dans les pays développés du monde industriel. Cette découverte du rôle fondamental de la famille dans les phénomènes de permanence sociale fut encouragée par deux facteurs. En Europe même, le développement de la psychanalyse révéla la puissance douloureuse des enracinements familiaux. Dans le monde colonial, la recherche de terrain fit apparaître aux anthropologues l'existence de sociétés pour lesquelles les systèmes de

---

1. *La France et les Français vus par Piem et F. Tomiche.*

parenté — engendrés par la famille — étaient en fait la seule structure sociale, en l'absence d'Etat et de différenciation économique.

C'est cette problématique différentielle, en termes de famille et de parenté, anthropologique au sens strict — et non folklorique — que nous nous proposons d'appliquer à la France. Elle risque de heurter le sentiment traditionnel de l'unité nationale.

Eclatement anthropologique

Il est en effet aussi impossible de définir un modèle français de la famille qu'il était grotesque de définir une race française. On peut aisément discerner un type idéal de la famille anglaise, allemande ou italienne ; l'analyse des structures de parenté dans les diverses régions de France fait apparaître au contraire une extraordinaire variété de types. En Angleterre, sociologues et historiens ont récemment mis en lumière l'existence ininterrompue, depuis le XVIe siècle au moins, d'une structure *familiale nucléaire*, associant simplement parents et enfants, excluant absolument la cohabitation de parents et d'enfants mariés [1]. La famille allemande traditionnelle est au contraire du type « *famille-souche* », associant volontiers trois générations — parents, enfants, petits-enfants. La famille italienne est plus large encore que l'allemande. Elle suppose une notion plus extensive des liens de parenté, surtout définis par les rapports

---

1. Les variations régionales de la taille et de la complexité du ménage sont plus fortes en Italie qu'en Allemagne ou en Angleterre : mais ces fluctuations n'empêchent pas la famille d'être toujours, du point de vue de la complexité, de « haut de gamme ». Les variations vont de « moyennement complexe » à « très complexe ». Jamais la structure familiale n'est absolument nucléaire, comme en Angleterre, ou même linéaire, comme en Allemagne. Contrairement à ce qu'on pourrait supposer, ce n'est pas dans le Sud, mais dans le Centre de l'Italie que les ménages sont les plus complexes, en Toscane notamment. Sur les variations régionales de la taille des ménages voir, pour l'Angleterre, Peter Laslett, *Household and family in past time* ; pour l'Allemagne, Recensement de 1970, Cahier 8, *Bevölkerung in Haushalten* (p. 57), Statistiches Bundesamt, Wiesbaden ; pour l'Italie, Recensement de 1971, volume IV, *Famiglie e convivenze*, Rome 1976.

entre mâles (parenté agnatique). Au noyau conjugal peuvent s'ajouter, dans un ménage, des parents ascendants et collatéraux : frères, mariés ou non, sœur célibataire, oncle ou tante célibataires [1].

A chacune de ces configurations familiales correspond un système psychologique, un style affectif. La famille anglaise insiste sur l'indépendance de ses membres — mari et femme, parents et enfants. La famille allemande définit au contraire une structure verticale, bon terrain pour le développement des névroses et, par réaction, de la psychanalyse [2]. La famille italienne est un système plus horizontal reposant sur la solidarité des frères.

Il n'y a pas en France de règle nationale et traditionnelle concernant ce phénomène anthropologique fondamental qu'est la cohabitation des générations adultes, acceptée par la culture allemande, repoussée par la culture anglaise. La carte représentant la fréquence relative des ménages [3] multiples — c'est-à-dire comprenant plusieurs couples mariés — dans la France rurale de 1975, révèle une extraordinaire complexité ethnographique, dont on a plaisir à constater qu'elle ne correspond en rien aux « zones raciales » définies par les mesureurs de crânes du XIXe siècle.

Il n'est pas très étonnant de trouver en Alsace-Lorraine (départements du Haut-Rhin, du Bas-Rhin, et de la Moselle) une structure familiale de type allemand. Ce n'est pas non plus une surprise que

---

1. Voir note page 23.

2. La structure de la famille allemande, mieux germanique, puisqu'elle caractérise aussi les pays scandinaves, est connue depuis très longtemps. On la trouve clairement décrite au tome III des *Ouvriers européens* de Frédéric Le Play (première édition 1855), et dans l'œuvre de Ferdinand Tönnies, *Gemeinschaft und Gesellschaft* (1887) où elle apparaît cependant plus comme un idéal communautaire que comme un type observé (p. 39 de l'édition américaine). Des études statistiques ont vérifié l'existence de ce modèle familial dans diverses régions d'Allemagne et d'Autriche au XVIIIe siècle. Voir Lutz Berkner, *The developmental cycle of the peasant household*. La structure simple, nucléaire, de la famille anglaise depuis le XVIe siècle est une découverte récente due à l'historien Peter Laslett. Voir *Household and family in past time*, ch. IV et introduction.

3. « Ensemble des personnes quels que soient les liens qui les unissent, qui habitent une unité d'habitation privée, c'est-à-dire un local séparé et indépendant » selon la définition française (I.N.S.E.E.).

d'observer dans le Finistère, cœur de la Bretagne bretonnante, une certaine complexité des structures familiales. L'apparition d'un bloc compact de ménages complexes dans la moitié sud de la France, et particulièrement dans le quart sud-ouest, est plus frappante. Des Pyrénées jusqu'à la Loire, s'exprime toujours, en milieu rural, en 1975, une structure anthropologique particulière qui ne correspond pas à l'Occitanie telle qu'elle est définie par langue. L'Ouest intérieur non breton (départements d'Ille-et-Vilaine, Orne, Manche, Mayenne, Maine-et-Loire) marque, au contraire, pour l'association des générations, dans un ménage unique, une répugnance au moins égale à celle de l'Angleterre. Ce qui est frappant dans ces oppositions internes à l'ensemble français, c'est qu'elles atteignent en intensité, en profondeur, *en distance anthropologique*, les différences existant entre des pays comme l'Angleterre, l'Allemagne, l'Irlande et la Russie. La fréquence des ménages multiples est inférieure à 1 p. 100 dans l'Ouest intérieur, mais oscille entre 10 et 15 p. 100 dans le Sud-Ouest. Une dernière zone de complexité relative des structures familiales est le Nord, entre la région parisienne et la frontière belge. Quoique moins net, cet élargissement des familles en Artois et Picardie est particulièrement impressionnant dans la mesure où il se produit dans une région de modernité agricole extrême, où l'exploitation du sol est très concentrée, et peut être considérée comme capitaliste dès le XVIIIᵉ siècle. Il correspond vraisemblablement aux vieilles zones de peuplement franc.

L'opposition anthropologique de l'Ouest intérieur et du Sud-Ouest présente aussi un intérêt théorique : ces deux régions furent longtemps considérées comme *également* arriérées technologiquement. Elle confirme que la famille n'est pas une variable seconde, déterminée par d'autres paramètres sociaux, plus fondamentaux. Elle met à bas l'hypothèse sociologique classique d'une simplification *historique* des formes familiales, de la famille patriarcale à la famille nucléaire, mouvement qui serait parallèle aux progrès de la civilisation. Certains mouvements de décomposition des structures familiales sont observables. Mais il arrive également de trouver dans une province ou un pays une structure nucléaire *originelle* de la famille : c'est le cas dans l'Ouest non breton de la France, qu'il est alors difficile de ne pas rapprocher de l'Angleterre, bien étudiée sur le plan anthropologique par Peter Laslett et Alan Macfarlane [1]. L'Ouest non breton, comme l'Angleterre, est un pays d'individualisme anthropologique plutôt qu'historique. Emmanuel Le Roy Ladurie note une certaine qualité parricide des coutumes d'héritage de l'Ouest dès le XVIᵉ siècle, signe d'une tension entre générations, qui « colle » bien avec le modèle actuellement observé d'une famille nucléaire absolue dans les milieux ruraux de l'Ouest [2].

Il revenait à un Français, citoyen d'un pays varié sur le plan des structures de parenté, d'esquisser, près d'un siècle avant l'anthropologie différentielle, une première typologie des modes d'organisation familiale, et d'étudier leur diversité à travers toute l'Europe. Frédéric Le Play (1806-1882), est au fond, comme Gobineau et Broca, ses contemporains, un passionné de la différence humaine. Il sera, comme eux, soigneusement oublié par ses compatriotes. Lui, pourtant, refusait les notions racistes et donnait, au contraire, la clef d'une différenciation non biologique de l'humanité.

Le Play discerne l'existence de *trois types* principaux de famille. Cette division trichotomique de la réalité est en elle-même une sorte de révolution, dans un monde qui croit fermement en l'existence d'un univers dichotomisé, opposant la gauche et la droite, la religion et l'irréligion, le progrès et le conservatisme, la culture et l'inculture.

La *famille instable* correspond à notre actuelle famille nucléaire associant simplement parents et enfants. Elle décrit parfaitement le modèle anglais

---

1. Peter Laslett, *Household and family in past time.* Alan Macfarlane, *The origins of English individualism.* Laslett fut le pionnier anglais de l'analyse des structures familiales, par l'utilisation des recensements villageois de l'Ancien Régime, qui permettent de remonter jusqu'aux XVIIᵉ siècle et, parfois, XVIᵉ siècle. Alan Macfarlane, historien et anthropologue, a poussé l'analyse jusqu'au Moyen Age en utilisant d'autres sources. De son livre, il ressort que l'existence de la famille patriarcale, élargie, dans l'Angleterre médiévale est un mythe.

2. E. Le Roy Ladurie, « Structures familiales et coutumes d'héritages », *Annales ESC*, juillet-octobre 1972.

traditionnel. La *famille patriarcale* naît de l'agglomération indifférenciée, autour d'un ancien, d'enfants mariés. En théorie, le nombre de couples cohabitant est illimité. Ce système peut donner naissance à de véritables tribus ou communautés locales. Le troisième type, pour lequel Le Play a une affection particulière, est celui de la *famille-souche*, dans lequel un seul héritier se marie et continue de vivre avec ses parents, ses frères et sœurs étant, statutairement, obligés à l'émigration de leur lieu de naissance. On reconnaît immédiatement le modèle familial germanique.

Les trois types de Le Play existent dans cette France qui, décidément, ne se refuse rien sur le plan de la variété anthropologique. La famille nucléaire, très simple, est facile à identifier, en Normandie ou dans l'Ouest intérieur, et un peu moins nette, en Champagne, Lorraine, Bourgogne, Touraine et Orléanais.

Le nombre global de familles conjugales par *ménage* ne permet cependant pas de distinguer nettement la famille patriarcale de la famille-souche, surtout dans leur état dégradé actuel. Le recensement français de 1975 n'indique pas la position relative des couples cohabitant : dans le modèle de la famille-souche, ils sont toujours associés *verticalement*, par un lien entre parents et enfants. Dans le modèle patriarcal, la mort de l'un des membres du couple parent, ou des deux, peut laisser subsister une structure consistant en deux couples associés par un lien *horizontal*, c'est-à-dire de *fraternité* (frère-frère, frère-sœur, sœur-sœur).

On doit, pour distinguer les deux modèles, utiliser une technique indirecte introduisant l'élément dynamique, et reproducteur du système familial, qu'est le mariage, événement social fondamental, qui tient à peu près, en anthropologie, la place occupée par la lutte des classes dans la théorie marxiste.

La cohabitation illimitée de couples «enfants» dans le modèle de la famille patriarcale permet un mariage facile et précoce, les nouvelles cellules conjugales formées s'associant à l'unité large du ménage ancestral au fur et à mesure de leur formation. La famille-souche suppose au contraire l'existence d'un système de mariage mieux réglé, et une discipline plus grande des individus. Un seul héritier est habilité à se marier sur place. Les autres ont le choix entre le célibat et l'émigration. La date de mariage de l'héritier lui-même est largement fonction de l'âge des parents, et de leur désir plus ou moins grand de passer la main, de transmettre la direction effective du ménage à leur enfant. L'ensemble du système produit un âge au mariage élevé, un taux de célibat fort, au contraire du modèle patriarcal, qui engendre des âges au mariage plus bas et des taux de célibat faibles.

Ces deux variables, âge au mariage et taux de célibat, permettent de séparer nettement les modèles « souches » et « patriarcaux » dans l'ensemble de la France des familles « complexes ». L'âge moyen au mariage permet également de remonter dans le temps jusqu'à 1830. Les provinces à âge au mariage élevé n'ont pas changé depuis le début du XIXᵉ siècle, ce qui confirme qu'il s'agit bien d'un paramètre anthropologique fondamental.

Apparaissent alors comme régions de structure familiale complexe et d'âge au mariage relativement élevé, le Pays Basque, la partie sud du Massif central, la Savoie, le Finistère et l'Alsace.

On doit cependant se défier de la simplicité du concept de famille-souche, et plus généralement de la typologie des trois familles proposées par Le Play.

Frédéric Le Play n'avait personnellement étudié précisément que deux types concrets de famille-souche : le modèle germanique, observé par lui en Scandinavie et en Allemagne, qui se retrouve vraisemblablement identique en Alsace, et le modèle basque ou pyrénéen de l'Ouest. Or, déjà, une différence fondamentale apparaît : le modèle germanique fait du mariage de l'héritier un événement central, coïncidant avec la mise à la retraite des parents et avec l'expulsion des frères et sœurs. Ce mélange de *continuation* et d'*explosion* est caractéristique du ménage allemand. Le modèle basque est moins conflictuel puisqu'il ne contient aucun élément de meurtre du père et n'implique pas l'émigration immédiate des frères et sœurs célibataires qui peuvent rester au foyer ancestral, et auxquels l'héritier marié doit entretien et assistance. Le ménage rural basque inclut donc aujourd'hui encore de nombreux collatéraux non mariés, frères cadets ou oncles âgés.

Plus généralement, la famille-souche n'est pas la seule à produire un âge au mariage élevé. Certaines régions de France où la formation de nouvelles cellules conjugales est retardée, ne sont pas exactement des régions de famille-souche. Ainsi la Bretagne où la prolongation du célibat des jeunes adultes s'effectue souvent de façon très différente. Adolescents, ils sont placés comme domestiques dans des familles autres que la leur [1]. Ce qui compte est donc moins l'opposition de la famille patriarcale et de la famille-souche, que celle de la famille patriarcale, institution souple, laxiste dans le domaine du mariage, d'une part, et d'une *variété* de systèmes familiaux — dont la famille-souche et la famille bretonne — permettant *le retardement* du mariage et imposant une certaine discipline aux individus d'autre part. Apparaissent alors en France deux types de famille complexe. Dans le quart Sud-Ouest et en Provence domine le type patriarcal souple. Au Pays Basque, en Savoie, au sud du Massif central, en Bretagne et en Alsace, domine le *type élargi rigide,* où les générations aînées contrôlent étroitement le moment du mariage des jeunes adultes.

On peut à ce stade proposer une répartition générale des régions françaises selon la structure familiale, gardant trois classes principales, comme celles de Le Play, mais généralisant le concept de famille-souche.

1. *Régions de structure nucléaire* (où, de façon caractéristique, l'âge au mariage et le taux de célibat sont moins stables dans le temps qu'ailleurs) : Normandie, Ouest intérieur (Anjou, Mayenne), Champagne, Lorraine, Orléanais, Bourgogne, Franche-Comté.

2. *Régions de structure complexe, à mariage peu contrôlé :* quart Sud-Ouest, Provence, Nord.

3. *Régions de structure complexe à mariage contrôlé :* Bretagne, Pays basque, sud du Massif central, Savoie, Alsace.

---

1. *Les Ouvriers européens,* tome IV, pp. 336-389. Voir aussi *Le Cheval d'orgueil.*

Chacun de ces grands types familiaux correspond à un type de sentiment familial. Le type 1, nucléaire, suppose une volonté d'indépendance et d'isolement. Le type 2, complexe à système de mariage non contrôlé, implique un désir de communauté et de dépendance. Le type 3, complexe à mariage contrôlé, révèle une adhésion nette au principe d'autorité. Nous utiliserons désormais une autre terminologie, plus conforme à la nature des sentiments familiaux et des pouvoirs exprimés. La famille nucléaire ne pose aucun problème. La famille large à système de mariage souple sera dite « famille communautaire » (type 2). La famille large à système de mariage rigide sera dénommée « famille autoritaire ».

*
* *

Cette analyse des systèmes familiaux de l'ancienne France, dérivée du recensement de 1975, est archéologique autant qu'anthropologique. Elle repose sur l'examen d'une société aujourd'hui minoritaire, et menacée de disparition, la paysannerie. Seul le monde rural fait aujourd'hui apparaître des différences très fortes, d'un bout à l'autre de la France, dans le domaine de la structure des ménages. Les familles urbaines sont beaucoup plus semblables, de la Normandie à l'Aquitaine, de la Bretagne à la Provence. Tout le pays, d'un seul mouvement, évolue vers une domination écrasante de la famille nucléaire. Le couple moderne, accompagné de ses enfants, devient une norme nationale. Mais cette homogénéisation des comportements observés implique-t-elle une homogénéisation des univers mentaux profonds ? Le ménage multiple paysan naît d'une rencontre de la nécessité économique et du sentiment familial : les deux se combinaient, dans le Sud-Ouest, pour produire des structures familiales complexes, associant pour la culture d'une même ferme plusieurs couples parents. L'Ouest préfère éviter la coopération familiale et recourir à la main-d'œuvre salariée pour créer des groupes de travail d'une taille suffisante, évitant ainsi la formation d'unités domestiques complexes. Le bureau et l'usine ayant remplacé la ferme, l'existence d'un groupe de travail large n'est plus nécessaire. D'où cette disparition, dans le Sud-Ouest par exemple, de la famille large en milieu urbain. Mais on ne peut affirmer que les systèmes de sentiments qui permettaient la formation de ménages complexes dans le Sud-Ouest, et l'empêchaient dans l'Ouest, ont disparu. Une analyse détaillée des rapports entre parents et enfants mariés conduite aujourd'hui en milieu urbain ne ferait-elle pas apparaître plus de chaleur en Aquitaine qu'en Normandie ? En milieu paysan, le sentiment familial peut produire, ou refuser, le ménage complexe. En milieu urbain, le sentiment familial définit vraisemblablement des réseaux de parenté, serrés dans le Sud-Ouest et lâches dans l'Ouest intérieur, qui n'apparaissent pas à l'échelle du ménage, mais de groupes de ménages. Ce qui est en milieu rural structure des ménages est en milieu urbain structure de la parenté.

La variété de ses structures familiales explique sans doute en partie l'extraordinaire résistance de la France à la pénétration de la psychanalyse [1]. Théorie engendrée par la culture allemande dans une société où dominait la famille élargie, élevée au rang de thérapie nécessaire par la société américaine, adepte de la famille nucléaire et d'une rupture franche et précoce entre parents et enfants, la psychanalyse ne pouvait trouver en France *un* terrain d'application uniforme, susceptible de recevoir *une* interprétation et *une* application spécifique de la théorie. L'Allemagne n'arrive pas à tuer le père, l'Amérique y parvient trop facilement. Mais comment définir un meurtre du père commun à la Normandie, où les générations répugnent à cohabiter, et à l'Aquitaine où elles refusent de se séparer ? Chaque structure familiale produit ses tensions et sa pathologie spécifique. Nombre d'indicateurs sociaux et moraux, cartographiés et analysés dans cet atlas — incidence de l'alcoolisme, fréquence du suicide, des internements psychiatriques, des viols, des assassinats — soulignent eux aussi la fondamentale et irréductible hétérogénéité anthropologique de la France, et confirment qu'elle n'est pas, à la façon de l'Angleterre, de

---

1. Cf. Théodore Zeldin, *France, 1848-1946.*

l'Allemagne, de l'Irlande, de la Suède, de la Russie, de la Grèce ou de la Pologne, une « nation ethnique », comme on disait au XIXᵉ siècle. La France apparaît toujours éclatée en une multitude de cultures régionales et locales dont la distance anthropologique est comparable à celle de deux pays européens pris au hasard. Sur le plan des structures familiales, il y a autant de différence entre la Normandie et le Limousin qu'entre l'Angleterre et la Russie.

Cette pulvérisation anthropologique permet de comprendre un autre éclatement de l'espace national, plus connu, mais inexpliqué à ce jour : la segmentation politique de la France.

Eclatement politique

La carte politique de la France est à la fois familière et mystérieuse. Elle n'a pratiquement pas bougé depuis le début de la IIIᵉ République. Elle n'a jamais été expliquée de façon satisfaisante. La gauche et la droite semblent s'être réparti, à peu près équitablement, les grandes régions françaises, une fois pour toutes, vers 1880, en fonction d'un critère aussi puissant qu'invisible. Depuis cette date, les aléas de la vie politique nationale n'ont pas réussi à entamer en profondeur cette segmentation traditionnelle du territoire national, qui apparaît intacte dans ses grandes lignes lors des élections de 1974, opposant Valéry Giscard d'Estaing à François Mitterrand, et de 1978, opposant les partis politiques de gauche et de droite.

L'économie politique est impuissante : certaines régions paysannes comme l'Ouest votent à droite, d'autres à gauche, comme le Midi. Certaines régions ouvrières votent à gauche comme le Nord - Pas-de-Calais, d'autres à droite comme l'Est lorrain. L'immutabilité du vote donne l'impression qu'un magnétisme souterrain guide ces choix électoraux. Mais les paramètres habituels de la sociologie courante — principalement économiques et politiques — ne permettent absolument pas d'atteindre cette logique inconsciente et durable.

Tout au long du XIXᵉ siècle, le système politique français se cherche. Révolutions, coups d'Etat et restaurations se succèdent, empêchant l'apparition d'une image nette des attitudes régionales vis-à-vis de la République et des principes révolutionnaires. Mais l'on sent déjà que les degrés d'adhésion sont inégaux. Dès la Iʳᵉ République, de larges régions de l'Ouest s'insurgent, de la Vendée à la Mayenne, déclenchant une véritable guerre civile [1]. Dès la IIᵉ République, on sent que la Provence est, plus fermement que d'autres régions, fidèle au principe républicain : lors du coup d'Etat de Louis-Napoléon Bonaparte, le 2 décembre 1851, de nombreux villages du Var et des Basses-Alpes s'insurgent pour la défense de la légalité [2]. L'installation de la IIIᵉ République stabilise le système. Alors, le suffrage universel permet d'y voir clair. Et l'on aperçoit, dans les années 1875-1900, au moment même où la modernité, sous forme d'alphabétisation de masse, finit d'envahir les campagnes, que le système d'opinions se fige, plaçant certaines régions à gauche, comme le Midi, et d'autres à droite, comme l'Ouest et l'Est, le centre du Bassin parisien étant seul capable d'oscillations et de fluctuations. A l'instant précis où l'on croit que la démocratisation des droits et des capacités va permettre l'accélération de l'évolution sociale, le système politique s'immobilise [3]. Pour un siècle.

La répartition régionale des votes ne change guère entre 1880 et 1980. Seule l'Alsace, traumatisée par ses détachements et rattachements successifs à la France, évolue brutalement, virant à droite au lendemain de la première guerre mondiale, alors qu'elle est transférée du système allemand à l'ensemble politique français. En 1978 encore la *quasi-totalité* des élus de la gauche viennent de deux régions : le Midi et le Nord, de la frontière belge à Paris.

Entre 1878 et 1978, la gauche s'est transformée,

---

1. Sur cet épisode, voir le livre de Charles Tilly, *La Vendée*.

2. Sur l'insurrection de 1851 dans le Var, voir le livre de M. Aguhlon, *La République au village*.

3. Alain Lancelot montre dans sa remarquable étude sur *l'Abstentionnisme électoral en France*, que la stabilité régionale de *l'abstention* augmente entre 1880 et 1930, pp. 66-67.

dérivant vers des positions plus extrêmes, du radicalisme au socialisme, du socialisme au communisme. La droite a également modifié son idéologie, passant après 1880 du monarchisme — libéral ou autoritaire — à une orientation plus religieuse. La répartition régionale des deux blocs n'a cependant pas varié. Les transferts sont internes à chacun des deux systèmes, qui semblent évoluer indépendamment l'un de l'autre dans leurs provinces respectives. Une moitié de la France choisit l'idéal égalitaire et démocratique. L'autre moitié, avec une égale détermination, reste fidèle au principe d'autorité et de hiérarchie. Durant un siècle coexistent une France de l'égalité et une France de l'autorité. La science politique, empêtrée dans ses classifications rationalistes — mouvement, réaction, développement, retard — n'arrive pas à saisir l'origine de ce clivage national, dont la stabilité fait de la France une nation schizophrène, capable de parler, alternativement et avec une égale vigueur, le langage des Droits de l'homme et celui du pétainisme.

Il n'existe pas, en effet, de relation simple entre développement économique et orientation du vote politique, ou entre degré de développement scolaire et choix politique régional. La division de la France échappe aux classements dichotomiques dérivés de la notion de progrès.

Lorsque éclate la Révolution, une frontière socioculturelle remarquablement nette coupe la France en deux. Au nord de l'axe Saint-Malo / Genève, le pays peut être considéré, dans le contexte de l'époque, comme développé. Les hommes y sont alphabétisés. L'agriculture y est évoluée et prospère ; le réseau routier serré. C'est cette France qui donne alors l'écrasante majorité de sa population à Paris, administrativement, capitale du royaume de France, humainement et culturellement, capitale de cette France « éclairée » comme on l'appellera au début du XIXᵉ siècle. Au sud de la ligne Saint-Malo / Genève, s'étend la France « obscure », de l'Atlantique à la Méditerranée, analphabète, pauvre et sous-alimentée.

Le clivage gauche-droite qui s'établit dans le courant du XIXᵉ siècle ne correspond malheureusement en rien à cette division. Chacune des deux zones se divise en plusieurs régions antagonistes.

Au nord, la Normandie, la Lorraine sont conservatrices. L'Artois et la Picardie optent pour la gauche. Au sud de la ligne, l'Ouest et la majeure partie de la Bretagne, le Massif central dans sa partie élevée, le Pays basque choisissent la droite. Le reste de l'Occitanie et le Centre-Limousin se placent à gauche. Le politique semble se jouer de l'économique et de l'idéal de développement défini par les Lumières au XVIIIe siècle.

La tentative la plus impressionnante pour expliquer la segmentation politique de la France fut celle d'André Siegfried. Son *Tableau politique de la France de l'Ouest*, qui date de 1912, cherche à établir des relations précises entre orientation du vote, régime de la propriété foncière et de l'exploitation du sol, mode d'habitat — dispersé ou groupé — influence du clergé. Il aboutit, cependant, à la conclusion d'une certaine irréductibilité du politique à ces variables simples et classiques. Incapable d'aboutir à une explication « rationnelle » du tempérament politique des diverses régions, il est conduit, sans enthousiasme excessif, aux frontières alors troubles de l'anthropologie.

« Plusieurs fois enfin — mais est-ce bien une explication ? — c'est le caractère même de la race qui m'a paru la seule raison de certaines différences politiques essentielles [1]... »

A la recherche d'un facteur stable, pour expliquer la permanence géographique de choix politiques, Siegfried est inévitablement ramené à la notion de race. Dans le contexte intellectuel de l'époque, cette conclusion est presque inévitable. Elle est surtout honnête puisqu'elle se refuse à faire apparaître des déterminismes économiques inexistants.

Les structures élémentaires de la politique française

Passons de l'anthropologie physique à l'anthropologie sociale ; remplaçons le concept indéfini de la race par celui de la famille, institution dont Aristote, dans la *Politique*, et Rousseau, dans le *Contrat social*, voient également qu'elle est en rapport étroit avec le

---

1. Introduction, p. XXVII.

système d'autorité politique. Après un non-sens introductif sur la liberté de l'homme naturel et sauvage, Rousseau commence son chapitre II par une constatation parfaitement raisonnable, produisant ce mélange de lucidité et de fantasme qui est la recette de toutes les grandes idéologies. Il écrit, sans attendre Freud :

> « La famille est donc si l'on veut le premier modèle des sociétés politiques : le chef est l'image du père, le peuple est l'image des enfants... »

Partant de cette intuition fondamentale commune à Aristote et Rousseau, on peut se demander s'il existe en France, nation variée sur le plan des structures de parenté et disloquée sur le plan des choix idéologiques, une coïncidence des attitudes régionales dans les domaines de la famille et de la politique.

La parenté contre le pouvoir

Le vote pour François Mitterrand, au deuxième tour des élections présidentielles de 1974, donne une bonne estimation du poids de la gauche dans chaque région. Deux zones de force sont nettes : le Nord et l'ensemble méridional — constitué par le quart Sud-Ouest et la Provence, mais excluant le Pays basque, la partie sud-est du Massif central et la Savoie. Ce qui apparaît, c'est, tout simplement, l'ensemble des régions de famille large communautaire de *type II*. Les *types I et III*, familles nucléaires et familles larges autoritaires, correspondent aux zones de force de Valéry Giscard d'Estaing, candidat des partis conservateurs.

Cette coïncidence de la famille large communautaire et de l'idéal démocratique n'a rien de miraculeux. Le groupe de parenté est une force sociale : s'il est cohérent, organisé, il empêche la formation de structures d'autorité dures, fondées sur l'idée de différenciation et de hiérarchie socio-économique. La famille large a son idée propre du pouvoir et de la légitimité. Il est donc tout à fait naturel que le Midi ait accueilli avec faveur les idées égalitaires. Il n'est pas non plus surprenant que les paysans de l'Ouest, isolés dans des ménages nucléaires très faibles et refusant l'appui d'un système de parenté large, n'aient pu empêcher le développement d'un système nobiliaire dominateur et sûr de lui. Le féodalisme de la partie occidentale de la France est peut-être né d'une incapacité des familles paysannes à utiliser le réseau de parenté comme contre-pouvoir.

Cette opposition culturelle de l'Ouest et du Midi n'est pas une création du XXe siècle. Dès le Moyen Age, l'Occitanie réussit à enrayer les progrès de la féodalité, au contraire de l'Ouest qui succombe presque sans combat. A l'époque médiévale, la moitié sud de la France est relativement démocratique dans sa vie sociale. Le nord du pays est soumis à la coutume : « *Nulle terre sans seigneur* » ; le Midi propose l'adage inverse : « *Nul seigneur sans titre* ». La documentation manque mais les médiévistes sentent bien que le Sud fut, de tout temps, une région propice à l'*alleu*, c'est-à-dire à une terre libre de toute sujétion féodale. Dès le milieu du XIXe siècle, le Midi apparaît comme une zone dense de propriété paysanne. L'Ouest est une zone de fermage, où le paysan ne possède pas sa terre.

Dès le Moyen Age, la famille large du Midi apparaît comme une force sociale avec laquelle les pouvoirs, étatiques et religieux, doivent compter. Elle joue un rôle non négligeable dans la diffusion des hérésies, qu'elles soient de type cathare ou protestant. A Montaillou, à la fin du XIIIe siècle — déjà — l'hérésie cathare prend appui sur les maisons-familles et sur les réseaux de parenté [1]. L'Inquisition ecclésiastique a parfaitement conscience de s'attaquer à des réseaux de parenté plutôt qu'à des individus.

Voilà pour les Pyrénées à l'époque médiévale. Même jeu dans les Cévennes, lors de la Renaissance : les familles larges virent par blocs au protestantisme, qui reste, aujourd'hui, un phénomène essentiellement méridional [2].

Au début du XXe siècle, la percée du socialisme s'appuie à son tour sur ces structures familiales rebelles à l'autorité sociale. Daniel Halévy, visitant en 1907, 1910, 1920 et 1934 les paysans du Bourbonnais et de la Marche (c'est-à-dire de l'Allier et du Cher), alors en pleine mutation socialisante, et déjà presque,

---

1. Cf. Emmanuel Le Roy Ladurie, *Montaillou, village occitan*, ch. II.
2. Emmanuel Le Roy Ladurie, *Paysans de Languedoc*.

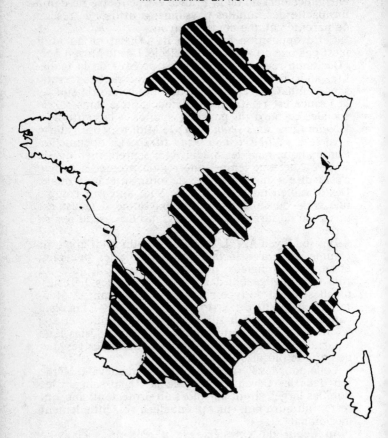

38 départements où la gauche a obtenu les meilleurs résultats (en hachures).

LA FAMILLE COMMUNAUTAIRE

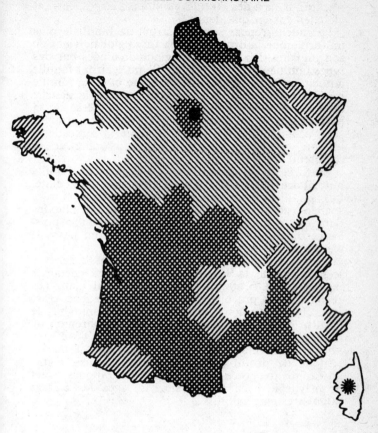

Départements où l'âge moyen au mariage est précoce vers 1955 (63 départements).

Départements où la proportion de familles larges est la plus importante en 1975 (44 départements).

Famille communautaire : recouvrement des deux catégories précédentes.

communisante, n'est pas confronté à des *individus* révoltés, mais à des *groupes familiaux*, larges, entrant globalement en dissidence [1].

La gauche repose sur une structure familiale plus uniforme que la droite, dont la force globale vient de son implantation dans des régions dominées par des types familiaux différents : famille nucléaire et famille autoritaire. L'association de la droite et de la famille nucléaire semble directe, comme celle de la gauche et de la famille communautaire. La faiblesse de la parenté permet la domination absolue des groupes socio-économiques privilégiés, comme la force de la parenté empêche cette domination absolue de se maintenir dans les régions de gauche.

La force de la droite dans les régions de famille autoritaire n'est pas l'effet d'une cause immédiate. Les familles autoritaires peuvent être des forces sociales considérables. Elles sont souvent établies dans des régions de propriété paysanne, où la puissance du système de parenté a, comme en pays de gauche, empêché l'implantation profonde de l'aristocratie. Constatation qui vaut pour le Massif central, le Pays basque, la Savoie, l'Alsace, et même certaines parties de la Bretagne bretonnante. Tout, dans ces régions, laisse prévoir l'émergence de la gauche. C'est la droite qui domine, grâce à l'appui formidable de l'Eglise catholique. Dans l'Ouest intérieur, région de parenté faible, l'Eglise règne, comme l'avait vu Siegfried, par la volonté de l'aristocratie locale. Dans les régions de droite sans aristocratie, l'Eglise règne, encore mieux, parce qu'elle a établi un rapport direct et privilégié avec la paysannerie, avec les classes populaires en général.

L'Eglise et la famille autoritaire

En 1793, l'Eglise catholique devient, dans une nation révolutionnaire, une sorte d'hérésie. Etrange destin d'une institution qui, au terme d'une domina-

---

1. Daniel Halévy, *Visites aux paysans du Centre,* nouvelle édition, « Pluriel », 1978 : pp. 94-95, portrait d'une famille de métayer ; p. 81, sur la fréquence des familles communautaires ; p. 131, la famille comme source d'énergie contestataire.

tion millénaire, doit chercher refuge, comme les « hérésies » cathares et protestantes, dans certaines structures familiales périphériques mais solides, à partir desquelles elle tente une reconquête de l'ensemble français. La carte des ménages de type III, famille autoritaire, est également celle de l'implantation religieuse, au début des années 60. Cette rencontre de la famille large autoritaire et de l'Eglise n'allait pas de soi ; elle obligea le catholicisme français à une véritable mutation anthropologique, effort d'adaptation douloureux mais réussi.

Le christianisme est, à l'origine, hostile à la famille patriarcale. Il met en valeur la cellule conjugale, association libre de deux individus majeurs, et le droit des enfants à vivre indépendamment des décisions de leurs parents. Il lutte donc contre l'infanticide antique et pour la reconnaissance de l'enfant comme personne. L'Eglise défendra jusqu'à la Révolution française cette conception de la famille, qui apparaît aujourd'hui comme simplement moderne et naturelle. Sous l'Ancien Régime encore, l'Eglise lutte contre le droit des parents d'autoriser le mariage de leurs enfants, sans succès : l'Etat monarchique soutient alors l'idée patriarcale [1].

La Révolution reprend à son compte l'idéal chrétien de la famille conjugale, que Jean-Jacques Rousseau présente dans *Le Contrat social* comme *la* forme naturelle de la famille, dans son style inimitable, gommant la distinction de ce qui est et de ce qui doit être :

« La plus ancienne de toutes les sociétés et la seule naturelle est celle de la famille. Encore les enfants ne restent-ils liés au père qu'aussi longtemps qu'ils ont besoin de lui pour se conserver. Sitôt que ce besoin cesse, le lien naturel se dissout. Les enfants, exempts de l'obéissance qu'ils devaient au père, le père, exempt des soins qu'il devait aux enfants, rentrent tous également dans l'indépendance. »

Le Code civil, pourtant moins audacieux que la législation révolutionnaire de 93, réalise, sur le plan juridique, cet idéal d'indépendance des enfants. Il

---

1. Marcel Garaud et Romuald Szramkiewicz, *La Révolution française et la famille.*

limite de façon décisive la liberté de tester et par conséquent le pouvoir du père.

Le christianisme est ici débordé sur son terrain traditionnel, frappé d'obsolescence par une évolution laïque qui le dépasse sans le contredire.

Heureusement pour elle, l'Eglise a une double nature anthropologique. Si elle défend l'idéal d'une famille conjugale aux membres bien individualisés, elle est aussi l'incarnation institutionnelle du principe de célibat parce qu'elle interdit le mariage des prêtres.

Au lendemain de l'époque révolutionnaire, dans la première moitié du XIXe siècle, l'Eglise de France est littéralement, pulvérisée. Elle manque de prêtres, beaucoup s'étant défroqués. Elle semble un instant perdue, l'anticléricalisme persistant dans les classes bourgeoises et dans les villes du nord du pays. Mais on découvre alors qu'il existe entre la structure *hiérarchique* et *célibataire* de l'Eglise d'une part, la structure *hiérarchique* et *productrice de célibat* de la famille autoritaire d'autre part des affinités électives, un lien de complémentarité proprement anthropologique. Productrice de célibataires, la famille large à système de mariage contrôlé va fournir l'Eglise en prêtres. L'Eglise, en retour, sacralisera — contre tous ses principes antérieurs — la famille autoritaire et la toute-puissance du père. Une relation symbiotique se développe dans le courant du XIXe siècle qui permet la survie — en Bretagne, au Pays basque, en Rouergue, en Savoie — de la famille large et catholique. De nouveau fournie en prêtres, l'Eglise de France trouve un second souffle. Frédéric Le Play, catholique, sociologue de la famille, conservateur, est, dès le milieu du XIXe siècle, conscient de la relation de complémentarité qui est en train de s'établir :

« Les clergés qui exercent une action prépondérante sur le bonheur temporel de leurs ouailles se développent surtout chez les populations à famille-souche. Ce résultat s'explique par quatre raisons : le foyer de ces familles développe mieux que tout autre milieu social, dans les jeunes mêmes, les sentiments sur lesquels reposent la paix de Dieu et la paix du souverain (on parlerait aujourd'hui de soumission à l'autorité) ; chaque foyer forme sans peine un excellent candidat au ministère ecclésiastique car ce succès est, pour lui, une source nouvelle de considération (placement efficace des célibataires) ; enfin le jeune pasteur trouve tout d'abord, dans les voisinages contigus au lieu natal, l'influence conquise par la famille dont il est sorti [1]. »

La fin de cette citation conduit à s'interroger sur la nature du pouvoir dans les sociétés locales fortement cléricalisées du Pays basque, du sud-est du Massif central, de Savoie et de certaines parties de la Bretagne. Elles ne sont pas, comme l'Ouest intérieur, des sociétés hiérarchiques dominées par une aristocratie locale et foncière. La paysannerie y contrôle largement, et la terre et le clergé. Phénomène déjà observé par André Siegfried dans le nord de la Bretagne bretonnante, extraordinairement religieux mais au fond égalitaire, et qu'il avait justement qualifié de « démocratie cléricale » ou de « théocratie ». Dans ce type de région, la prise de contrôle est mutuelle : le catholicisme s'empare de la vie morale des familles, les familles s'emparent de l'Eglise catholique.

Premier de ces mouvements simultanés : l'Eglise s'empare de la vie morale. Ce phénomène se manifeste très clairement, et statistiquement, par une remontée curieuse mais importante de la fécondité entre 1850 et 1870, particulièrement forte dans les régions de bonne implantation catholique. Mais le tempérament politique de ces régions, de structure familiale forte et hiérarchique, catholicisées en profondeur, généralement classées à droite (et qui forment certains des bastions les plus durs et les plus inviolables du conservatisme français) n'est pas viscéralement antidémocratique. André Siegfried l'avait déjà noté à propos de l'élection, en 1897, de l'abbé Gayraud, candidat du clergé de Léon [2], contre le comte de Blois, représentant des nobles royalistes. Dès 1789, un phénomène semblable peut s'observer en Lozère — dans la partie catholique du Massif central — où le curé Brun est élu, contre son évêque, député du clergé aux Etats généraux [3]. Ces manifestations précoces d'indépendance du bas-clergé annoncent l'émergence du phénomène démocrate-chrétien.

---

1. *Les Ouvriers européens*, tome IV, p. 510.
2. *Tableau politique de la France de l'Ouest*, ch. XVI.
3. Emmanuel Le Roy Ladurie, *Histoire du Languedoc*, p. 97.

Cet examen du tempérament démocratique — mais métaphysicien — des régions de famille autoritaire permet, d'une certaine façon, d'unifier le système de correspondance établi plus haut entre types familiaux et choix politiques. Tous les systèmes de familles larges — qu'il s'agisse de ménages « communautaires » ou « autoritaires » — correspondent à des régions de tempérament démocratique. Dans le cas des régions cléricales, on est confronté à une nécrose du tempérament démocratique, qui ne s'exprime que dans les rapports sociaux locaux et contribue à renforcer, à l'échelon national, le pouvoir des forces conservatrices. N'oublions cependant pas que, situées aujourd'hui du côté des forces de la majorité, ces régions étaient vers 1900 contestataires, parce que opposées à l'ordre républicain. Le caractère rebelle peut être ambigu.

Reste à examiner une autre nécrose du sentiment démocratique, non moins importante, le communisme, dont on peut également démontrer que l'implantation régionale n'est pas en France un accident, mais qu'elle correspond à des structures familiales et anthropologiques précises.

De la famille communautaire au communisme

La famille est une structure forte, centrale, de la vie sociale. Elle n'est cependant pas indestructible. Un groupe humain peut muter et changer de système de parenté. Mais une telle transformation qui concerne les aspects les plus fondamentaux de l'organisation sociale ne peut qu'être cataclysmique, et correspondre, dans le temps et l'espace, à un basculement général des valeurs morales et de l'environnement économique.

Certains phénomènes d'ordre cataclysmique peuvent *provoquer* une mutation du système familial, comme ce fut le cas en Irlande au lendemain de la grande famine de 1848 : se développe alors, en une génération, un système du type famille-souche particulièrement dur, produisant des taux de célibat très forts et un âge au mariage extrêmement élevé [1]. L'ensemble du système, parfaitement malthusien, a permis de bloquer l'augmentation de la population. On peut toujours observer aujourd'hui en Irlande un catholicisme indestructible, vivant, comme au Pays basque, en Bretagne ou en Rouergue, une fructueuse relation symbiotique avec cette structure familiale particulière. Mais le système irlandais, qui paraît aujourd'hui immuable, et qui semble désormais insensible aux progrès économiques réalisés dans l'île depuis le début du siècle, ne vient pas du fond des âges. Il est le produit d'un traumatisme relativement récent. Dans certaines régions de France, le système familial a muté, dans le courant des trois derniers siècles. Il ne s'agit pas ici, comme en Irlande, d'une transformation menant à une plus grande complexité des structures familiales, mais au contraire à une simplification, à une nucléarisation de la famille, à une individualisation de la cellule conjugale, et même de l'individu lui-même. Un examen des cartes décrivant, en 1975, la complexité relative des ménages fait apparaître, sur les franges des régions de ménages multiples, des taches plus claires, marquant un affaiblissement périphérique de la structure familiale dense : phénomène particulièrement net dans le Midi provençal et la zone centrale du Limousin, des Marches et du Bourbonnais. Dans ces provinces, le nord et le sud de la France se touchent ; on peut y observer, entre le XVIIIᵉ siècle et la fin du XIXᵉ siècle, une véritable explosion de la famille communautaire traditionnelle.

On dispose, pour la fin de l'Ancien Régime, de quelques listes de ménages, dressées à l'échelle villageoise, et permettant de réaliser aujourd'hui une sorte de sondage très imparfait sur ce que furent en France les structures familiales il y a deux siècles [2]. Une compa-

---

1. Cf. Conrad Arensberg, *The Irish countryman*, pp. 95-104.

2. Bibliographie sur les structures familiales au XVIIIᵉ siècle. Peter Laslett (editor), *Household and family in past time. Montplaisant*, par J.N. Biraben, pp. 237-254. Peter Laslett, *Family life and illicit love in earlier generations*, particulièrement p. 25. Jean-Louis Flandrin, *Familles*, Parenté, maison, sexualité dans l'ancienne société, pp. 68-79. François Lebrun, *La Vie conjugale sous l'Ancien Régime*, p. 61.

raison avec les chiffres obtenus en 1975, pour les ménages agricoles, permet de voir, dans une certaine mesure, s'il y a eu évolution des systèmes familiaux, dans le milieu rural lui-même. La réponse à cette interrogation est double : certaines régions ont changé, d'autres non. Les chiffres obtenus actuellement dans les Pyrénées, au Pays basque notamment, dans le Sud-Ouest profond en général, semblent n'avoir pas bougé. Il n'y a pas eu là de révolution anthropologique. Il n'y a pas eu non plus de mouvements notables dans les vieilles régions de structure individualiste comme la Normandie, dont les ménages étaient, au XVIIIe siècle comme aujourd'hui, remarquables pour leur absence de cohabitation des générations. Mais les quelques données obtenues pour la Provence et la partie nord de la région de famille communautaire, s'étendant de la Dordogne à la Nièvre, font apparaître un ébranlement en profondeur du système familial paysan. La Nièvre était célèbre, sous l'Ancien Régime, pour ses « *communautés taisibles* », immenses ménages composés parfois de plus de deux couples et qui ont aujourd'hui disparu. On dispose pour un village du nord de la Dordogne, *Montplaisant*, de deux recensements nominatifs donnant la structure des ménages en 1644 et 1836. En deux siècles, le nombre des ménages multiples, c'est-à-dire contenant plus de deux couples, tombe de 21 p. 100 à 1 p. 100. Il s'agit là d'une évolution extrême, dans un seul village, dans un département situé à la limite des zones stables et ébranlées. C'est au nord de la Dordogne, dans le Cher, la Nièvre, l'Allier, la Haute-Vienne que l'on observe un ébranlement généralisé du monde paysan, sur le plan du système de parenté. La Provence fait également apparaître une évolution massive, encore plus brutale, pour autant qu'on puisse en juger d'après les données très fragmentaires dont on dispose, pour le XVIIIe siècle. Dans les villages de Rognonas et Mirabeau, on compte alors, respectivement, 18 et 22,5 p. 100 de ménages multiples. Le recensement de 1975 ne fait plus apparaître, en milieu rural, que des traces résiduelles de cette structure familiale proliférante.

arranged marriages ?

Au XIXᵉ siècle, l'Occitanie, définie largement par le système de parenté plutôt que par la langue, se divise : l'Occitanie profonde, aquitaine, entre Quercy, Pyrénées et Seuil du Lauragais, résiste à la désintégration familiale. L'Occitanie périphérique, du Limousin à la Provence, bascule dans un processus de nucléarisation, de pulvérisation des structures de parenté.

L'examen de cette institution occitane typique — parce que liée au droit écrit — qu'est le contrat de mariage, instrument privilégié des stratégies de la famille large, confirme l'hypothèse d'une mutation structurelle brusque. Très vite, dans le courant du XIXᵉ siècle, la partie de l'Occitanie située sur la frange nord du Massif central, ainsi que celle placée sur les bords de la Méditerranée, abandonne largement la pratique du contrat de mariage, signe certain d'un affaiblissement de la famille large et de sa stratégie matrimoniale.

L'explosion d'une structure familiale est un cataclysme humain, qui ne va pas sans dégâts. Dès la fin du XIXᵉ siècle, la Provence et le Limousin apparaissent comme des régions de perturbation mentale profonde. Le Var et la Haute-Vienne, ont, dès 1875, des taux de suicide anormalement élevés, compte tenu de leur faible degré de développement culturel. Privé du sentiment de sécurité que lui donnait la famille communautaire traditionnelle, l'individu, réduit à l'état d'atome élémentaire, ne vit pas sa liberté sans angoisse. D'où ce développement précoce, dans des provinces apparemment sans histoire, de symptômes névrotiques mesurables. L'Occitanie profonde, dont les structures familiales sont intactes, résiste mieux à la pénétration du suicide, phénomène de modernité, lié à l'élévation générale du niveau culturel, mais qui semble ne sévir avec toute sa force que dans les régions d'atomisation individualiste.

La folie, autre phénomène dérivé de l'anxiété individualiste du XIXᵉ siècle, fait une apparition précoce en Provence. Elle épargne cependant le Limousin, le Bourbonnais et les Marches. Là, c'est plutôt l'alcoolisme, autre phénomène désastreux de modernité, qui se manifeste. Le monde méridional y résiste beaucoup mieux dans l'ensemble que la France du nord. Mais la partie nord de l'Occitanie, où se désintègrent, entre 1800 et 1900, les structures de parenté traditionnelles, cède largement à la tentation de la bouteille. Cette région appartient aujourd'hui, pour le degré d'imbition éthylique, à la France du nord.

Il est difficile de faire l'histoire du système de parenté de la Picardie et de l'Artois, région de relative complexité familiale, par manque de documentation, mais aussi, sans doute, parce qu'il n'a vraisemblablement jamais atteint une densité de type occitan. La modernité économique de la région rendait impossible l'émergence des ménages immenses et spectaculaires de la France du sud. Il n'est cependant pas absurde de supposer, dans cette région du Nord, le développement d'un phénomène d'atomisation individualiste. Les départements du Nord et du Pas-de-Calais sont aujourd'hui parmi les plus éthyliques et les plus suicidaires de France.

Suicide, alcoolisme et folie ne sont pas typiques de l'Occitanie désintégrée. En tête, viennent aujourd'hui, pour ces trois variables, les provinces de l'Ouest : la Basse-Normandie, Bretagne, Mayenne, Anjou. Il est peut-être possible d'associer l'alcoolisme breton à un phénomène de désintégration des structures de parenté, dans le Finistère notamment. Mais le trait frappant de l'ensemble de la région Ouest, qui inclut alors une bonne partie de la Bretagne gallo (c'est-à-dire de langue française) c'est l'état *naturellement nucléaire* de la structure des ménages. Il y a là un individualisme anthropologique — par opposition à l'individualisme historique de Provence et du Limousin-Bourbonnais. La famille de l'Ouest n'a pas explosé ; sa faiblesse, extrême, est un trait qui semble, à l'échelle de l'histoire de France, éternel et immuable. Le désarroi moral semble ici de longue période, effet de l'extrémisme individualiste du système de parenté. En Provence et Limousin, l'angoisse est un effet de *transition* correspondant à un mouvement historique précis.

Quelle est la cause de cette destruction radicale du système de parenté ? La volonté des hommes, effet d'une circulation des idées à l'échelle du pays tout entier. La famille communautaire, même si elle n'empêche pas un mariage précoce des jeunes, est ressentie comme une entrave à la liberté. La Révolution française, profondément individualiste, met la destruction de ces entités familiales oppressantes au nombre de ses priorités. Le Code civil, permet et encourage la division des patrimoines familiaux. Il est accueilli, dans les régions du Centre, comme une libération. En 1907, une discussion oppose Daniel Halévy, sur le point de succomber aux charmes de l'archaïsme rural, et son ami Emile Guillaumin, auteur de *La Vie d'un simple* [1], personnalité paysanne et littéraire du Bourbonnais, qui songe avant tout à tirer sa province et ses compagnons de l'arriération. Guillaumin ne voit dans la famille large et dans « les vieilles mœurs » qu' « une exploitation des enfants par les pères ».

La Révolution, bourgeoise ou socialiste, est d'humeur parricide. Elle ne mène pas simplement à l'exécution de Louis XVI, en janvier 1793, mais à un détrônement généralisé des patriarches dans les régions de culture occitane placées au contact de la civilisation parisienne.

Cet esprit révolutionnaire et individualiste du XIXe siècle cède la place au XXe à une nouvelle mentalité, également révolutionnaire, mais de type communiste. Le Centre-Limousin et la façade méditerranéenne de la France virent au rouge vif, un rouge désormais marqué par l'esprit de discipline. N'y a-t-il pas là retour du vieil esprit communautaire, la cellule du parti remplaçant, dans l'esprit des militants, la famille large d'antan ? La correspondance géographique des deux phénomènes — dissolution de la famille communautaire, montée en puissance du parti communiste — est trop frappante pour qu'on puisse nier l'existence d'une relation de cause à effet. Les trois bastions non parisiens du parti communiste français sont la façade méditerranéenne, le Centre-Limousin, l'ensemble nordique constitué par les départements du Nord, du Pas-de-Calais, de l'Aisne et de la Somme. Or, ces trois zones sont, à des degrés divers, des régions de *famille élargie*, faisant apparaître des signes de désintégration ou de perturbation psychologique au XIXe siècle et au XXe siècle. Toutes les autres

---

1. Nouvelle édition, *Le Livre de Poche*.

régions de France se sont révélées parfaitement réfractaires à une pénétration en profondeur du parti communiste. Aujourd'hui le P.C.F. ne progresse plus guère que dans le Sud-Ouest profond, de plus de 2 p. 100 des voix entre 1973 et 1978 — dans les départements de Haute-Garonne et des Hautes-Pyrénées par exemple —, *vieille région de gauche où se poursuit encore, avec un temps de retard, la désintégration du système de parenté communautaire ancien.*

L'étude des structures familiales permet de comprendre la disposition apparemment aléatoire des forces politiques dans l'espace français. Doublement. Une première division oppose la gauche et la droite, la famille communautaire d'une part, les familles plus restreintes, autoritaires on nucléaires, d'autre part. Une analyse plus fine permet de comprendre à quelles structures familiales particulières correspondent ces *deux noyaux durs* que sont, à l'intérieur de la droite *le catholicisme*, à l'intérieur de la gauche *le communisme*.

Le catholicisme a défini, entre 1830 et 1900, une fructueuse relation de complémentarité entre sa structure anthropologique propre et celle de la famille autoritaire, productrice de célibat. Le parti communiste ne vit pas d'une relation de complémentarité, mais de substitution affective : là où la famille communautaire s'effondre le P.C.F. remplace la gauche traditionnelle, équilibrée et libérale. Cette interaction entre politique et famille permet de comprendre pourquoi le communisme apparaît incapable de se développer sur des terrains autres que ceux de la gauche traditionnelle. Gauches libérale et communiste sont définies par une même structure anthropologique : saine, celle-ci engendre une vigoureuse aspiration à la liberté ; en décomposition, elle produit une idéologie nécrosée, combinant volonté démocratique et aspiration à l'étouffement communautaire.

Le catholicisme et la gauche libérale ont un point commun, celui d'être particulièrement bien implantés dans les régions de structure familiale saine, non décomposée : la vieille S.F.I.O., dans le Sud-Ouest communautaire aquitain et pyrénéen, l'Eglise en Bretagne, en Alsace, au Pays basque, en Rouergue, en Savoie, régions de famille autoritaire. Toutes ces provinces ont un autre point commun, lié au précédent :

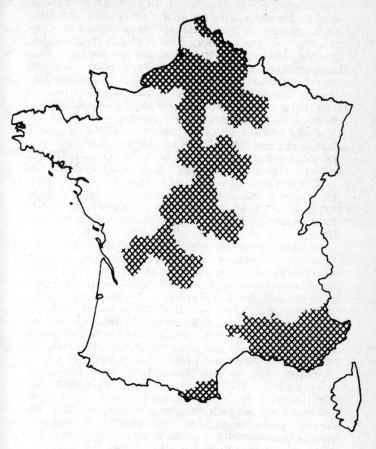

En croisillons, les départements où le P.C. a obtenu plus de voix que le P.S. en 1978.

elles sont périphériques, situées aux extrémités les plus lointaines de l'ensemble français. La commune solidité des structures familiales de ces régions, très différentes sur le plan anthropologique, tient en partie à leur localisation, hors de la portée immédiate des axes de destructuration rayonnant autour de Paris. Le communisme, qui, au contraire, prolifère sur les systèmes de parenté communautaires en décomposition, est un phénomène de déculturation et se trouve pour cette raison répandu au centre du dispositif national. Ses trois bastions régionaux — le Nord, le Centre-Limousin, la côte méditerranéenne — sont tous situés aux frontières des grandes zones anthropologiques françaises (Nord/Sud, Est/Ouest). Quant à Paris, elle est la capitale officielle du système de confrontation et d'annulation réciproque des cultures régionales. Il est donc parfaitement normal d'y trouver le P.C.F. implanté en force, dès 1921. La carte représentant en 1978 le rapport de force P.C./P.S. est des plus curieuses. Les régions où le parti communiste reste plus puissant, électoralement, que le P.S. (très minoritaires) se répartissent selon un étrange axe central, véritable colonne vertébrale, large d'un ou deux départements au plus, descendant de façon rectiligne de Lille à Limoges, passant par Paris. Interrompue par le Massif central, cette ligne de force reprend dans le Gard et s'étale sur les bords de la Méditerranée. Il est difficile de ne pas voir dans cette étroite bande une ligne de contact, un front de rencontre de zones anthropologiques larges. L'Ouest rencontre l'Est, le Midi rencontre le Nord. L'implantation du P.C.F. semble suivre la ligne de démarcation traditionnelle des anciens ethnologues français, qui, spéculant sur les origines de la nation, voyaient en elles la rencontre de trois civilisations : l'Ouest celtique, l'Est germanique, le Midi romain. La rencontre ne va pas sans frictions et sans phénomènes de pertes d'identité. Dans les zones de flou anthropologique, le P.C.F. a peut-être trouvé son meilleur terrain d'accueil. Son message violemment universaliste, qui nie les enracinements coutumiers, est mieux compréhensibles dans ces régions que dans les provinces vivant sans problèmes, au rythme d'une tradition éternelle et rassurante.

La carte politique de la France n'est donc pas un

effet passif de l'anthropologie. La France n'est pas une juxtaposition inerte de régions, closes les unes aux autres. Il y a, sur les franges des ensembles ethnologiques, mouvement, friction, déstructuration. De cet anéantissement mutuel des coutumes naissent des phénomènes nouveaux.

Un terrain anthropologique glissant :
la famille nucléaire

Entre l'Artois, l'Alsace, la Bretagne et la Loire, s'étend une France de la famille nucléaire où la cohabitation de parents et d'enfants mariés est rare, en milieu agricole comme en milieu urbain. Cette région, qui couvre à peu près les deux cinquièmes du pays, n'a pas, si l'on excepte sa partie ouest (Mayenne, Manche, Orne, Ille-et-Vilaine, où la famille nucléaire n'est pas simplement dominante, mais paroxystique), une image politique nette. Elle est aujourd'hui d'orientation globalement conservatrice, mais sans excès. La droite n'y obtient pas sans effort une majorité écrasante, comme c'est le cas dans la plupart des bastions durs et périphériques d'Alsace, du sud du Massif central, du Pays basque ou de Bretagne. Il s'agit d'un conservatisme de raison plutôt que de cœur. Dans l'ensemble de cette sphère, le catholicisme, sans être partout absent, n'est jamais aussi fort que dans certaines provinces éloignées de Paris : la Normandie n'est pas aussi religieuse que la Bretagne ; la Lorraine que l'Alsace ; la Franche-Comté que le Rouergue. Conservatrices plutôt que réactionnaires, peu ou moyennement catholiques, les régions de familles nucléaires sont dans un premier temps difficiles à classer. Dans un deuxième temps, s'impose l'idée que ce flou idéologique est, justement, leur caractéristique commune et principale. Et qu'à ce flou correspond, dans le temps, une certaine instabilité doctrinale. Les idéologies glissent sur les régions de familles nucléaires sans laisser de trace durable.

La Normandie (départements du Calvados, de l'Eure, de la Seine-Maritime) est sans doute l'exemple le plus spectaculaire d'une tendance systématique à la discontinuité culturelle. Au XVIᵉ siècle, elle est l'un des points forts du protestantisme : aucune trace visible n'en subsiste aujourd'hui, contrairement à ce qui est observé dans la partie sud de la France. Au XVIIIᵉ et au début du XIXᵉ siècle, la province semble très catholique ; en 1856, les curés y sont particulièrement nombreux. Puis cette religiosité apparente s'estompe. Même instabilité dans le domaine démographique : au XVIIIᵉ et au début du XIXᵉ siècle, la Normandie, en contradiction flagrante avec ses apparences catholiques, est l'une des premières provinces à pratiquer le contrôle des naissances sur une large échelle. Mais sa fécondité remonte ensuite par rapport à l'ensemble des provinces françaises et se situe désormais à un niveau fort ou moyen. Le Sud-Ouest aquitain au contraire, région de famille large, pratique le contrôle des naissances aussi tôt que la Normandie, mais reste, de 1750 à 1980, l'une des régions où les taux de natalité sont les plus faibles du pays : dans son cas, l'attitude vis-à-vis de la reproduction correspond à une tradition authropologique très ferme. En Normandie, au contraire, la natalité est un phénomène instable, qui ne se reproduit pas d'une manière identique de génération en génération. La Normandie n'est sûre que de son conservatisme, qui n'est quand même pas absolu, puisque la S.F.I.O. pouvait, en 1919, considérer le Calvados comme l'un de ses points forts, aujourd'hui disparu.

A l'autre extrémité de la région de familles nucléaires, de la Champagne à la Bourgogne, de l'Orléanais à la Franche-Comté, c'est surtout sur le plan politique que s'exprime l'instabilité culturelle. Au XIXᵉ siècle, l'ensemble de cette zone a plutôt une image de gauche, aujourd'hui inversée.

En 1849, les démocrates-socialistes sont forts dans l'Ain, le Jura, la Saône-et-Loire. Ils réalisent des scores très honorables dans la Côte-d'Or, le Loiret, l'Yonne, le Loir-et-Cher. En 1914, la région située entre le Loiret et l'Ain est toujours une zone de force pour le radicalisme pur et dur. Ces implantations, temporaires, n'ont pas laissé des traditions politiques de gauche. Cette indéfinition culturelle des pays de familles nucléaires — « de familles instables » disait très justement Frédéric Le Play — s'étend au domaine de la pathologie sociale. Le suicide, phénomène de modernité, qui s'étend au XIXᵉ siècle, ne fait que passer dans cette zone centrale. Fort un instant en Champagne et en Normandie, il s'installe finalement en Bretagne.

Au contraire de la famille large, qui assure la reproduction, d'une génération à l'autre, des traditions politiques, que celles-ci soient de droite ou de gauche, la famille nucléaire rompt la continuité des générations et encourage un véritable flottement historique. Les régions de structure « instable », qui ne sont au fond ni de gauche, ni de droite, sont plus capables de changement que les régions traditionnellement de gauche ou de droite. Elles sont moins prisonnières de l'anthropologie. La discontinuité de leurs structures familiales fait de leur histoire un processus continu.

*
* *

Les limites de l'approche structuraliste

L'approche structuraliste, qui permet ici d'établir des rapports précis entre deux domaines de la vie sociale, entre deux catégories de l'esprit humain, le familial et le politique, a ses limites. Il n'est pas question de généraliser cette coïncidence morphologique à des domaines autres et lointains, comme fut tenté de le faire le structuralisme conquérant des années 50. Il n'existe pas, par exemple, de correspondance générale entre « structures culinaires » et « structures familiales » dans l'ensemble français. Le Pays basque a une cuisine particulière et un système de parenté spécifique : mais si sa « famille-souche » s'oppose nettement aux types communautaires du monde méditerranéen, sa cuisine le rattache nettement à l'entité occitane, par l'usage intensif de la tomate. De même, les gens d'Artois et de Picardie, distincts des Lorrains sur le plan du système familial, sont comme eux des buveurs de bière. Il n'est donc pas question de spéculer ici, comme le fait Claude Lévi-Strauss dans certains de ses essais d'*Anthropologie structurale* [1], sur ces domaines importants certes, mais *moins centraux* de la vie sociale que sont la

1. *Anthropologie structurale*, pp. 37-110, notamment 107.

cuisine et le langage, sur l'interaction, au plus profond du cerveau humain, de ces *phonèmes* et *gustèmes*, qui permettent au grand ethnologue français de comprendre, de saisir, de sentir ou de croire que le « fromage archétypal » n'est pas pour lui le même « selon qu'il pense en français ou en anglais ». Pour nous si.

Ce qui lie solidement le système familial au système politique et religieux, c'est la notion d'autorité qui fonde l'un et l'autre. Différents types d'autorités produisent des modèles familiaux distincts et des choix politico-religieux divergents. Il y a là une relation simple et sans ambiguïté, Il existe bien sûr des interdits alimentaires, des tabous, dont l'étude est fort importante en anthropologie : il n'y a cependant aucune raison logique pour que ces interdits coïncident avec ceux de la parenté et de la politique.

Poussant plus loin cette mise en question du structuralisme comme hypothèse nécessaire, on doit souligner que la coïncidence parfaite entre structure familiale et structure politique ne peut être étendue à d'autres aspects également fondamentaux du système de parenté, comme les rapports entre hommes et femmes, dont le style et la nature varient en France autant que la structure des ménages. L'espace français, considéré comme champ de bataille anthropologique, permet un véritable Austerlitz structuraliste si l'on concentre l'attention sur les rapports entre structure des ménages et politique, mais il produit, avec une égale facilité, un Waterloo, également structuraliste, quand on passe à l'analyse différentielle des statuts de la femme.

Hommes et femmes

Dans cette histoire express du genre humain qu'est « *L'origine de la famille, de la propriété privée et de l'Etat* », Engels donne sa version du fait féminin ; le communisme primitif favorable à la femme a été remplacé par le mariage apparié où « la dame de la civilisation, entourée d'hommages simulés et devenue étrangère à tout travail véritable, a une position sociale de beaucoup inférieure à celle de la femme barbare, qui travaillait dur et qui comptait dans son peuple pour une véritable dame et qui d'ailleurs en était une ». Le renversement du droit maternel est la grande défaite historique du sexe « faible ». Même à la maison, l'homme prend en main le gouvernail ; la femme est dégradée, asservie, elle devient esclave du plaisir de l'homme et « simple instrument de reproduction ». Cent trente ans plus tard, l'historien américain Edward Shorter n'est pas moins violent lorsqu'il décrit la famille européenne du XVIIIᵉ siècle [1] :

« Ces paysans et ces petits-bourgeois considéraient leurs épouses comme des machines à faire des enfants et les traitaient en conséquence : mécaniquement et sans affection. »

Et plus loin :

« Les hommes devaient se montrer dominateurs, imposants d'autorité, égoïstes, brutaux, insensibles ; les femmes devaient être loyales, fidèles, effacées et soumises. »

Une histoire apaisée des rôles féminins et masculins paraît presque impossible. Les auteurs décrivent à peine mieux ces deux sexes étranges que le capitaine Cook, les Tahitiens. De mystérieux règlements de compte semblent parsemer ces récits de la femme triomphante ou humiliée.

Ces innombrables paradis et enfers perdus ont deux traits communs : un sentimentalisme invérifiable et un fixisme absolu. Les attributions perdues de la femme sont énumérées comme autant de caractères naturels. Shorter dresse un tableau universel de « la division des tâches par sexe au sein de la maisonnée rurale traditionnelle », qui entre en contradiction formelle avec les constatations des ethnologues, dont les analyses révèlent l'existence de stratégies fines et différenciées de recherche du conjoint, et d'une variabilité du partage des tâches entre époux à l'échelle des provinces françaises.

Les enquêtes d'architecture rurale effectuées à l'instigation de G.H. Rivière permettent aussi d'apprécier cette diversité. Fabrication du pain, soins donnés au

_____

1. E. Shorter : *Naissance de la famille moderne*, p. 137.

bétail, vente des produits au marché, moissons, culture des légumes : dans toutes ces activités, hommes et femmes interviennent différemment selon qu'ils sont de Bretagne, de Gascogne, d'Aubrac ou de Picardie. Plutôt qu'une division du travail, la France rurale ancienne révèle une collaboration des sexes. Les observateurs, s'ils sont armés uniquement des catégories de la modernité, oublient souvent ce qu'Arthur Young avait aisément remarqué en Artois :

« Des femmes labourent avec une paire de chevaux pour semer l'orge. La différence de coutume avec l'Angleterre n'est en quoi que ce soit plus frappante que dans les travaux des femmes [1]. »

Le rôle de la femme dans les fonctions de représentation sociale du ménage est un aspect particulièrement important de la division du travail entre les sexes, comme l'a remarqué Martine Segalen :

« La femme peut ou non aller au foirail et participer a la tractation économique... Elle peut aussi participer aux affaires politiques du village, comme elle le faisait en Lorraine ; elle peut participer ou être exclue des rapports avec les autorités municipales, les notaires... En Bretagne, la femme fait traditionnellement les démarches auprès de l'administration [2]. »

La géographie d'ensemble et de détail de ces relations variées entre hommes et femmes est cependant mal connue. On sait simplement que les sociétés méditerranéennes exigent un degré supérieur de différenciation des rôles et une oppression plus nette des femmes. L'existence de systèmes juridiques distincts permet d'observer ce contraste dans le domaine du droit. Aux coutumes germaniques, qui accordent aux femmes des pouvoirs presque équivalents à ceux des hommes, s'opposent les sociétés de « droit écrit » où, sous des formes diverses, les droits du Pater familias romain subsistent. Cette classification simple permet d'opposer l'Allemagne à l'Italie. Elle est trop grossière si l'on s'intéresse à l'ensemble français, qui

---

1. A. Young : *Voyages en France 1787, 1788, 1789*, traduction de H. Sée, A. Colin, 1931, p. 78.
2. M. Segalen : *Mari et femme dans la société paysanne*, p. 183.

n'est pas seulement germanique et méditerranéen, mais inclut un élément celte et une multitude de micro-cultures mal répertoriées, allant du monde basque aux réduits alpins, d'origine anthropologique incertaine.

L'analyse de systèmes juridiques plus récents, comme les coutumiers du XVIe siècle, ne permet pas non plus d'aboutir à des résultats très précis. Ce droit fournit des règles pour assurer la transmission des héritages et pour résoudre des conflits. Il ne décrit par les rapports humains réels. Il peut être appliqué ou ignoré. Les rapports entre hommes et femmes sont, dans une large mesure, secrets. Ils sont encore plus difficiles à atteindre, analyser, classifier, que les relations entre parents et enfants. Ici encore la démographie peut venir au secours de l'anthropologie, lui fournir des éléments statistiques rigoureux permettant l'élaboration d'une typologie des rapports entre sexes masculin et féminin dans l'ensemble des régions de France.

La démographie, discipline austère, fortement mathématisée, dont l'objet est simplement de comptabiliser les naissances et les décès, est malgré tout, à sa façon, une science de la vie et de la mort. Habituée à distinguer, dans ses tableaux usuels, les événements se rapportant à l'un et l'autre sexes, elle révèle la nature véritable et variée des relations entre hommes et femmes en Bretagne, Alsace, Artois ou Languedoc.

Pour l'analyse des rapports entre hommes et femmes, dans l'ensemble français, on ne peut, comme dans le cas des relations entre parents et enfants, s'appuyer sur une typologie ancienne et élégante du type de celle proposée par Frédéric Le Play. En anthropologie, comme ailleurs, la sexualité engendre le fantasme. Un historien du droit comme Bachofen, passionné du matriarcat germanique, et un folkloriste actuel comme Jean Markale, amateur de légendes celtes, ne nous mènent pas au-delà d'une opposition facile du Nord et du Midi, le premier étant plus égalitaire que le second. Nous allons donc devoir développer ici une nouvelle typologie, plus fine, comprenant trois catégories et non deux, permettant d'échapper au couple antithétique féministe/machiste, de peu d'utilité dans le cas d'un pays comme la

France, où les types de relations entre hommes et femmes sont à la fois variés et nuancés.

Un indicateur statistique simple permet cependant de constater que, effectivement, le Nord est plus égalitaire que le Midi. L'écart d'âge entre deux époux définit, dans une large mesure, le rapport existant entre eux : une proximité d'âge implique une égalité d'expérience. Au contraire, si le mari est nettement plus âgé que sa femme, celle-ci glisse du statut d'épouse à celui de fille. L'inégalité d'âge induit une inégalité de pouvoir, corrélation parfaitement observable dans le domaine musulman.

En France, les écarts moyens d'âge entre conjoints sont, bien sûr, beaucoup plus faibles au Nord qu'au Midi. Mais trois pôles égalitaires particulièrement clairs émergent au septentrion : à l'Est, du côté de l'Alsace, au Nord, de l'Artois à la Picardie, à l'Ouest centré sur la Bretagne et la Vendée. Entre ces trois blocs, les provinces intermédiaires — Normandie, Ile de France, Champagne, Lorraine, Bourgogne —, plus égalitaires que celles du sud du pays, sont pourtant moins marquées que les trois pôles dominants.

La répartition géographique des types de relations entre hommes et femmes est moins nette que celle des rapports entre parents et enfants. D'une réflexion en termes de zones, bien délimitées, on passe ici à une analyse en termes de pôles — Nord, Est, Ouest — dans laquelle seuls certains points forts sont parfaitement dessinés, le reste du pays s'organisant de manière beaucoup plus floue et mouvante.

Travail et sexualité

Le modèle marxiste — dans sa version Engels — des rapports entre les sexes à travers les âges, insiste simultanément sur deux aspects de l'asservissement féminin. Le rejet hors du monde du travail (1re aliénation) s'accompagne d'une réduction à l'état d'objet sexuel (2e aliénation). Aliénations professionnelles et sexuelles vont, selon Engels, de pair, dans l'un de ces modèles structuraliste et marxiste à la fois, pour lesquels tout est dans tout et inversement. Les faits anthropologiques ne confirment malheureusement pas cette hypothèse simple et simpliste d'une coïncidence des aliénations professionnelles et sexuelles, au moins dans le domaine français. Les cartes indiquant une participation forte des femmes à l'activité économique paysanne du XIXe siècle, ne coïncident pas avec celles qui révèlent une certaine liberté du sexe faible dans le domaine des mœurs. On aboutit ici à une coupure en deux de la France du Nord, en ses moitiés celte et germanique Nord-Est et Ouest. Une fois de plus, l'analyse anthropologique réduit à néant les propositions grandioses d'un modèle évolutionniste. Elle produit un éclatement de la « réalité sociale » et par la même occasion, de la nation française.

Le pôle égalitaire de l'Ouest, en Bretagne particulièrement, est une région de travail féminin. Les régions s'étendant entre les pôles Nord et Est sont des régions de liberté de mœurs : les femmes participent modestement à la force de travail mais ont, beaucoup plus fréquemment qu'à l'ouest ou au sud du pays, la possibilité et l'habitude d'obtenir un divorce si le cœur leur en dit. Un ensemble de paramètres démographiques liés directement à la sexualité permet d'observer en détail le fonctionnement de ce système moral dans les parties nord et est du pays. Les naissances d'enfants illégitimes — c'est-à-dire de mère non mariée — sont fréquentes, particulièrement en Alsace et dans le bloc Artois-Picardie. On y trouve également un grand nombre de conceptions prénuptiales, c'est-à-dire de naissances se produisant moins de neuf mois après le mariage. On retrouve ici parfaitement les deux pôles égalitaires définis par des écarts d'âge au mariage faibles. Le troisième pôle, Ouest breton et vendéen est — tant pis pour le marxisme — éjecté : les naissances hors mariage y sont extrêmement rares, le divorce également. L'Eglise n'est pour rien dans ces différences entre l'Est et l'Ouest, dans la mesure où l'Alsace est aussi profondément chrétienne que la Bretagne ou la Vendée. Un même système chrétien coiffe des structures anthropologiques profondément différentes.

Un indicateur statistique plus fin permet de saisir le sens exact des naissances illégitimes se produisant dans les parties nord et est du pays : le nombre élevé d'enfants naturels reconnus par leur père. Ces reconnaissances paternelles indiquent clairement que le modèle local de rapports entre hommes et femmes n'est pas celui de la séduction suivie d'un abandon.

Caractère conflictuel du modèle allemand

Il n'est pas question de faire ici un tableau idyllique de ce modèle « germanique », des rapports entre hommes et femmes. La liberté de mœurs, relative, débouche sur une grande incertitude des rapports entre individus et, finalement, sur une inquiétude masculine indéniable. Les hommes contrôlent mal dans ces régions la sexualité féminine. Ils rejettent ce sexe menaçant hors des activités économiques. L'ensemble suggère une situation de tension plutôt que d'équilibre.

Durkheim avait bien senti la possibilité d'un caractère conflictuel des rapports entre les sexes, sans lui reconnaître sa dimension anthropologique et germanique. Il avait observé que le mariage avait sur le taux de suicide un effet différent dans les pays de civilisation allemande et dans les autres. Partout, l'intégration de l'homme à l'institution matrimoniale produit une baisse de fréquence de l'autodestruction. En Allemagne, au contraire, il engendre une hausse : le suicide y est plus courant chez les hommes mariés que chez les célibataires. Fidèle à sa méthode, Durkheim s'efforce d'intégrer cette constatation à son modèle évolutionniste, profitant du fait que l'Allemagne de son temps est l'un des pays les plus développés d'Occident sur le plan culturel et technologique [1].

Le système breton : discipline et complémentarité

La rigidité de l'institution maritale dans l'Ouest — qui tolère mal le divorce et les rapports sexuels extra-conjugaux — ne correspond pas ici, comme dans le Midi, à un modèle d'aliénation féminine. Il se situe dans un contexte d'égalité des âges au mariage et de forte participation des femmes à l'activité, et même, à la décision économique. La grande enquête

---

1. *Le Suicide*, pp. 293-306.

HOMMES ET FEMMES : POLES ÉGALITAIRES VERS 1850

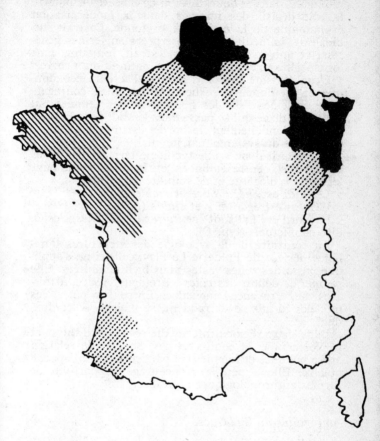

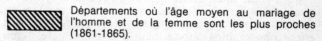 Départements où l'âge moyen au mariage de l'homme et de la femme sont les plus proches (1861-1865).

Départements où la proportion de naissances naturelles est la plus importante (1851, rural).

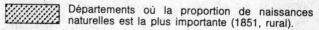 Recouvrement des deux catégories précédentes.

interdisciplinaire menée après la deuxième guerre mondiale, dans le bourg breton de Plozévet, a montré le rôle décisif des femmes dans la modernisation économique de la campagne bretonne. Ce trait fut, bien sûr, immédiatement interprété en termes généraux et universels : la femme serait, toujours, dans les sociétés paysannes, l'agent naturel du progrès.

L'égalitarisme breton s'étend à l'activité économique et au domaine sexuel. La discipline conjugale pèse également sur les hommes et les femmes, au contraire de ce qui se passe dans le Midi de la France, où, traditionnellement, le bordel est un complément nécessaire du système matrimonial.

On aboutit donc à une typologie ternaire des types de rapports entre hommes et femmes, combinant les notions d'égalité et de stabilité des relations.

Le Midi est *inégalitaire* et *stable* (type A).

L'Ouest est *égalitaire* et *stable* (type B).

Le Nord et l'Est sont *égalitaires* et *instables*, c'est-à-dire conflictuels (type C).

Au contraire de la typologie des structures familiales dérivée de Frédéric Le Play, celle-ci ne s'applique pas à des zones vastes mais bien délimitées. Elle permet de définir des *pôles* : Bretagne, Alsace, Artois-Picardie, Provence-Languedoc. Entre ces pôles, les modèles idéaux se détraquent, se mêlent, se confondent.

Dans deux régions intermédiaires, le Sud-Ouest et la Normandie, la confusion des modèles de relation entre hommes et femmes est particulièrement spectaculaire. Elle a peut-être encouragé l'apparition de formes anthropologiques nouvelles.

Ambiguïtés du Sud-Ouest

Au modèle allemand doit être rattaché le type basque dont le biais matrilinéaire, bien décrit sur le plan théorique par les ethnologues, a effectivement des effets observables sur le plan des mœurs, tels que permet de les observer l'analyse démographique. Les départements des Pyrénées-Atlantiques et ses voisins immédiats — Landes et Hautes-Pyrénées, partiellement basques — font apparaître au XVIIIe et au début du XIXe siècle, des taux d'illégitimité relativement forts, absolument incongrus dans cette zone de stabilité de l'institution conjugale qu'est l'ensemble du Midi français, de l'Océan à la Méditerranée. Le Pays basque n'est que par certains traits semblable au monde allemand : il tient par d'autres au monde méridional qui l'entoure. Les écarts d'âges entre maris et femmes y sont forts. Globalement, le Pays basque fait apparaître un curieux système, bâtard, à la fois inégalitaire et libéral.

Cette ambiguïté est en fait un trait plus général du Sud-Ouest. La carte de la participation féminine au travail agricole révèle une grande différence entre le monde méditerranéen s'étendant de Nice à Toulouse, et la partie la plus occidentale du Midi, située des Pyrénées au Limousin, à l'ouest d'une ligne théorique Toulouse/Brive. Du côté gauche de cette coupure les femmes sont fréquemment enregistrées comme productrices, à droite comme oisives. Ces deux zones ne diffèrent guère par contre sur le plan des âges au mariage des époux, très inégaux. On est assez tenté de faire l'hypothèse d'un mouvement historique de rétraction de la culture basque, lentement submergée par son environnement occitan mais laissant des traces au niveau des représentations : les agriculteurs du Sud-Ouest aquitain pratiquent un modèle de mariage proche du type méditerranéen, mais déclarent aux agents de recensement leur femme comme travailleuse. Les quelques études en profondeur concernant des villages situés dans cette zone révèlent que la résidence des époux, après le mariage, est souvent *uxorilocale*, l'époux venant s'installer au domicile de la femme, ce qui distingue, de nouveau, cette région de la façade méditerranéenne, résolument *virilocale*, puisque la femme va toujours s'installer au domicile de son mari[1]. Nous ne sommes plus ici sur le terrain des représentations, mais des comportements réels. La question du Sud-Ouest présente un intérêt autre que théorique, dans la mesure où cette culture locale correspond à l'une des deux régions de France où démarra, très précocement, la

1. Voir par exemple : Pierre Valmary, *Familles paysannes au XVIIIe siècle en Bas-Quercy*, p. 109, et *Collectivités rurales françaises*, p. 132.

pratique massive de la contraception dans le mariage. Il est possible que le recouvrement, le conflit, l'ajustement des cultures ait produit, ici, de la nouveauté anthropologique, c'est-à-dire de l'histoire.

Incertitudes normandes

Du point de vue des rapports entre hommes et femmes, la Normandie n'appartient ni à l'Ouest, ni à l'Est. Ou plutôt, elle appartient aux deux. Le travail féminin y est relativement important, ce qui la rattache au modèle breton. Le nombre des naissances illégitimes, des conceptions prénuptiales et des divorces y est élevé, ce qui l'apparente au modèle germanique. Sa position géographique intermédiaire laissait prévoir une telle incertitude. L'histoire, également, puisque cette province, très proche des régions de plus dense peuplement celte, fut cependant colonisée tardivement par des Scandinaves, par des « Normands », dont Marc Bloch avait bien senti qu'ils n'étaient pas simplement une poignée de chefs, mais une communauté complexe et complète, incluant un grand nombre de paysans, capable de coloniser en profondeur une partie du territoire occupé. La Normandie est donc, comme le Sud-Ouest, une zone anthropologique ambiguë, dans laquelle se chevauchent les influences et les types de comportements sexuels et matrimoniaux. Or, cette Normandie incertaine est la seconde région de France dans laquelle se développe très précocement le contrôle des naissances. Une fois de plus, l'ambiguïté anthropologique fabrique de l'histoire.

Le recouvrement des zones anthropologiques ne garantit cependant pas la création de formes nouvelles. Il en donne seulement la possibilité. De multiples régions doivent être définies — du point de vue des rapports entre hommes et femmes — comme intermédiaires, simplement intercalées entre les pôles Ouest, Est, Nord, Sud. Beaucoup d'entre elles n'ont en rien innové. La Touraine, zone de contact entre les modèles Ouest, Nord-Est et Sud, et qui se rapproche des uns ou des autres selon le paramètre choisi, n'est pas un lieu d'innovation. Le nombre des conceptions prénuptiales y est élevé. Celui des reconnaissances d'enfants naturels par le père est faible.

Peut-être faut-il voir néanmoins un rapport entre cette situation intermédiaire et la sensibilité de la région aux thèmes puritains du maire de Tours, Jean Royer, candidat aux élections présidentielles de 1974, dont le score régional fut loin d'être négligeable dans six ou sept départements.

D'autres régions de contact cependant, comme le Lyonnais et le Dauphiné, n'ont rien produit d'absolument remarquable sur le plan des mœurs.

Anthropologie historique

Une analyse de la localisation, dans l'espace français, de deux phénomènes historiques fondamentaux, permet de tester et de vérifier la pertinence de cette typologie des relations entre hommes et femmes. Cette étude souligne l'extrême puissance explicative de l'anthropologie qui devient ici anthropologie historique puisqu'elle donne la clef de certains événements fondamentaux situés dans le passé. Le premier de ces phénomènes est directement et manifestement lié à l'anxiété sexuelle : il s'agit de la répression massive et hystérique de la sorcellerie qui s'étend, en Europe et en France, du milieu du XVIe au début du XVIIe siècle, et dont on peut aisément montrer, carte en main, qu'elle ne touche que certaines régions anthropologiques. Le deuxième phénomène historique, élément essentiel de la modernité, n'est à peu près jamais associé aux questions sexuelles, même par les psychanalystes les plus téméraires : il s'agit de l'alphabétisation de masse dont la carte, à diverses époques, suggère pourtant qu'elle est liée, d'une façon mystérieuse, à la question des rapports entre hommes et femmes. Sorcellerie et alphabétisation coïncident toutes deux, géographiquement, avec les régions de type C, dans lesquelles les relations conjugales sont égalitaires et instables.

Rares au Moyen Age, les procès en sorcellerie se multiplient à partir du milieu du XVIe et jusqu'au début du XVIIe siècle. Leur cortège de dénonciations, de questions et finalement de bûchers s'installe en Europe occidentale. Sans aller jusqu'aux estimations exagérées de Michelet, ou plus récemment de Trevor-Roper, on peut compter que plusieurs dizaines de milliers de personnes ont ainsi péri, pendues, brûlées, ou victimes de la question et autres ordalies. A l'époque où l'esprit de la Renaissance se répandait et où les sciences exactes réalisaient leurs plus vigoureux progrès, tant de cruauté paraît inexplicable. Les hypothèses n'ont pourtant pas manqué. La plus classique, qui date de Michelet et a été adoptée par une multitude d'auteurs, prend les accusations de sorcellerie pour argent comptant et voit dans cette persécution une guerre religieuse d'un style un peu particulier. Les religions révélées se seraient alors décidées à liquider les survivances du paganisme, encore nombreuses dans toute l'Europe. « *Les peuples chrétiens sont mal baptisés. Sous un mince vernis de christianisme, ils sont restés ce qu'étaient leurs ancêtres, des barbares polythéistes* », affirme Freud.

M. Murray et E. Rose ont donc cherché à reconstituer ce culte mythique des sorcières qui est en fait une copie très réussie des « pratiques démoniaques » décrites dans les manuels de lutte contre la sorcellerie, publiés en abondance par les inquisiteurs du XVe siècle au début du XVIIe siècle, qui développent à foison les rites démoniaques (sabbat, balais, incubes et succubes, pactes sataniques, cellules de treize, etc.). La théorie de Trevor-Roper sur la continuation des guerres de Religion ne résiste pas mieux aux faits observés. A côté des explications religieuses, on a proposé plus récemment un grand nombre d'interprétations économiques. Ainsi le veut l'époque. S'appuyant sur le fait que les sorcières étaient souvent moins riches que leurs accusateurs, certains ont cru discerner là une manifestation à la fois pittoresque et dramatique de la lutte des classes. Il y aurait eu solidification des droits et propriétés au détriment des pauvres. De nouveau, les faits ne suivent pas.

Alan Macfarlane, qui a mené une enquête minutieuse sur les procès de sorcellerie anglais du XVIIe siècle, observe bien une légère différence de statut entre accusateurs et accusées. Mais ces dernières ne constituent nullement la strate la plus pauvre de la société. Les accusateurs et témoins des procès de sorcellerie sont souvent les proches voisins de l'accusée, cette dernière appartenant généralement à une famille établie depuis longtemps dans le village. Dans la plupart des procès qu'il a examinés, Macfarlane retrouve un conflit de voisinage d'un type particulier : la sorcière a demandé un service qui a été refusé, elle a proféré des menaces qui se sont réalisées, mort d'animaux ou même d'humains. Il y a donc eu rupture du cycle d'échange garant des solidarités villageoises anciennes. Celui qui en a pris l'initiative recherche l'approbation par la communauté de cette nouvelle conception individualiste des rapports sociaux. Le caractère séduisant de cette hypothèse vient de son fondement anthropologique : l'éclatement des structures de l'échange suivrait celui du système de parenté. Les personnes faibles — parce que âgées et pauvres — ont intérêt à maintenir les modes traditionnels de relations villageoises ; ce sont bien elles qui furent accusées de sorcellerie. La thèse de Macfarlane ne rend cependant pas compte du fait que, dans leur immense majorité — 80 à 90 p. 100 —, les accusés étaient des femmes. Elle n'explique pas non plus l'importance de la sexualité dans les accusations et les aveux de sorcellerie européenne. Il est vrai que le cas anglais est de ce point de vue atypique puisque les sorcières d'outre-Manche n'avaient pas la réputation de copuler avec le démon. G. Heinsohn et R. Steiger ont accepté l'évidence et ont pris en compte ces éléments remarquables. Ils voient dans la répression de la sorcellerie une tentative pour déposséder les femmes de leurs compétences en matière de reproduction et notamment de contraception ou d'avortement. Cette hypothèse permet de rendre compte de bien des expressions employées par les juges et leurs manuels. « *Les femmes magiciennes se spécialisent dans la fabrication des philtres d'amour, les rapts d'enfants et l'anthropophagie.* » Autres traits sexuels : l'examen du corps par les « piqueurs », à la recherche de l'infime marque laissée par la copulation avec le diable, et scellant le pacte sacrilège ; les descriptions d'orgies au cours desquelles les incubes s'accouplent avec les sorcières et les pénètrent de leurs sexes froids — « *ce qu'il laissoit estoit froit* » avoue l'une des futures suppliciées des procès d'Artois. Les accusations de sodomie, les gages donnés aux démons sous forme de poils du pubis, tous ces éléments obsessionnels, qui se répètent inlassablement, de procès en procès, à la manière d'une litanie, prennent alors leur sens sexuel et anthropologique.

La carte des régions françaises touchées entre 1540 et 1640 par les procès de sorcellerie coïncide en effet remarquablement avec celle des régions de type C, égalitaires et instables, conflictuelles en ce qui concerne les rapports entre hommes et femmes, ces zones étant alors constituées de leurs pôles durs, Est et Nord, et de leur périphérie immédiate. Un inventaire compréhensif de la littérature sur le sujet (voir bibliographie) révèle que furent surtout touchées la Lorraine, l'Alsace, la Bourgogne, la Franche-Comté, la Savoie, l'Artois et la Picardie. Deux inquisiteurs sont particulièrement illustres : Nicolas Rémy qui opère à partir de Nancy et Henri Boguet qui ravage la Bourgogne.

Une région située à l'autre extrémité de la France est également touchée massivement, dont l'existence démontre que l'abondance des procès ne tient pas simplement à la proximité de l'Allemagne, épicentre européen du phénomène. Le Pays basque est aussi le théâtre d'une répression sanglante, brûlante plutôt, du côté français comme du côté espagnol de la frontière pyrénéenne. Or, on l'a vu, cette région, matrilinéaire de réputation, est effectivement tout à fait spécifique du point de vue des rapports entre hommes et femmes. Le taux d'illégitimité y est élevé au XVIIIᵉ siècle et au début du XIXᵉ siècle. Moins pur que l'Est en tant que type conflictuel, le monde basque n'est cependant nullement identique aux pays occitans qui l'environnent. Les sociétés patrilinéaires du Sud, c'est-à-dire de type A, stables et inégalitaires, échappent à la persécution. De même les sociétés de type B, stables et égalitaires, centrées sur la Bretagne et la Vendée, se tirent indemnes de cette phase hystérique, d'échelle européenne. Elles sont pourtant connues pour leurs traditions magiques, étant terres de lutins et de korrigans dans le cas de la Bretagne, de sorciers et de rebouteux dans le cas de l'Ouest vendéen. Aux pires moments de la répression, ces traditions locales ne semblent gêner personne.

Cette classification des régions françaises peut être étendue à l'Europe : l'Italie, et la partie non basque de l'Espagne, sociétés patrilinéaires, échappent largement à la fièvre démoniaque ; l'Irlande, celte et sans doute proche de la Bretagne, par ses mœurs matrimoniales, n'intéresse pas le diable. La fréquence des rapports sexuels extra-conjugaux y est sans doute trop faible pour lui laisser une chance de copulation.

Un indice supplémentaire permet de vérifier plus directement encore la validité de l'intuition de Heinsohn et Steiger : les sorcières de l'Est existent toujours. On ne les brûle plus. Elles ont une profession aujourd'hui acceptée, très liée aux questions sexuelles et de reproduction. Elles sont sages-femmes. Dans l'Est français, hostile au travail féminin dans ses aspects ordinaires, le nombre des sages-femmes est plus élevé que partout ailleurs dans le pays. La région tolère désormais un métier qui aurait été considéré comme magique et dangereux à la fin du XVIe siècle. Cette permanence de la profession de sage-femme suggère fortement que la répression de la sorcellerie n'a pas amené dans l'Est une modification profonde des comportements et du mode dominant de rapport entre les sexes, et qu'elle fut une poussée de fièvre plutôt qu'une mutation structurelle.

Guerre des sexes et alphabétisation

Le deuxième phénomène historique dont la géographie permet de vérifier la pertinence de la classification anthropologique des régions en types A, B et C (inégalitaire stable, égalitaire stable, conflictuel) est une mutation structurelle, une transformation définitive de la société française dans son ensemble. L'alphabétisation a fini par toucher tout le pays. Mais l'état actuel de la France, alphabétisée de la Bretagne à l'Alsace, des Flandres au Roussillon, est un phénomène récent, produit d'un effort conscient des collectivités locales et de l'Etat. Toutes les régions n'ont pas appris à lire et à écrire à la même époque. La maîtrise de la lecture et de l'écriture se développe en France à partir de pôles particuliers, noyaux de développements culturels à partir desquels le progrès intellectuel se diffuse. Le pôle principal n'est pas Paris, mais une fois de plus, l'Est de la France. La carte de l'alphabétisation précoce, aux XVIIe et XVIIIe siècles, est très proche de celle des sorcières, le Pays basque et le groupe Artois-Picardie étant cette fois exclus. Mais le trajet de diffusion de l'alphabétisation recoupe, à tout moment, la carte des modes de relation entre hommes et femmes. La ligne Saint-Malo/Genève est très connue des historiens pour sa pertinence culturelle. Elle oppose une zone de modernité et une zone d'arriération, une France obscure, du Sud et de l'Ouest, et une France des lumières, du Nord. Au XIXe siècle, le développement de l'école au Sud et à l'Ouest de cette limite semble devoir gommer cette ligne désagréable pour l'orgueil national. Aujourd'hui on la suppose liquidée, elle n'est plus qu'un mauvais souvenir historique. Pourtant, à la veille de la première guerre mondiale, alors que l'ensemble de la nation est déjà alphabétisé, la carte des reconnaissances d'enfants illégitimes par leurs pères révèle l'existence persistante d'une ligne, abstraite mais parfaite, entre Saint-Malo et Genève : au nord-est les reconnaissances sont nombreuses, au sud-ouest rares. On peut évidemment interpréter cette coïncidence en deux sens opposés. Le réflexe naturel de l'historien serait de considérer la fréquence des reconnaissances d'enfants naturels comme un phénomène de modernité, effet tardif d'une alphabétisation précoce. Le point de vue anthropologique est différent. Il accepte également l'idée d'une coïncidence, mais place en amont la structure anthropologique — c'est-à-dire l'existence de modes de relations particuliers entre les sexes — et en aval la modernisation intellectuelle, qui n'est plus alors cause mais effet. Il serait difficile de trancher entre ces deux systèmes d'interprétation en l'absence de tout autre donnée. L'existence d'autres cartes et d'autres variables fait pencher la balance du côté de l'anthropologie.

La ligne Saint-Malo/Genève peut être également observée sur les cartes du mode d'habitat, groupé ou dispersé, selon les régions, et dont on sait par l'archéologie qu'il est antérieur à tous les autres phénomènes observés. Au Nord et à l'Est s'étale un paysage de villages groupés et de champs ouverts. Au Sud et à l'Ouest (façade méditerranéenne non comprise) la concentration de l'habitat s'affaiblit. A la dispersion des populations rurales correspond une segmentation plus grande du paysage agraire qui, en certaines régions extrêmes comme l'Ouest, se transforme en bocage. Cette répartition des modes d'habitat confirme l'existence d'une coupure anthropologique de l'ensemble français. On hésitait autrefois à considérer les pays de champs ouverts comme une région de peuplement germanique ancien. La présence dans ces mêmes zones de mœurs matrimoniales de type conflictuel (C), fait tomber l'incertitude et vérifier le point de vue de Marc Bloch qui croyait à un peuplement « Franc » en profondeur de la France du Nord à l'époque des grandes invasions.

Reste à expliquer en quoi la structure conflictuelle des rôles masculin et féminin encourage l'alphabétisation dans ces zones. Le plus sûr est sans doute d'éviter une interprétation psychanalytique trop sophistiquée et de souligner, simplement, que ce modèle instable de rapports humains est générateur d'anxiété. Et que l'anxiété est la condition du mouvement : étant entendu que ce dynamisme de la structure anthropologique peut mener à la chasse aux sorcières comme à l'alphabétisation de masse. Ici encore l'anthropologie apparaît susceptible de fabriquer de l'histoire. Mais ce n'est pas, comme dans le cas du contrôle des naissances, en Normandie ou en Aquitaine, le chevauchement des systèmes de relation qui produit de la nouveauté. Une seule structure anthropologique joue ici un rôle, dont la fragilité est elle-même source de mouvement. Ce processus évoque l'image d'un atome lourd, complexe, instable, capable de désintégration spontanée, avec cette différence que ce système anthropologique produit de l'histoire sans être lui-même désintégré. Il conserve au lendemain de la chasse aux sorcières et de l'alphabétisation de masse sa structure initiale.

La problématique anthropologique débouche ici sur des questions historiques vastes et centrales. Entre le XVI⁰ et le XVII⁰ siècle, l'ensemble de l'Europe du Nord décolle, culturellement et technologiquement, lâchant la sphère méditerranéenne, l'Italie et l'Espagne amorçant une stagnation de longue période. En l'absence de cause économique visible, on est tenté de chercher à cette dissociation de l'Europe une raison anthropologique profonde. L'hypothèse d'une action du mode de relations conjugales est peut-être un commencement de réponse. Pour tester une telle interprétation, la France est un terrain d'expérimentation anthropologique idéal, dans la mesure où les trois mondes principaux de l'Europe — germanique, celte, méditerranéen — coexistent dans son espace national.

Anthropologie molle, anthropologie dure

Le caractère flou des zones définies par les types de relations entre hommes et femmes vient de ce qu'il n'existe aucun rapport entre ce phénomène et les grandes institutions idéologiques nationales, politiques et religieuses. On a vu l'Eglise parasiter et renforcer tout à la fois certaines structures familiales denses et autoritaires, et la gauche se développer dans les régions de ménages larges et communautaires, le communisme affectionnant particulièrement les zones de décomposition de ces structures familiales. Dans ces régions, la coïncidence des phénomènes d'autorité familiale et d'autorité politique produit un renforcement, une clarification de l'anthropologie. La netteté des traits est accentuée, soulignée par un système idéologique. Partout l'Eglise se développe dans les régions d'âge au mariage élevé ; mais le christianisme renforce, par son horreur traditionnelle et métaphysique de la sexualité (qui avait frappé Max Weber), le système anthropologique local dans ses traits fondamentaux. Les institutions politiques s'adaptent au terrain, mais le clarifient. Elles organisent une segmentation stable de l'espace national français. Les grandes idéologies françaises actuelles ne reconnaissent cependant pas les rapports conjugaux et la question de l'égalité des sexes, comme l'une de leurs préoccupations fondamentales, parce qu'elles n'entretiennent pas en effet par nature un rapport avec la politique *via* la notion d'autorité. Cette non-coïncidence des systèmes idéologiques et des types de relations conjugales peut être observée empiriquement.

Les régions d'implantation dure du catholicisme correspondent à un type familial préférentiel (type 3), la famille autoritaire, large et produisant un âge au mariage élevé, que l'on peut observer en Alsace, en Bretagne bretonnante, en Rouergue et au Pays basque : une institution correspond ici à un type familial. Or ces quatre régions, proches par le modèle d'autorité et la structure des ménages, divergent complètement si on introduit dans la comparaison le modèle de rapports matrimoniaux.

- L'Alsace relève du type C conflictuel.
- La Bretagne bretonnante du type B, égalitaire et stable.
- Le Rouergue, du type A, inégalitaire et stable.

Le communisme est, de même, sensible au type de structure des familles mais indifférent au mode de relations entre hommes et femmes. A l'aise exclusivement dans les régions de désintégration de la famille communautaire, il s'accommode du système patrilinéaire méditerranéen comme d'un système conflictuel nordique.

Les rapports d'autorité entre parents et enfants — « monarchiques » aurait dit Aristote — et les rapports contractuels entre mari et femme — « politiques » selon sa terminologie — engendrent donc deux structures anthropologiques distinctes, logiquement indépendantes et d'inégales clartés. Les relations verticales, parents/enfants, définissent une anthropologie dure, les relations horizontales, mari/femme, une anthropologie molle. La cartographie permet d'observer la différence de netteté des zones correspondant à l'un et l'autre types d'anthropologie, et reflète le caractère dur ou mou de leur nature.

Reste à expliquer cependant l'extraordinaire persistance dans le temps de l'anthropologie molle, qui semble avoir vécu, durant des millénaires, sa vie propre, à l'insu des institutions et des idéologies. La force du mécanisme reproducteur vient de sa simplicité.

La reproduction anthropologique n'est ni biologique, ni sociale. Elle correspond à une reproduction par lui-même du système familial et de parenté, imitation inconsciente des modèles familiaux par les enfants, que ces modèles soient du type stable ou conflictuel. Ce mode de continuation de la structure anthropologique existe pour les deux types de relations, parents/enfants, hommes/femmes. Mais c'est le deuxième qui permet le mieux de mesurer sa puissance, parce que le mécanisme agit ici seul et sans aide.

Les études récentes de Peter Laslett sur l'illégitimité permettent d'observer concrètement ce mécanisme inconscient de reproduction dans le cas d'une structure déviante. Surpris par la permanence géographique des poches de naissances « naturelles » en Angleterre, Laslett fut amené à reconstituer de véritables généalogies villageoises de l'illégitimité, les bâtards se succédant dans les mêmes lignées au long des générations. L'illégitimité est reproduite automatiquement, sans qu'un mot soit prononcé, sans qu'une théorie soit élaborée, parce qu'elle est, dans certaines familles plus que d'autres, considérée avec laxisme. La reproduction anthropologique est aveugle, elle perpétue n'importe quelle structure. Par ses effets, elle concerne la sociologie, puisqu'*elle reproduit* la société. Par ses mécanismes, elle est de type biologique, dans la mesure où, comme le processus purement physiologique de la transmission du code génétique ADN/ARN, elle se passe d'une conscience de son propre fonctionnement.

L'invention de la France

La politique coupe la France en deux. L'analyse des rapports entre parents et enfants, entre hommes et femmes, produit une pulvérisation absolue de l'ensemble national. La France ne contient pas un peuple mais cent, qui diffèrent par la conception de la vie et de la mort, par le système de parenté, par l'attitude face au travail ou à la violence. Du point de vue de l'anthropologie, la France ne devrait pas exister. La plupart des nations d'Europe et du monde, grandes ou petites — Angleterre, Allemagne, Russie, Chine, Japon, Suède, Irlande, Pologne par exemple — ne sont, d'une certaine façon, que des systèmes originels et homogènes, tribus anciennes et minuscules, déme-

surément gonflées par mille ans d'expansion démographique, pour atteindre aujourd'hui l'échelle de
nation. Des pays comme l'Inde, la Yougoslavie, l'Espagne sont, au contraire, absolument hétérogènes, juxta-
positions de peuples n'ayant pas réalisé leur unité
linguistique et administrative.

Seuls les Etats-Unis d'Amérique peuvent être consi-
dérés comme un cousin de la France, du point de vue
de la diversité anthropologique comme de l'unité
nationale. Mais ils avaient sur elle un avantage initial
dans leur quête de l'unité : l'existence d'un noyau
anglo-saxon homogène, auquel s'agrégèrent, relativement tard, des immigrants venus de tous les coins
d'Europe. La France, elle, n'a été fondée par aucun
peuple particulier. Elle porte le nom d'un groupe
germanique, parle une langue dérivée du latin, avec
un fort accent gaulois nous disent les linguistes. Elle
fut inventée par une communauté de peuples. Plus
que tout autre nation au monde, elle est un défi
vivant aux déterminismes ethniques et culturels.

Il n'est pas possible de fixer une date marquant le
début de l'expérience française. On peut considérer,
qu'en gros, la France des anthropologues naît sous
Clovis, qui réunifie sous sa direction l'ancienne Gaule.
La France mérovingienne naît alors, de l'accord des
chefs francs et du clergé catholique romain d'Aquitaine wisigothique. Mais les Francs et les Gallo-
romains sont déjà, eux-mêmes, des peuples non
ethniques.

C'est évident dans le cas des Gallo-romains, produits d'un universalisme antérieur, romain puis chrétien, indifférent au concept de race, et qui développe
une même citoyenneté dans l'ensemble du monde
méditerranéen. Mais les Francs eux-mêmes ne sont
pas un peuple germanique comme les autres. A vrai
dire, il y a un mystère franc : les historiens des
grandes invasions ne comprennent pas pourquoi ce
peuple, inexistant au début de la poussée germanique
contre l'Empire, l'emporte finalement sur les glo-
rieuses et voyageuses tribus wisigothiques, burgondes
ou ostrogothiques. Le peuple franc, dans cette lutte
pour l'hégémonie, est un *outsider* tardif. Les spécia-
listes de la période considèrent qu'il n'est pas, à
proprement parler, un peuple, mais une multitude de
petits groupes, réunis par leur commune insignifiance.

« D'où viennent-ils ? Leur nom renseigne peu : il semble dérivé d'une racine signifiant « hardi, courageux ». Leur langue, qui est à l'origine des dialectes allemands du Nord-Ouest et du néerlandais est également peu indicative. Depuis le XVIIᵉ siècle, quoiqu'il n'y ait aucun texte ancien en ce sens, la plupart des historiens ont admis que les Francs étaient issus du regroupement de diverses peuplades antérieurement connues sur le Rhin inférieur. Parmi les composantes probables de cette synthèse, il faut citer les Chamaves, les Bructères, les Amsivariens, les Chattuarii, les Chattes, sans doute les Sicambres, moins probablement les Tenctères, les Usipètes et les Tubantes, à la rigueur aussi certains Bataves [1]. »

Ouf !

Cette hétérogénéité initiale explique peut-être la tolérance idéologique des Francs, qui fait leur succès : Ostrogoths, Wisigoths et Burgondes admirent la civilisation romaine mais refusent en pratique leur assimilation. Partout où ils s'installent, ils établissent des systèmes dualistes, maintenant l'existence de deux populations distinctes : la clef de cette séparation persistante entre Germains et Romains est l'adhésion des barbares à l'hérésie arienne, qui les distingue du christianisme standard de l'époque. Ce que symbolise la conversion au catholicisme romain de Clovis, c'est l'acceptation du principe de l'assimilation. Mais cette fusion symbolique des communautés franque et romaine n'est qu'une étape sur un long parcours. Les Romains eux-mêmes sont le résultat d'une autre fusion. Les Francs d'une autre encore.

Cette histoire sans commencement visible et identifiable n'a également pas de fin. La France reste aujourd'hui, quoi qu'on en dise, une terre d'accueil. Elle n'a récemment récupéré que 80 000 réfugiés d'Indochine. Mais à partir de la fin du XIXᵉ siècle, elle recommence, sans problème majeur, à intégrer des populations étrangères. C'est entre les deux guerres mondiales que le mouvement prend le plus d'ampleur. Alors, au moment même où l'Allemagne sombre dans l'ethnocentrisme le plus effrayant, avec le nazisme, la France ouvre ses frontières à l'Europe. L'immigration devient massive : les étrangers, qui

---

1. L. Musset, *Les Grandes Invasions,* « La vague germanique », p. 118.

seront vite naturalisés, constituent moins de 3 p. 100 de la population totale du pays en 1911, plus de 7 p. 100 en 1931. Leur intégration n'inquiète que quelques intellectuels influencés, consciemment ou non, par les conceptions racistes qui s'épanouissent de l'autre côté du Rhin. En 1941, dans une France vaincue, Daniel Halévy déplore l'italianisation et la polonisation des campagnes françaises [1]. Préoccupation absurde dans le contexte de l'histoire anthropologique de l'hexagone. Il n'est pas plus difficile d'assimiler ces deux groupes que de réaliser la coexistence des Gascons et des Lorrains. Encore une fois, la distance anthropologique entre deux cultures européennes est du même type que celle existant entre deux provinces françaises. Parce qu'elle n'a pas d'être anthropologique défini, la France peut intégrer à peu près n'importe qui.

Il ne s'agit pas ici d'idéaliser une attitude nationale. Les manifestations de racisme sont loin d'être inconnues entre Lille et Marseille, entre Brest et Strasbourg. Mais elles mènent rarement, comme dans bien des pays, à une attitude de rejet absolu. La France est nettement moins xénophobe que la Grande-Bretagne où les incidents raciaux sont d'une violence et d'une ampleur incomparablement plus grandes. La France, contrairement à l'Allemagne, ne renvoie pas ses immigrés chez eux en période de chômage. De plus, et toujours contrairement à l'Allemagne, elle intègre la population étrangère vivant sur son sol dans ses projections démographiques. Elle considère, implicitement, que le destin naturel des immigrés est l'assimilation. La République fédérale, elle, réalise ses projections démographiques « pour la population allemande seulement ».

Histoire sans commencement, histoire sans fin. Mais la trajectoire de la France, dans sa lutte contre les déterminations de l'anthropologie a un moment fort, qui concerne l'histoire mondiale et le développement des idéologies : la révolution de 89.

Il n'est pas impossible, mais il n'est pas facile, de vaincre l'anthropologie. Pour y parvenir, la France a dû lutter contre les tendances centrifuges. Elle a dû

---

1. *Trois Epreuves*, Plon, p. 130.

fabriquer un Etat particulièrement centralisé. Elle a développé une passion de sa langue, instrument d'unité et de communion nationale. Surtout, son histoire idéologique n'est qu'une longue suite de ruses, contre les conceptions particularistes, ethnocentriques, racistes. Le point culminant de cette lutte est, bien sûr, la Déclaration universelle des droits de l'homme et du citoyen, proposée au monde, mais élaborée dans une nation spécifique, unique par sa diversité. Pour vivre, la France doit, simultanément, accepter dans la pratique la diversité des mœurs et affirmer sur le plan théorique l'unité de l'homme.

C'est ce que n'a pas compris Joseph de Maistre, Savoyard et francophone, qui se moque du concept d'homme universel dans ses *Considérations sur la France* :

« La constitution de 1795, tout comme ses aînées, est faite pour l'homme. Or, il n'y a point d'homme dans le monde. J'ai vu, dans ma vie, des Français, des Italiens, des Russes, etc. Je sais même, grâce à Montesquieu, qu'on peut être Persan : mais quant à l'homme, je déclare ne l'avoir rencontré de ma vie ; s'il existe, c'est bien à mon insu [1]. »

En attaquant ainsi les principes révolutionnaires, Joseph de Maistre succombe en fait au grand mythe national : il croit à l'existence anthropologique du « Français », qu'il met sur le même plan que « le Russe » ou « l'Italien ». Montaigne était plus avisé lorsqu'il considérait comme logiquement équivalents les *peuples* européens et les *provinces* françaises. « *Nous sommes Chrestiens à même titre que nous sommes ou Périgordins ou Alemans* [2]. »

De Maistre a raison lorsqu'il affirme que l'homme universel n'existe pas. Mais il ne comprend pas que la France a besoin du mythe pour se sentir bien dans sa peau, et que, sur ce point, les principes de 89 font avancer d'un pas décisif l'idéologie du pays.

1. Edition 1980, Garnier, pp. 64-65.
2. *Essais*, livre II, ch. XII, édition Thibaudet, 1950, p. 489.

L'épisode glorieux de la Révolution n'est qu'un moment dans l'histoire de la France, précédé d'autres choix idéologiques de types universalistes. Au XVIᵉ siècle, le Royaume refuse, après bien des hésitations et pas mal de sang versé, le protestantisme, dont le penchant ethnocentrique est trop marqué. En Angleterre, en Allemagne, dans les pays scandinaves, la Réforme s'appuie sur un sentiment national naissant, souvent violent, et de type particulariste. Elle mène à la création d'Eglises d'Etat qui rompent avec l'universalisme catholique. Elle encourage la traduction en langue vulgaire, c'est-à-dire nationale, de la Bible. C'est trop tôt pour la France : le français n'y est encore, comme le latin, qu'une langue des élites, incompréhensible pour les innombrables peuples habitant le royaume.

La relecture de la Bible coïncide avec une étrange identification des nations protestantes au peuple élu, conception indubitablement ethnocentrique qui distingue le judaïsme du catholicisme. Le protestantisme navigue donc entre les deux traditions : mais il est certain que les peuples majoritairement réformés, Anglais au XVIIᵉ siècle durant leur révolution, Allemands entre 1870 et 1845 — se prennent volontiers pour le peuple élu de Dieu. Le catholicisme, indifférent à l'idée nationale, est un meilleur agent intégrateur pour la France, qui devra, pour affirmer son unité, développer une idéologie spécialement adaptée à son cas ambigu.

Après la Révolution, le catholicisme trouvera une nouvelle jeunesse, et un nouveau destin d'agent intégrateur : non de la nation dans son ensemble mais de sa moitié conservatrice. La droite française, du milieu du XIXᵉ siècle à nos jours, a en effet pour noyau dur et comme structure centrale le catholicisme. Elle n'a jamais réussi à développer ou même à accepter pleinement les conceptions fascistes ou racistes qui eurent ailleurs tant de fortune. Pourquoi ? Tout simplement parce qu'une droite implantée dans le Pays basque, en Bretagne, Anjou, Rouergue, Alsace, Lorraine et Savoie, ne peut se permettre d'être exigeante en ce qui concerne la pureté ethnique. Plus que tout autre groupement politique français, la droite s'appuie sur des systèmes anthropologiques divers et périphériques. Elle est condamnée à l'universel.

Hostile aux principes de 89, elle ne peut que se rabattre sur la vieille conception chrétienne des droits de l'homme. Elle n'est jamais arrivée à mettre au point un système xénophobe cohérent. Même l'antisémitisme, compatible avec le catholicisme, subit en France, à l'époque de l'affaire Dreyfus, un échec précoce et significatif. Parce qu'elles menacent de dissoudre la nation en une poussière de peuples, les doctrines racistes sont, dans l'hexagone, antipatriotiques par essence et à ranger au rayon des hérésies inacceptables.

Reste à résoudre une question fondamentale. La France a-t-elle réussi à s'adapter à son image ? La réalité anthropologique a-t-elle, finalement, été réduite par la représentation idéologique ? Existe-t-il, aujourd'hui, au terme de quinze cents ans d'efforts unificateurs, un « type anthropologique » français ? La vieille nation est-elle finalement devenue un système homogène ?

Unité et diversité

La modernisation des XVIIIe, XIXe et XXe siècles a réussi à faire disparaître, par étapes, bien des aspects de la diversité française.

A la fin du XVIIIe siècle, la révolution balaie les vieux systèmes coutumiers. Elle fabrique une unité administrative et juridique parfaite, qui n'a guère d'équivalent dans le monde. Elle divise la France en départements, de tailles comparables ; elle propose au pays un Code civil unique, logique et exhaustif.

Le XIXe siècle est l'âge de l'unification culturelle. Entre 1800 et 1900, l'ensemble de la nation apprend à parler la langue française. La moitié arriérée du pays, située à l'ouest et au sud de la ligne Saint-Malo/Genève, rattrape sa partie éclairée en apprenant le maniement de la lecture et de l'écriture.

Le XXe siècle est l'époque de l'unification économique ; la France découvre l'homogénéité dans la prospérité. L'élévation du niveau de vie supprime les provinces de misère. La société de consommation atteint le fond de la Bretagne et du Limousin. Les départements peuvent enfin communier dans l'abondance.

La raison, en marche depuis le XVIIIe siècle au moins, poursuit de son action réductrice les différences régionales. A-t-elle réussi à détruire aussi les écarts anthropologiques entre provinces, qui ne sont pas d'essence rationnelle, mais tiennent à des hasards lointains, préhistoriques ?

Il n'y a pas d'explication, mieux, de « cause », à l'existence des systèmes de parenté occitan, franc, breton ou lorrain. Chaque peuple doit avoir un système de parenté, régulateur des relations humaines fondamentales. Mais le choix de tel ou tel modèle tient à des idiosyncrasies originelles, dont l'apparition est aléatoire et dont les conséquences sont démesurées. La raison peut-elle s'attaquer à ce qui lui est étranger ?

L'évolution de certains paramètres anthropologiques donne l'impression que oui, que les pouvoirs réducteurs de la raison sont illimités.

Le passage de la campagne à la ville entraîne une disparition presque complète des familles larges, dont l'existence dépendait autant du mode de vie paysan que de la nature des systèmes de parenté. La famille nucléaire devient, dans l'Aquitaine du XXe siècle comme dans la Normandie du XVIIIe, la norme.

Même évolution en ce qui concerne l'autorité familiale. Partout, baisse au XXe siècle l'âge au mariage : mais cette chute est d'autant plus rapide que les noces étaient plus tardives autrefois. Les régions dures et catholiques s'alignent sur les régions laxistes et laïques.

On ne peut s'empêcher d'établir un lien entre ces transformations récentes et le progrès, technologique et économique. La disparition du mode de vie paysan supprime la question, fondamentale dans les sociétés rurales, de la cohabitation des générations sur une même ferme. Les contraceptifs modernes, comme la pilule, ont rendu périmées les vieilles techniques de régulation du nombre des naissances, qu'il s'agisse du vieux malthusianisme catholique, qui élève l'âge moyen au mariage, ou du coït interrompu, cher à la France radicale-socialiste. Mais justement, ces différences régionales sont frappées d'obsolescence plutôt que diminuées. La réduction des écarts ne signifie pas que les cultures locales sont devenues identiques ou n'existent plus. Elle indique surtout que les critères de différenciation choisis ne sont plus les bons. L'âge au mariage, la structure des familles ne sont plus, à l'âge informatique et nucléaire, des paramètres anthropologiques fondamentaux. Pour retrouver, intacte la diversité française, il suffit de se replier sur des manifestations plus critiques que le mode d'habitat et la façon de se marier, sur des choix existentiels indépendants de toute considération rationnelle, comme l'attitude face à la vie, face à la mort.

Mais ici encore, la démographie peut servir de guide et de révélateur à l'anthropologie. Les différences de fécondité entre régions (le nombre d'enfants nés) restent aussi fortes aujourd'hui qu'autrefois. Les différences de mortalité entre provinces sont aussi importantes qu'aux siècles précédents. Le progrès technologique a essayé de balayer ces différences. Il a en fait permis leur maximisation. Donner la la vie et se donner la mort sont, aujourd'hui plus qu'hier, l'objet de choix individuels. De cette nouvelle liberté est sortie une autre diversité, une divergence renouvelée des styles de vie régionaux.

La chute de fécondité qui a bouleversé les équilibres démographiques du monde occidental entre 1965 et 1980 n'a en effet produit, malgré sa généralité et sa simultanéité, aucun rapprochement des taux de natalité régionaux. L'Aquitaine continue de produire nettement moins d'enfants que la Bretagne.

Même divergence persistante dans le domaine de la mort. Les grandes épidémies ont disparu. Les taux de mortalité infantile ont baissé, depuis la fin du XIXe siècle, dans des proportions spectaculaires, entraînant un rapprochement des régions par uniformisation des conditions sanitaires. Mais la mortalité des adultes n'a pas suivi. L'espérance de vie des Bretons de sexe masculin est actuellement de l'ordre de 63 ans (Morbihan), celle des Languedociens de 71 ans (Aude) : huit ans d'écart. La nature n'est plus responsable. La culture a pris le relais. On est libre de s'alcooliser ou non, de se suicider ou non, plus généralement d'entretenir ou de négliger son propre corps, sa propre vie. Mieux, les cultures sont libres d'encourager ou de freiner ces attitudes d'autodestruction. La présence d'écarts importants entre provinces signifie que leurs ressortissants respectifs sont toujours, à l'approche de l'an 2000, prisonniers de systèmes locaux de représentation du monde et de l'existence. La modernité — intellectuelle, technologique — n'a pas détruit les systèmes métaphysiques régionaux. En les libérant des contraintes naturelles, elle leur a au contraire permis de s'exprimer. L'étude des légendes locales permettait de sentir, dès le XIXᵉ siècle, que l'attitude bretonne vis-à-vis de l'au-delà n'était pas semblable à celle du Languedoc. L'*Ankou*, ouvrier de la mort, est le personnage central de bien des légendes bretonnes. Il est le symbole d'une obsession [1]. Dans les contes languedociens, au contraire, la mort n'est pas un personnage dominant, invincible : elle est même fréquemment bernée [2].

Aujourd'hui, les indicateurs démographiques sont alignés sur les légendes anciennes. Ils révèlent directement le rapport que chaque région entretient avec l'au-delà : distant sur les bords de la Méditerranée et en Aquitaine, étroit dans l'Ouest breton.

L'Ankou et le communisme

La relation de la Bretagne avec la mort n'est cependant pas un phénomène constant. C'est entre 1955 et 1975 que la province réalise son potentiel suicidaire et dépasse, de ce point de vue, toutes les autres régions de France. Le triomphe de l'Ankou est récent, contemporain. Il se produit dans une phase de déchristianisation. Entre 1960 et 1975, dans toute la France, le recrutement en prêtres se tarit, la pratique religieuse s'affaiblit, même dans les provinces les plus traditionnellement croyantes. La hausse du taux de suicide en Bretagne apparaît, chronologiquement, comme le complément d'un phénomène de désocialisation religieuse. La déchristianisation développe aujourd'hui à l'Ouest, comme hier en Champagne, une nouvelle relation avec la mort. Elle entraîne une disparition de la croyance en un au-delà réconfortant, récompense des vies vertueuses et pauvres. Les manouvriers bretons n'ont plus aucune récompense à

1. Cf. Anatole Le Braz, *La Légende de la mort.*
2. Cf. Emmanuel Le Roy Ladurie, *L'argent, l'amour et la mort en pays d'oc,* pp. 443-445.

attendre de la mort. Mais réciproquement, ils n'ont plus aucune raison de redouter l'enfer et ses châtiments éternels.

La dislocation du système métaphysique des provinces de tradition catholique n'est pas sans rapport avec l'évolution des structures familiales. L'effondrement de l'âge au mariage, dans l'ensemble du pays, mais particulièrement dans les régions de noces tardives, signifie que les familles autoritaires sont en voie de disparition. Les idéologies de soumission qui leur servaient de compléments s'affaiblissent à leur suite. Le catholicisme régresse. La droite également, dans les provinces traditionnellement conservatrices de l'Est et de l'Ouest. En 1978, le parti socialiste réalise dans ces régions ses avances les plus nettes.

Symétriquement, la droite libérale, représentée par Valéry Giscard d'Estaing, pénètre finalement les vieux bastions du Midi républicain dont l'opposition au gaullisme avait été remarquable.

On a donc l'impression que les phénomènes d'homogénéisation, observés dans le domaine des structures familiales — de plus en plus nucléaires, de moins en moins autoritaires, de plus en plus semblables en tous points du territoire — s'accompagnent, très logiquement, d'une homogénéisation politique, d'une disparition de la vieille segmentation héritée de la Révolution française.

Cette représentation des processus en cours ne décrit cependant qu'une partie de la réalité. Toutes les structures politiques régionales ne peuvent être classées en termes d'autorité ou de non-autorité ; toutes n'évoluent pas dans le sens de l'homogénéité nationale.

Le communisme est une doctrine de type autoritaire, c'est le moins qu'on puisse dire. Mais il n'est pas le produit d'un système familial encourageant la discipline. C'est la destruction de la famille communautaire ancienne qui entraîne l'adhésion au communisme. Il s'agit d'un mouvement de régression, au sens psychanalytique, vers la communauté familiale primitive. D'une certaine façon, le schéma marxiste traditionnel d'une histoire menant du communisme primitif au communisme industriel, *via* l'individualisme bourgeois, est une brillante métaphore sur l'histoire anthropologique des régions communisées.

La discipline des régions de droite n'est qu'une reproduction, dans la sphère politique, des modes de relations traditionnels existant dans la sphère familiale. La discipline, dans les régions pénétrées par le communisme, n'est qu'un effet secondaire : ce que cherchent, inconsciemment, militants et électeurs du parti, c'est un retour à la chaleur close de la communauté familiale.

La droite dure peut disparaître, avec les structures familiales qui l'ont engendrée. Le communisme qui n'est pas l'effet d'une structure familiale disciplinaire mais le regret d'un paradis perdu, est beaucoup plus tenace. Il naît d'un vide, d'une absence, d'un désir qui ne peut plus être satisfait. Ce vide ne disparaîtra pas ; les grandes familles communautaires d'Ancien Régime ne seront pas reconstituées. L'avenir du communisme, dans ses régions de forte implantation, paraît en conséquence beaucoup plus assuré que celui du catholicisme.

L'évolution électorale récente confirme cette analyse et ce jeu d'hypothèse sur la nature profonde du phénomène communiste. Le P.C.F., entre 1973 et 1978, ne s'effondre qu'à Paris, mais il est à peu près stable dans ses vieux bastions du Centre-Limousin, du Nord et de la façade méditerranéenne. Ses échecs les plus spectaculaires, en 1978, surviennent dans des régions traditionnellement conservatrices. Contrairement à ce qui se produit dans le cas du socialisme modéré et de la droite libérale, aucune homogénéisation des résultats régionaux n'apparaît pour le P.C.F.

Le système politique français est désormais double. Il comprend une partie moderne, incarnant un nouveau type d'unité nationale. Mais il continue d'intégrer un élément archaïque, le parti communiste, très inégalement implanté dans les diverses provinces françaises. Lorsqu'aura vraiment disparu son implantation parisienne et que seuls subsisteront ses bastions provinciaux, le communisme — limougeot, nordique, méditerranéen — prendra place, à côté de l'Ankou, dans le légendaire des régions françaises.

Curieusement, le communisme est, aujourd'hui, avec la mortalité et la fécondité, c'est-à-dire avec les conceptions de la vie et de la mort, l'un des éléments les plus irréductibles du système anthropologique français.

La carte : mode d'emploi

Une carte n'est pas la réalité ; un bachelier du XIIIᵉ siècle à qui l'on aurait présenté une carte indiquant la proportion de population employée dans l'agriculture aurait été incapable d'en comprendre le sens ou l'utilité. Une carte repose sur un ensemble de conventions qui laissent une grande latitude de choix. Il n'existe pas *une* meilleure représentation possible d'un phénomène donné. Les cartes ne permettent pas une confrontation « objective » entre les données et leurs commentaires : elles illustrent ces commentaires. Elles sont intentionnelles parce que un même indice est susceptible de multiples représentations. Nous avons, de façon générale, retenu dans cet atlas les procédés illustrant le mieux les thèses proposées. Prétendre le contraire serait admettre qu'il existe un mode de représentation universel, neutre, objectif. En beaucoup de domaines, cette subjectivité de la représentation paraît naturelle et même souhaitable : refuse-t-on au pianiste le droit à l'interprétation ? Empêche-t-on le portraitiste ou le photographe de choisir son point de vue ? Comme eux, nous avons choisi le « bon profil », ou, parfois, le mauvais. Au risque d'être théâtral, nous affirmons que *la représentation est une mise en scène*. Il serait aussi absurde d'adopter un relativisme absolu qu'un plat positivisme : à partir d'un phénomène, défini par ses mesures départementales, n'importe quelle carte n'est pas possible ; de même ni le peintre, ni le photographe ne pourront représenter une jeune fille par un fauteuil et ce, quelle que soit leur recherche d'un point de vue. Dans les cartes qui suivent, intention, réalité et interprétation se mêlent donc. L'honnêteté, dans le domaine cartographique, n'est pas de nier la subjectivité mais de clairement indiquer les règles de représentation adoptées et leurs conséquences implicites.

Schémas, évolutions, situations

Chacun de ces trois modes se distingue par son intensité typologique. *Le schéma* est un parti extrême pour lequel deux catégories (ou classes) servent à décrire le phénomène, et deux seulement : gauche-droite, analphabète-instruit, riche-pauvre. *L'évolution* est représentée de manière moins tranchée au moyen de catégories fixes appliquées au même phénomène à plusieurs dates différentes. Enfin, pour *les situations*, ou coupes instantanées, nous adopterons une représentation continue. Reprenons le détail de ces trois modes cartographiques :

Schémas

Comment représenter le résultat final de l'élection présidentielle de 1965 dans laquelle Mitterrand s'opposait à de Gaulle, au second tour ? On pourra noircir tous les départements où Mitterrand l'a emporté et laisser en blanc les autres, ceux dans lesquels de Gaulle est arrivé en tête. Cette distinction tranchée n'est pas imposée par la notion de majorité absolue, qui se juge au niveau national, mais elle en dérive. On peut tout aussi légitimement décrire cette carte comme la division en deux catégories des pourcentages obtenus par Mitterrand (moins de 50 p. 100, plus de 50 p. 100) et appliquer le procédé à n'importe quelle distribution numérique que l'on coupe ainsi en deux. A propos des taux d'alphabétisation, on pourra, par exemple, séparer les départements en deux groupes : ceux qui ont un taux supérieur à la moyenne nationale et ceux qui en ont un inférieur, puis cartographier en noir les premiers, et en blanc les autres. Cette séparation par la moyenne peut être réalisée par d'autres méthodes : on peut conserver en noir la moitié des départements qui ont le plus fort taux d'alpha-

Départements ayant
donné la majorité
à Mitterrand en
1965 (en noir).

Départements ayant
donné la majorité
à De Gaulle
en 1965 (en noir).

ÉVOLUTION 1 : SUICIDE : 1877

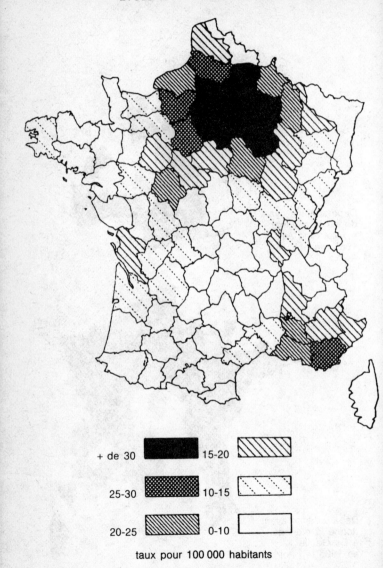

	+ de 30		15-20
	25-30		10-15
	20-25		0-10

taux pour 100 000 habitants

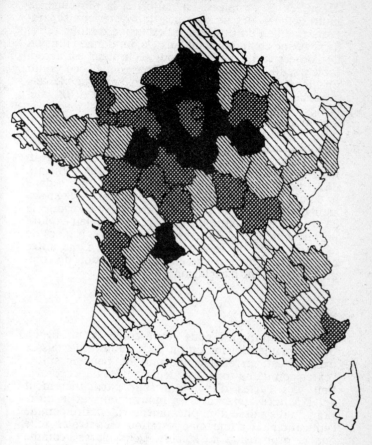

bétisation, ou même le tiers, voire ne garder que les 27 ou les 32 premiers. La majorité, la moyenne, la moitié ou le tiers ne sont pas de mystérieux séparateurs que l'on doit utiliser à l'exclusion de tout autre, ils sont une commodité du langage qui donne l'illusion de l'objectivité. En réalité, tout séparateur est acceptable ; seule l'illusion des nombres ronds accorde un privilège aux cas précédents. Bien entendu, de tels schémas accentuent la coupure entre les deux catégories que l'on a choisies. Les cartes ainsi dessinées sont d'une lecture facile à cause de cette simplification, mais, par construction, sont dépourvues de nuances ; c'est tout blanc ou tout noir. On pourrait les comparer à des caricatures. Elles forcent le trait, mais pour accentuer la ressemblance, au contraire des « portraits-robots », minutieusement exacts dans le détail, mais globalement faux parce que « l'expression n'est pas saisie ». Nous n'avons donc recours à ce type de représentation, qu'après avoir bien exploré un phénomène par d'autres moyens. Il s'agit alors de le résumer ou de le rappeler à propos d'une autre carte avec laquelle il entretient une relation de complémentarité ou d'exclusion.

Evolutions

Presque toujours nous représenterons les évolutions par une division en un petit nombre de classes fixes. Il est, en effet, important de pouvoir suivre l'extension d'une zone, son déplacement ou sa résorption. Les cartes d'évolution sont particulièrement aptes à faire apparaître les mouvements et la diffusion, qu'il s'agisse d'un phénomène volontaire comme l'éducation ou d'une manifestation incontrôlée telle que la propension au suicide. Deux classes comme nous en employons dans les schémas seraient ici insuffisantes. Pour un département donné, il faut saisir plusieurs étapes du mouvement : absence du phénomène, apparition, croissance ; saturation plus ou moins complète. Inversement, utiliser un trop grand nombre d'étapes, donc de classes, ferait perdre de vue les grandes lignes en les fondant en une infinité de degrés transitoires. L'intérêt des classes est de pouvoir les distinguer. On y parvient si elles sont en nombre restreint et si la représentation de chacune est bien contrastée. A l'expérience, dès que l'on dépasse six ou sept classes, certaines ne peuvent plus être identifiées immédiatement. A quelques exceptions près, nous nous limiterons à quatre, cinq ou six classes différentes. En général, nous cartographions des valeurs numériques, ce qui impose une échelle de variation aux classes : à l'œil, il faut pouvoir reconnaître leur ordre croissant, leur classement. Il est alors difficile et même peu utile d'employer des symboles très différents pour chaque classe, il vaut mieux jouer sur les différences d'intensité d'un même symbole, hachure ou semis de points, et ne pas mélanger des formes différentes d'intensité voisine qui empêcheraient de reconstituer l'ordre des classes. Plusieurs solutions différentes ont été reconnues et conservées pour rompre la monotonie même lorsqu'elles donnaient un résultat équivalent. En ce qui concerne le découpage en classes, les remarques que nous avons faites à propos des schémas peuvent être intégralement reprises. Tant que les classes ne correspondent pas à des coupures réelles dans la distribution des valeurs, les catégories peuvent être choisies arbitrairement sans respect pour l'attraction des nombres ronds ni pour l'égalité des effectifs. Ce que l'on veut représenter compte plus que le respect de règles purement formelles.

Situations

Dans un troisième et dernier cas, on désire représenter sur une seule carte un phénomène en conservant le maximum de finesse, de manière à pouvoir distinguer toute différence entre départements en regardant attentivement. En toute rigueur, il faudrait disposer d'une échelle continue des teintes utilisées. L'un des tout premiers compositeurs d'atlas sociologique, Guerry, en 1833, fut le seul à adopter un procédé réellement continu pour les six cartes qu'il présenta en lithogravures, sur lesquelles « les diverses dégradations des teintes correspondent au nombre des faits représentés ». L'avantage de la méthode apparaît clairement sur ces cartes magnifiques ; au lieu d'avoir l'attention attirée par les cas particuliers,

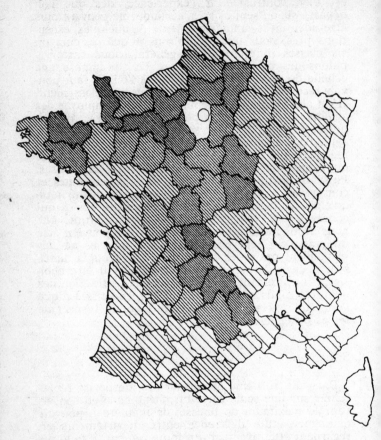

Migrations vers la région parisienne. Proportion des habitants nés dans chaque département et vivant en 1975 dans la région parisienne. Ces proportions ont été classées par ordre croissant, les plus faibles sont en blanc, les plus fortes correspondent aux hachures les plus serrées.

par les ruptures, on suit les évolutions spatiales dans leur continuité et l'on peut juger chaque transition. Le choix des zones n'est plus imposé mais dépend de l'appréciation de chacun. La tentative de Guerry est restée sans lendemain, en raison vraisemblablement de la difficulté de mise en œuvre et du coût du procédé continu. Les successeurs de Guerry ont tous eu recours à une représentation par « classes », dont ils ont multiplié le nombre pour approcher la continuité. Ce faisant, ils s'asseyaient entre deux chaises, perdant les avantages du procédé par classes, dans lequel il est nécessaire de bien distinguer chaque classe, et ne parvenant pas aux avantages de la représentation continue où toute différence doit être perçue. En faisant calculer et tracer les cartes par ordinateur, cette situation ambiguë disparaît. Le maniement d'écrans cathodiques à résolution très fine, de tables traçantes et de « Hard copy » permet de retrouver une représentation continue, que nous utiliserons très souvent dans l'Atlas. L'ordinateur ne règle cependant pas tous les problèmes. Rien ne fixe en effet la progression des teintes en fonction des valeurs départementales. Connaître l'ordre des départements pour le phénomène étudié ne détermine pas le rythme d'accroissement de l'opacité des surfaces départementales sur la carte. Il existe autant de solutions que l'on peut réaliser de transformations monotones de ces valeurs. L'Institut français de la Statistique (I.N.S.E.E.) a retenu une solution apparemment rationnelle : il recommande de parsemer les surfaces à recouvrir, de points ou plutôt de taches dont la surface est proportionnelle à la valeur départementale du phénomène étudié. L'effet optique n'est pas très heureux, car les frontières entre zones sont mal délimitées par ces taches. Surtout, le procédé repose sur deux hypothèses implicites. D'abord que *la perception* des différences est proportionnelle à la surface remplie, ce que les physiologistes estiment faux. Ensuite, que l'échelle de mesure est parfaite. Or, très souvent, en raison de valeurs extrêmes aberrantes, tout contraste disparaît entre les valeurs centrales, de loin les plus nombreuses. En effectuant un changement d'origine de l'échelle, ou une transformation en remplaçant la valeur par son logarithme ou par le simple rang du département pour une variable donnée, on peut restaurer ce contraste ; ici encore tout dépend de l'effet recherché et l'on ne saurait poser de règle absolue. Le choix d'une représentation continue oblige enfin à prendre une décision sur le type de remplissage des surfaces. Nous avons retenu une représentation par hachures dont la densité (ou l'écartement) varie comme le caractère étudié (ou l'une de ses transformations). La méthode présente un grand avantage sur celle de l'I.N.S.E.E. car, à la frontière de deux départements, la comparaison entre la densité des hachures des deux départements voisins saute aux yeux, pour des raisons d'interférence. Le plus souvent, pour donner une carte précise, nous retiendrons donc un système de hachures continues.

A priori, le système continu de représentation est le plus précis car il fournit plus d'information, au sens technique du terme, sur l'indice qui est cartographié. Mais chacun des trois procédés a son intérêt, car chacun vise un but différent : la synthèse pour les schémas, la comparaison diachronique pour les cartes en classes, la comparaison spatiale et synchronique pour les méthodes continues. La flexibilité de la cartographie ne s'arrête pas à ces trois cas ; elle s'étend au choix de l'intensité, de l'indication des échelles, des frontières et de la multiplication des points de vue. On va donner quelques brèves indications sur ces conventions supplémentaires.

Mise en forme

Reprenons un instant l'exemple de la carte schématique donnant le résultat de l'élection qui a opposé de Gaulle à Mitterrand. Nous avons dit remplir en noir les départements où Mitterrand avait obtenu la majorité des voix ; mais on peut faire le choix opposé et noircir ceux où de Gaulle l'a emporté. Cette inversion est loin d'être symétrique comme l'algèbre banale pourrait le laisser croire. Dans le premier cas, les taches noires sont prêtes à s'étendre, dans l'autre les taches blanches sont encerclées. Noir, blanc, inscription dans des frontières, situation topologique des zones : tout concourt à briser la symétrie et à charger de connotations inconscientes la solution choisie. Autre intervention, aussi importante, celle de l'intensité et des contrastes. Selon l'échelle choisie, les teintes peuvent varier du gris clair au gris foncé, ou du blanc au noir, ou bien du blanc au gris clair, voire du gris foncé au noir. Ce qui paraît un choix neutre de l'échelle et de l'origine est en réalité chargé de significations ou de références : une carte en demi-teinte suggère un phénomène en demi-teinte dont les variations à l'échelle départementale sont au fond secondaires ; une carte trop claire évoquera la rareté, la carte foncée, presque noire, exprimant la saturation. La carte n'échappe pas aux problèmes de fond de toute représentation, particulièrement du dessin et de l'expression plastique. Nous ne pouvons aborder ici ces questions essentielles pour l'artiste ou l'architecte (« l'espace de représentation » qui ont formé le fonds de la réflexion du Bauhaus ou de Le Corbusier), mais on doit garder à l'esprit qu'une représentation renvoie autant à d'autres représentations qu'à la réalité. Une carte renvoie autant aux cartes qui l'ont précédée qu'au phénomène qu'elle tente d'exprimer. Nous insistons sur cette charge culturelle des représentations, car on peut être tenté consciemment ou non d'en tirer parti. Un dernier ajout ou retrait peut imperceptiblement orienter l'interprétation : le traitement des frontières. On peut, en effet, ne tracer aucune frontière entre les départements, ni même avec l'étranger ou les mers et océans ; on peut aussi tracer seulement certaines d'entre elles. Ainsi, dans les cartes schématiques, nous indiquerons seulement les frontières extérieures de la France, et dans certaines cartes d'évolution, nous ne tracerons que les frontières correspondant à un changement de classe entre départements voisins. L'absence de frontières laisse une impression protoplasmique ; les zones paraissent pouvoir s'étendre ou se rétracter ; le dessin des frontières stabilise au contraire les situations. Ici encore, le choix dépend de l'interprétation. En présentant toutes ces possibilités, nous ne cherchons pas à faire étalage de perversité, mais à mettre en garde le lecteur contre les impressions fugitives que provoque une carte. Tous les auteurs d'Atlas qui nous ont précédés ont été confrontés à ce problème, qu'ils l'avouent ou non. Dans le cas présent, l'utilisation de l'ordinateur a renforcé l'aspect subjectif, alors qu'on aurait pu en attendre l'effet contraire.

« Tout contre », aurait dit Sacha Guitry. L'ordinateur a, en effet, permis de coller aux questions de représentation. Le programme de cartographie permet d'intervenir au niveau le plus fin de la hachure particulière, du contour d'un seul département ou du positionnement d'un symbole quelconque à une place quelconque. Cette sélection et le tracé de la carte sur écran cathodique peuvent s'effectuer en moins de une minute. Le travail de cartographie en est largement modifié. Pour certaines cartes publiées, une dizaine de cartes ont été entièrement tracées avant de trouver un découpage en classes satisfaisant ou une échelle des variations qui soit assez fine ; sans ordinateur, seules des esquisses préparatoires auraient été exécutées avant de se lancer dans la réalisation définitive qui pouvait manquer son but. Cette multiplication des cartes est aussi une multiplication des points de vue ; il nous a souvent paru utile d'en laisser subsister plusieurs pour offrir plus de possibilités de critiques au lecteur. Dans chaque cas, le procédé choisi est entièrement indiqué et les données sont reproduites en annexe.

L'objectivité souvent affirmée des cartologues s'apparente à celle d'un juge jouant son verdict aux dés : lui-même est objectif, mais non le verdict. Ici, les différents verdicts ont été envisagés et celui qui nous paraissait le meilleur choisi en connaissance de cause. Au lieu d'automatiser les procédures, le recours à l'ordinateur les a humanisées. Les améliorations techniques de la photographie fournissent un parallèle simple : avec les moteurs et les facilités de réglage, le photographe actuel prend dix photos, quand, il y a vingt ans, il en prenait une. Il choisit ensuite sur la « planche de contact » celle qu'il va retenir sur les dix. Nous ne procédons pas autrement.

Terminons par quelques indications statistiques. L'ordinateur a aussi été utilisé pour effectuer de nombreux calculs statistiques. Il a continuellement servi à la mise en forme des séries départementales et à leur comparaison au moyen de ces instruments classiques que représentent les coefficients de corrélation simples, partiels, multiples et de ces outils moins connus que sont les lissages spatiaux et les coefficients de compacité. Dans la mesure du possible, nous avons évité de surcharger le commentaire de ces éléments techniques. L'impératif de lisibilité n'était pas la seule raison à ce parti pris. Les calculs linéaires et factoriels sont mal adaptés aux problèmes spatiaux. Nous avons placé après les cartes une discussion de ce sujet un peu technique (notamment en ce qui concerne la célèbre « tromperie écologique » — *ecological fallacy*).

Pour conclure, précisons que nous avons manifesté une extrême méfiance vis-à-vis de l'ordinateur. Il a simplement accéléré le travail de la main ; ce qui aurait pris quelques années sans lui, a pris quelques mois. On ne saurait trop conseiller cet outil merveilleux pour tout, excepté pour la réflexion.

PREMIÈRE PARTIE

STRUCTURES INCONSCIENTES

L'inconscient, c'est ici ce que la sociologie, cons-cience de notre société, ne perçoit pas. Marxiste ou libérale, la science sociale actuelle croit, dur comme fer, que les structures économiques déterminent tout, expliquent tout. Ce n'était pas le cas de la sociologie de la fin du XIXᵉ siècle, qu'il s'agisse de celle de Le Play, de Tarde ou de Durkheim.

Enfouies sous les couches rationnelles (technolo-gique et économique) et théâtrales (politique) existent des structures cachées qui déterminent silencieuse-ment bien des attitudes et des choix, économiques ou politiques. Cet inconscient est un monde de rapports humains concrets plutôt que de rapports sociaux abstraits, un univers de relations, tendres ou dures, calmes ou violentes, entre parents et enfants, mari et femme, amant et maîtresse, entre voisins, entre amis... Les rapports humains, parfaitement indi-viduels, sont cependant codifiés et régulés par chaque société locale ou provinciale. Ils sont l'objet par excellence de l'anthropologie. Ces règles, puissantes mais inconscientes, ne peuvent être réellement saisies que par la statistique, chaque norme s'exprimant par une régularité des comportements régionaux.

LA FRANCE BARBARE

La France des anthropologues naît sous Clovis. Vers l'an 500 il unifie la Gaule, sous la domination des Francs, mais avec l'accord tacite du clergé catholique romain d'Aquitaine wisigothique. Les divers groupes ethniques qui constitueront la France se stabilisent. Les grandes invasions s'achèvent en ce qui concerne l'hexagone. Seuls les Normands manquent encore à ce rendez-vous des peuples : ils s'installent nettement plus tard, au début du Xe siècle.

Cette carte de la France barbare à la veille de la synthèse mérovingienne résulte des recherches patientes des historiens travaillant sur cette période difficile [1]. Elle permet de distinguer trois types de pénétration barbare, c'est-à-dire non gallo-romaine.

D'abord, des zones de peuplement dense, situées à la périphérie de l'ensemble français, occupées par les Francs (nord), les Alamans (est), les Bretons (ouest), les Basques (sud-ouest).

Ensuite, des sphères de domination politiques barbares ne correspondant pas à une immigration massive d'éléments non gallo-romains : Aquitaine, Languedoc et Provence wisigothiques, royaume burgonde, organisé autour de l'axe Saône-Rhône, et dont seule la partie nord (départements de l'Ain, de Saône-et-Loire) reçut un apport de population germanique important.

Troisième type de pénétration barbare, intermédiaire aux deux précédents : l'immigration franque

---

1. Cf. Musset L. : *Les invasions. La vague germanique.*

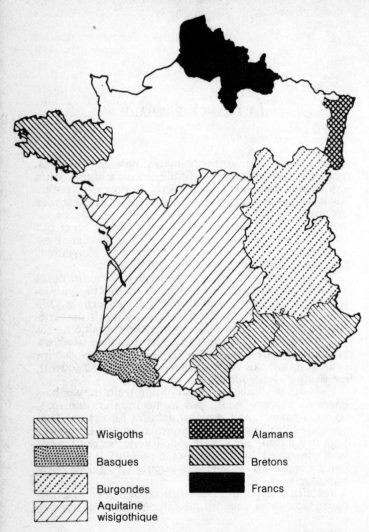

	Wisigoths		Alamans
	Basques		Bretons
	Burgondes		Francs
	Aquitaine wisigothique		

Partage de la France entre les différents peuples barbares aux alentours de 500 après J.-C.

dans l'ensemble des pays situés au nord de la Loire, quantitativement importante, mais qui ne submerge vraisemblablement pas le peuplement gallo-romain antérieur.

Cette carte historique définit des formes régionales — Nord, Aquitaine, façade méditerranéenne, Burgondie, péninsule bretonne, Est alsacien, pays situés au nord de la Loire — qui réapparaissent, inlassablement, dans les cartes démographiques et politiques.

La répartition dans l'espace des types de famille, des modèles de mariage, des naissances naturelles, du travail féminin, de la violence, de la fécondité des couples, révèle la persistance, au terme de 1 500 ans de bouleversements historiques, économiques, administratifs, de structures anthropologiques distinctes. Les systèmes de parenté résistent aussi bien à l'usure du temps que certains éléments radioactifs comme le Radium 226, dont la période (demi-vie) est de 1 620 ans.

Les Francs sont-ils de gauche ?

La persistance la plus étonnante — et la plus importante du point de vue de la mythologie nationale française — est celle du pays franc, situé à l'extrême nord de l'hexagone. Elle se manifeste dans une région plate, ouverte à tous les vents, à toutes les influences. Elle permet d'observer, aujourd'hui, ce que fut le système de parenté du plus doué pour la conquête des peuples germaniques. Ostrogoths, Wisigoths, Vandales, Suèves et Burgondes furent finalement vaincus par les Byzantins, les Arabes et, surtout, les Francs, qui réalisent, de Clovis à Charlemagne, une première unification de l'Europe occidentale. Mais il est amusant de constater que ce peuple conquérant, considéré au XVIIIe siècle comme l'ancêtre direct de la noblesse d'Ancien Régime, est actuellement de gauche. Les régions situées entre Paris et la frontière belge votent, majoritairement, pour les partis socialiste et communiste. Tant pis pour les mythes nobiliaires, fortement teintés de racisme. Tant pis également pour la contre-mythologie révolutionnaire qui se proposait de rejeter l'envahisseur noble et germanique au-delà du Rhin. C'est ce qu'envisageait Sieyès dans l'un des textes les plus connus de l'époque révolutionnaire, *Qu'est-ce que le Tiers Etat ?* L'audacieux abbé proposait une révolution de style ethnologique, expression curieuse d'un racisme inversé et fantasmatique : il s'agissait, au nom de l'idéal démocratique, de débarrasser la France de ses éléments germaniques.

L'orientation à gauche des départements situés à l'extrême nord de la France n'est pas affaire de sang — bleu ou non — mais de système de parenté. La famille traditionnelle de ces régions est de type large et communautaire, proche par certains aspects de la famille du Midi romain et aquitain, qui vote lui aussi à gauche.

LES GRANDES FAMILLES

La structure des familles dans les diverses régions de France permet de repérer, en cette fin du XXᵉ siècle, les groupes humains qui ont peuplé le territoire national entre l'époque néolithique et celle des grandes invasions.

Au sud, une vaste zone de *ménages multiples* (c'est-à-dire incluant au moins deux couples mariés cohabitant) correspond, en gros mais pas exactement, aux régions de la Gaule les plus romanisées : Aquitaine, Languedoc et Provence notamment. Mais cette région de ménages denses et complexes remonte, au nord, jusqu'à la Loire, largement au-delà des régions traditionnellement considérées comme occitanes. En théorie, les départements de la Nièvre, du Cher, de l'Indre, de la Vienne, des Deux-Sèvres, de la Vendée, et même, de l'Allier, de la Creuse, des Charentes, relèvent de la France d'oïl, c'est-à-dire du nord. Les limites linguistiques traditionnelles correspondent donc mal aux régions anthropologiques définies par les structures familiales. Cette non-coïncidence suggère que l'Aquitaine, dans son sens large et mérovingien de quart sud-ouest de la France actuelle, fut une seule grande zone anthropologique avant les conquêtes romaine et franque. Par la suite, elle est coupée en deux par les influences, opposées et successives, de Rome d'une part, de la France du nord, centrée sur Paris, d'autre part.

A l'ouest, la famille complexe bretonne est visible, nette dans le Finistère, atténuée dans les Côtes-du-Nord et le Morbihan, inexistante en Ille-et-Vilaine où les ménages sont de type résolument nucléaire. Dans

111

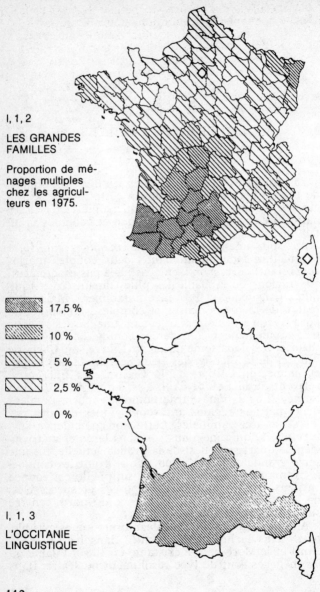

I, 1, 2

LES GRANDES
FAMILLES

Proportion de mé-
nages multiples
chez les agricul-
teurs en 1975.

17,5 %

10 %

5 %

2,5 %

0 %

I, 1, 3

L'OCCITANIE
LINGUISTIQUE

sa partie Gallo, c'est-à-dire de langue française, la Bretagne contient des populations non bretonnes.

L'Alsace-Lorraine anthropologique colle en revanche parfaitement à sa définition administrative (départements de Moselle, du Haut-Rhin et du Bas-Rhin). Dans son cas, les dialectes germaniques coïncident avec la structure « allemande » des familles. Aucun élément de dissociation des traits ethniques originels n'apparaît, comme c'est le cas dans le Sud-Ouest, où famille et langue sont dissociées.

La zone franque du nord du pays apparaît avec une netteté particulière sur les cartes des ménages multiples en milieu urbain ou rural (par opposition à agricole). Dans cette région, le régime de l'exploitation agricole, très concentré, constitué généralement de fermes de plus de cent hectares, est peu propice à l'apparition de familles complexes, au contraire des exploitations moyennes du Midi et de l'Alsace, qui sont de nature familiale et ne font pas ou peu appel à la main-d'œuvre salariée. Mais l'existence d'un ensemble ethnologique spécifique est parfaitement claire dans les domaines urbains et ruraux. Les départements du Nord, du Pas-de-Calais, de la Somme, de l'Oise et même de la Seine-et-Oise et de la Seine-et-Marne, se distinguent nettement, de ce point de vue, du reste du bassin parisien. On a un peu l'impression que les populations franques, situées au ve siècle sur le territoire de l'actuelle Belgique, ont dégouliné sur Paris, point stratégique certain, au confluent des vallées qui constituent le bassin de la Seine.

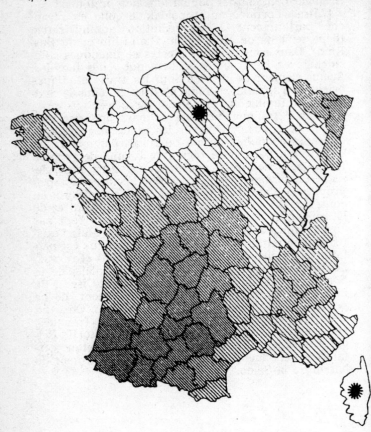

Proportion de ménages multiples en milieu rural en 1975 : plus les hachures sont serrées, plus la proportion est importante (l'échelle est celle des rangs).

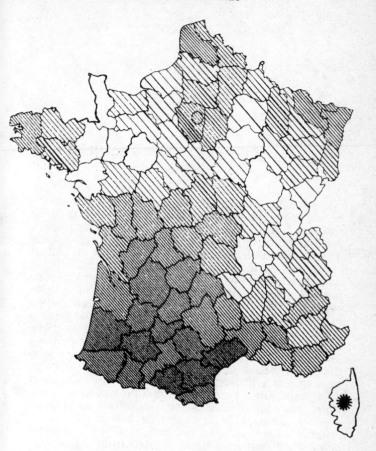

Proportion de ménages multiples en milieu urbain en 1975 :
plus les hachures sont serrées, plus la proportion est élevée
(échelle des rangs).

AFFAIBLISSEMENT
OU
PERMANENCE DES SYSTÈMES FAMILIAUX ?

Les ménages multiples sont particulièrement nombreux chez les paysans. Dans les fermes peut se réaliser (mais pas toujours) l'union du sentiment familial et de la nécessité économique. Les grands ménages sont beaucoup moins fréquents en milieu rural non agricole et, surtout, urbain. En ville, le travail salarié dissocie, en apparence, les groupes de parenté. Mais il est frappant de constater que la chute du nombre des ménages multiples en milieu urbain n'entraîne qu'un minimum de changement dans le classement des départements selon le degré de complexité des familles. Les groupes familiaux associant plusieurs couples mariés sont particulièrement nombreux dans le quart sud-ouest du pays, quel que soit le terrain social choisi, agricole, rural ou urbain. On a l'impression qu'une structure, identique, mais affaiblie dans ses manifestations visibles, s'est transportée de la campagne à la ville.

Trois cartes *schéma* permettent d'observer d'un coup d'œil cette permanence structurale. Les quarante-cinq départements contenant la plus forte proportion de ménages multiples sont à peu près les mêmes en milieu agricole, rural et urbain.

a

b

c

Les quarante-cinq départements
qui ont la plus forte proportion
de ménages multiples en 1975
sont figurés en noir pour :
a) les agriculteurs ;
b) les ménages ruraux ;
c) les ménages urbains.

EXTRÉMISME INDIVIDUALISTE

Cette carte schéma permet de distinguer deux types de famille nucléaire : un modèle extrémiste, un autre plus mesuré. Cinq départements viennent en tête pour la faiblesse du nombre des familles complexes. Dans la Manche, l'Orne, la Sarthe, la Mayenne, l'Ille-et-Vilaine, semble exister, en milieu agricole, un véritable *tabou* sur la cohabitation de parents et d'enfants mariés. Il est intéressant de noter que se développa aux XVIIIᵉ et XIXᵉ siècles, dans la partie normande de cette zone (dans l'Orne notamment) une forme particulièrement dure, pour ne pas dire névrotique, de contrôle des naissances, de nombreux couples ne produisant aucun enfant, signe d'une tension anthropologique et structurelle entre générations.

Le reste de la France du nord est plus mesuré dans son adhésion à la famille nucléaire. La fréquence des ménages multiples y est supérieure à 1 p. 100 contre 0,6 p. 100 dans la Manche, 0,7 p. 100 dans l'Orne, 0,5 p. 100 dans la Sarthe, 0,6 p. 100 dans la Mayenne, 0,8 p. 100 dans l'Ille-et-Vilaine.

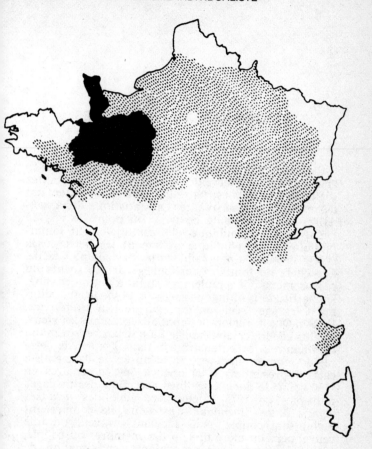

Les cinq départements qui ont la plus forte proportion de ménages nucléaires sont représentés en noir, les trente suivants en grisé (en 1975).

CENTENAIRES ET PATRIARCHES

Certaines statistiques, absolument fausses, renseignent pourtant merveilleusement sur les mentalités régionales et locales, parce qu'elles représentent un désir plutôt qu'une réalité. La statistique des centenaires de 1830 est de ce type. Du point de vue de l'analyse démographique, elle est totalement fantasmatique : elle n'indique nullement les lieux où la mortalité était la plus faible et la survie la plus facile. Les chefs de famille questionnés par les agents du recensement ont simplement trahi, à cette occasion, leur attitude profonde vis-à-vis de la vieillesse, déformant les âges réels en fonction de leur préférence. Le Sud-Ouest, région de famille large, aime les vieux, et plus généralement l'image du patriarche, sévère ou débonnaire ; le centenaire est, dans l'esprit de cette région, comme une version idéalisée de l'ancien. La carte représentant la fréquence des centenaires en 1830 coïncide donc assez bien avec celle des ménages multiples en 1975, mieux avec celle des *ménages élargis à un ascendant*, c'est-à-dire ne comprenant qu'un seul couple, mais incluant un veuf ou une veuve, père ou mère de l'un des membres du couple, vivant toujours avec ses enfants, en situation de patriarche.

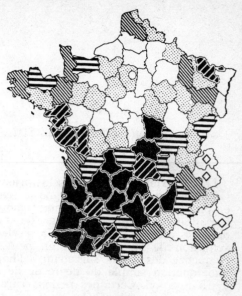

100 et +

50-100

30-50

20-30

10-20

0-10

I, 1, 7

CENTENAIRES

Nombre de centenaires pour un million d'habitants (1830).

20 %

15 %

10 %

5 %

0 %

I, 1, 8

PATRIARCHES

Pourcentage des ménages d'agriculture où un couple habite avec un ascendant (1975).

MOURIR CHEZ SOI

Les réflexions récentes des historiens et des sociologues sur la mort ont souligné la tendance de plus en plus grande des Occidentaux à mourir à l'hôpital, hors de leurs familles. L'examen de la carte des lieux de décès dans la France de 1975 révèle que cette présentation de la réalité est un peu simplifiée : la fréquence des morts survenant à l'hôpital n'est pas une fonction simple du degré de développement et d'urbanisation. Certaines régions rurales, comme la Bretagne ou le Sud-Ouest, font effectivement apparaître une forte proportion de décès à domicile ; mais l'extrême nord du pays également, malgré son urbanisation extrêmement poussée. Ce fait surprenant doit être mis en rapport avec les structures familiales denses qui dominent l'Artois, la Picardie et les Flandres françaises.

L'Alsace présente un modèle opposé. Elle n'est pas la province la plus urbanisée de France, mais la mort à l'hôpital y est la norme, plus que partout ailleurs dans le pays. Ce résultat est paradoxal, dans la mesure où l'Alsace est, comme le Nord, une zone de famille élargie. Il doit sans doute être mis en rapport avec la vieille pratique allemande de la retraite obligatoire des parents après un certain âge : ceux-ci sont institutionnellement éjectés du pouvoir familial, pratique contenant un élément parricide certain.

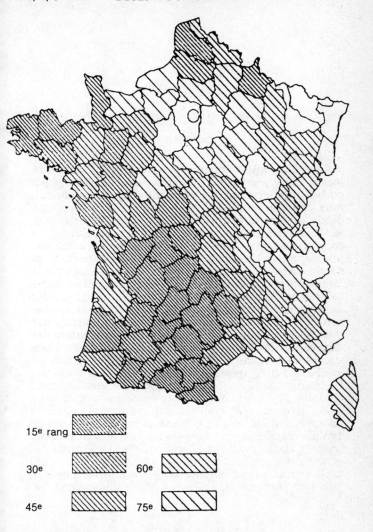

15e rang

30e   60e

45e   75e

Plus les hachures sont serrées, plus la proportion des décès à domicile est élevée (échelle des rangs).

VIVRE VIEUX, ET SEUL

Dans certaines régions de France, il est fréquent pour les vieux — statistiquement définis par l'I.N.S.E.E. comme les individus âgés de plus de soixante-cinq ans — de vivre seuls, même en milieu rural. La carte de ces solitaires ayant dépassé l'âge de la retraite est le négatif assez exact de celle des familles élargies à un ascendant (voir « Les Patriarches », page 121). Les vieux, intégrés dans le Sud-Ouest à des structures familiales denses, sont rejetés, dans l'Ouest intérieur, en Lorraine, en Bourgogne, en Touraine, hors de la famille. Ce n'est presque jamais le cas dans l'Occitanie profonde s'étendant des Landes aux Bouches-du-Rhône. Mais certaines régions de famille communautaire en décomposition, comme le Limousin et la Provence orientale, font apparaître une proportion non négligeable d'isolés âgés en milieu rural.

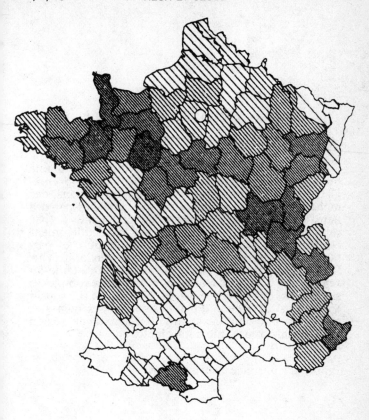

Plus les hachures sont serrées, plus la proportion de personnes âgées isolées est importante.
(Proportion de ménages de une personne âgée de plus de 65 ans en 1975 en milieu rural ; échelle des rangs.)

LA SOCIABILITÉ MÉRIDIONALE

La famille occitane est une institution à la fois puissante et ouverte. Le recensement de 1975 enregistre un certain nombre d'amis, vivant dans des ménages, mais qui ne leur sont pas rattachés par des liens de parenté. Le nombre de ces « amis » (par rapport à celui des ménages) est particulièrement élevé dans le Midi, dans une Occitanie pure et parfaite allant, horizontalement, de la Gironde au Var. Ce Midi profond se distingue donc de l'Occitanie au sens large, définie par la zone de familles complexes s'étendant des Pyrénées à la Nièvre. Le Limousin appartient à l'Occitanie par la taille de ses ménages, mais non par leur ouverture. Il s'agit d'une région moins chaleureuse, moins sociable.

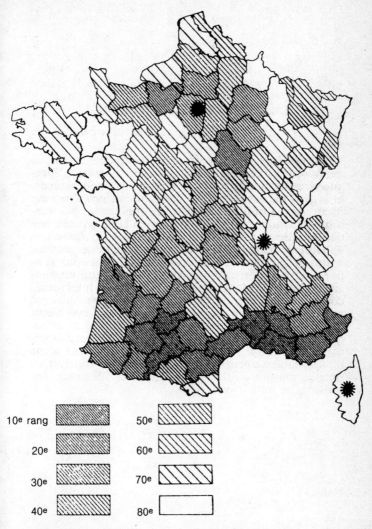

10ᵉ rang		50ᵉ	
20ᵉ		60ᵉ	
30ᵉ		70ᵉ	
40ᵉ		80ᵉ	

Plus les hachures sont denses, plus fréquemment les ménages
ruraux comprennent un ami qui n'appartient pas à la famille.

L'ALCOOLISME SEPTENTRIONAL

L'alcoolisme, mesuré ici par la fréquence de la cirrhose du foie, mal français par excellence, n'épargne que l'Occitanie la plus extrême, et curieusement, la région parisienne. Cette carte est un peu l'inverse (mais pas absolument) de celle mesurant la sociabilité des individus (par le nombre d'amis vivant dans des familles autres que la leur). Dans les deux cas apparaît le même Midi, qui se distingue nettement du reste du pays. Il existe vraisemblablement un rapport entre l'isolement des individus et leur propension à boire. L'alcoolisme peut donc être interprété, comme le suicide, en termes très durkheimiens : il serait l'effet d'une rupture des liens sociaux. Cette interprétation doit être nuancée : le suicide ne mène qu'à l'autodestruction. La boisson peut mener, simultanément, à la mort (par cirrhose ou éthylisme aigu) et au rétablissement de la communication avec autrui dans la mesure où l'alcool facilite le relâchement des tensions et inhibitions.

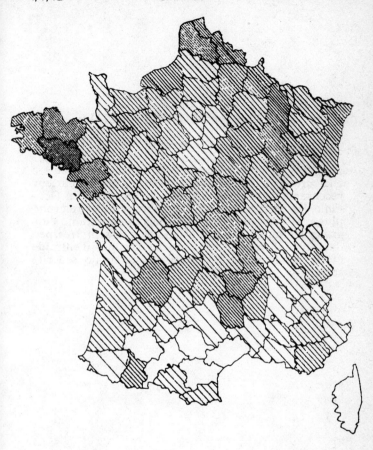

Proportion de décès par cirrhose en 1975.
(Classement par rang : les départements les plus foncés sont
les plus atteints.)

PARENTÉ ET SÉCURITÉ SOCIALE

Parfois un indice inattendu confirme le caractère chaleureux de la famille occitane. Ainsi le curieux recensement des aveugles, effectué en 1911. En Occitanie, les aveugles vivant dans leurs familles relèvent, plus que partout ailleurs, de degrés de parenté éloignés ; les familles du Midi se débarrassent très peu de leurs infirmes. Elles sont des groupes d'entraide et de solidarité, un véritable système de sécurité sociale.

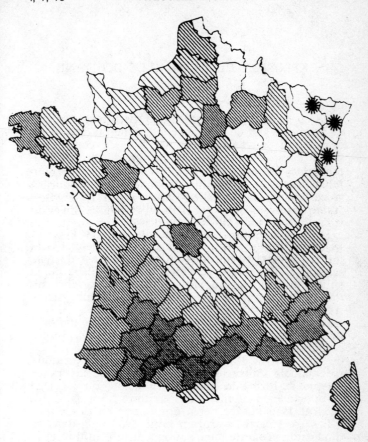

Plus les hachures sont serrées, plus la proportion d'aveugles hébergés par leurs cousins est importante. (Rapport du nombre d'aveugles apparentés au chef de famille en ligne indirecte, au nombre total des aveugles dans les familles ; échelle des rangs.)

EXPLOSION DE LA FAMILLE OCCITANE

Le contrat de mariage est une institution typique de la moitié sud de la France, domaine du droit écrit associé au souvenir de Rome. Mais le contrat de mariage est surtout une institution d'ordre anthropologique fonctionnant dans un système de parenté particulier, qui prend très au sérieux la famille large et le lignage. Le contrat met en forme écrite la négociation et l'accord de deux familles larges transcendant les individus qui les composent.

Deux exceptions : la région située entre Lyon et Dijon, où le contrat de mariage est fréquent au milieu du XIXe siècle mais où la famille est de type nucléaire. Dans ce cas, l'aire juridique déborde la sphère anthropologique. Autre exception, la Normandie où le contrat se greffe également sur une structure nucléaire du ménage.

La Révolution française produit un droit national mais optionnel. Le Code civil permet aux futurs conjoints de choisir entre deux types de mariage : avec ou sans contrat. Il faut un siècle pour que la pratique méridionale s'aligne sur celle du nord de la France et que la forme la plus individualiste du mariage l'emporte sur l'ensemble du territoire français. Entre 1850 et 1950 l'usage de la dot tombe en désuétude.

Les trois cartes retraçant cette évolution, dans sa dimension géographique, soulignent la brutalité et la précocité de ce changement de coutume sur les bords de la Méditerranée. En Provence et dans le Languedoc, l'usage du contrat disparaît entre 1850 et 1910, avec un demi-siècle d'avance sur la partie intérieure de l'Occitanie. A cette implosion du système juridique correspond vraisemblablement une explosion du système de parenté, une rupture des liens familiaux traditionnels et des systèmes d'autorité leur correspondant.

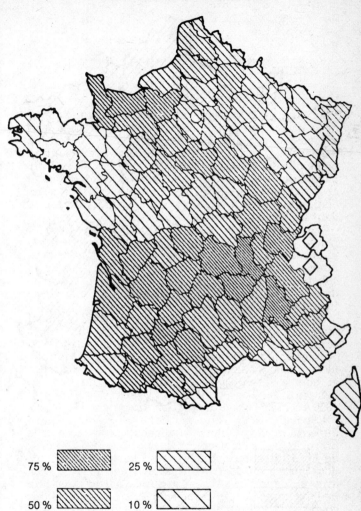

75 %		25 %	
50 %		10 %	

Proportion des mariages pour lesquels un contrat de mariage a été rédigé.

75 %   25 %

50 %   10 %

Proportion des mariages pour lesquels un contrat de mariage a été rédigé.

75 %
25 %
50 %
10 %

Proportion des mariages pour lesquels un contrat de mariage a
été rédigé.

AUTORITÉ

Une forme cartographique revient, inlassablement, dans cette géographie des mentalités françaises. Vingt fois, cent fois, apparaît, tel un leitmotiv, un ensemble constitué de cinq pôles périphériques : Bretagne, Pays basque, bordure sud-est du Massif central, Alpes, extrême-Est — du Jura à l'Alsace. Un grand nombre de variables viennent se couler dans cette forme répétitive : proportion de ménages incluant des collatéraux du chef de famille ou des enfants âgés de plus de vingt-cinq ans, fréquence des naissances de jumeaux ! Si l'on ajoute à ces cinq pôles l'Ouest intérieur — du Perche à l'Anjou — on obtient la carte de la pratique religieuse ou de la droite dure, c'est-à-dire des départements ayant voté avec le plus d'enthousiasme pour Valéry Giscard d'Estaing en 1974 ou pour Charles de Gaulle en 1965, et assistant à la messe avec la plus grande assiduité vers 1960.

Une variable clef organise ce groupement hétérogène en apparence : l'âge moyen au mariage. On se marie plus ou moins tôt dans les divers pays de France : le degré de précocité matrimoniale est un bon indicateur du type de contrôle exercé par un système social sur ces jeunes adultes ; mais ce système social n'est pas en France uniforme. L'âge au mariage, enregistré à l'échelle des départements, mesure la force locale du principe d'autorité. Un âge au mariage élevé définit une structure familiale de type autoritaire. Il produit de nombreux célibataires, restant parfois, leur vie durant, dans les familles de leurs frères ou sœurs mariés, en vieux enfants, en oncles éternels.

AGE AU MARIAGE : 1955

Si l'on fait la moyenne de l'âge de la femme et de celui du mari
à leur mariage, les vingt-sept départements pour lesquels cet
âge moyen est le plus élevé sont représentés en hachures.

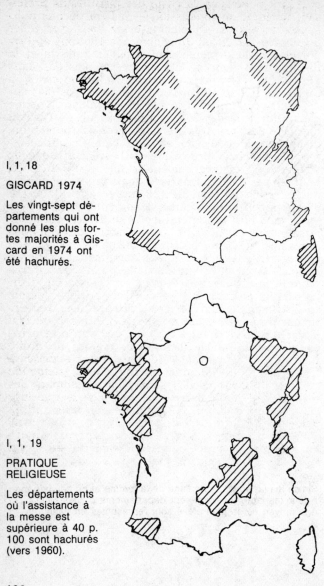

I, 1, 18

GISCARD 1974

Les vingt-sept départements qui ont donné les plus fortes majorités à Giscard en 1974 ont été hachurés.

I, 1, 19

PRATIQUE RELIGIEUSE

Les départements où l'assistance à la messe est supérieure à 40 p. 100 sont hachurés (vers 1960).

Très logiquement, la carte des institutions professant un idéal de soumission — à Dieu ou aux puissances terrestres — coïncide assez bien avec celles du mariage tardif ou du célibat, incarnations anthropologiques du principe d'autorité. La religion et la droite vivent donc, à la manière de poissons dans l'eau, dans les régions où l'on ne se marie pas trop tôt, et où, fréquemment l'on ne se marie pas du tout.

Une exception, dans le cas de la religion comme dans celui de la droite : l'Ouest intérieur, où l'âge au mariage n'est pas très élevé, mais où la soumission, métaphysique et sociale, se porte bien. Ce qui caractérise ces régions, profondément hostiles à la gauche depuis 1789 (un changement se manifeste en 1978), ce n'est pas l'âge au mariage, mais la structure très nucléaire de la famille, qui suggère une faiblesse exceptionnelle du système de parenté. Elle évoque même une hostilité latente entre individus alliés par le sang, une certaine froideur générale des relations humaines. Là est sans doute l'origine de l'orientation conservatrice — et même réactionnaire — de la région — se manifestant par une soumission à l'aristocratie locale des populations de l'Ouest intérieur. La famille ne nourrit pas, dans ces régions comme en Occitanie ou dans le Nord - Pas-de-Calais, un sentiment d'entraide et de solidarité. Cette société mal intégrée n'est au fond structurée que par le principe de hiérarchie sociale. Les autres régions de droite sont au contraire orientées dans le sens du conservatisme par la dynamique interne d'un système de parenté puissant : elles sont pour la plupart des régions de famille large, que leur âge au mariage élevé définit comme « autoritaires », au sens anthropologique du terme. L'Ouest intérieur, de droite mais d'âge au mariage relativement bas, n'est pas autoritaire au sens anthropologique : les générations y sont séparées et indépendantes.

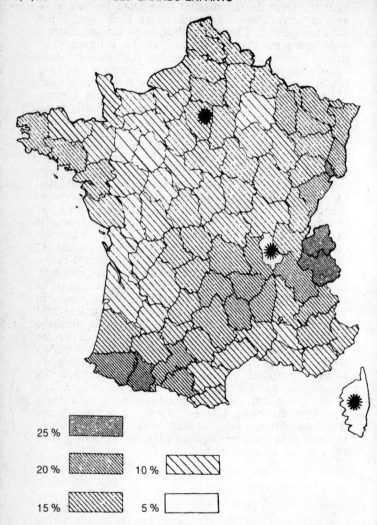

Enfants âgés de plus de 25 ans vivant dans un ménage agricole
en 1975 (en pourcentage du nombre de ménages agricoles).

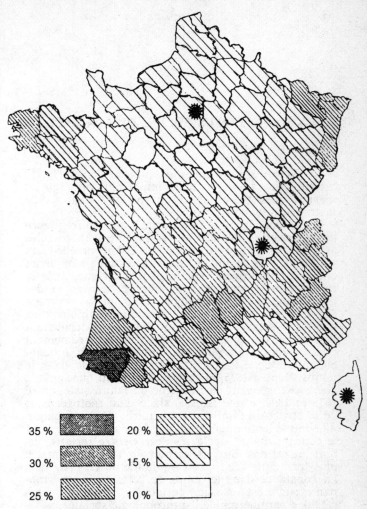

35 %   20 %

30 %   15 %

25 %   10 %

Nombre d'individus isolés (c'est-à-dire n'appartenant à aucune famille nucléaire) mais vivant chez un de leurs collatéraux (rapporté au nombre de ménages et multiplié par 100 ; agriculteurs).

LA SOCIÉTÉ PLUS SOLIDE QUE LA RACE

La carte des naissances de jumeaux en 1911-1913 est un effet, loufoque mais important, de l'âge au mariage. Les mères âgées ont plus de chances de mettre au monde des jumeaux [1].

Il est donc tout à fait normal que la fréquence des naissances gémellaires soit fortement corrélée avec celle de l'âge au mariage. Ce phénomène, non voulu par les hommes, mais déterminé par leurs choix, est intéressant sur le plan théorique, dans la mesure où il met en valeur la force aveugle des mécanismes anthropologiques : ici, on a vraiment l'impression que la société fabrique du biologique, par inadvertance. L'âge au mariage, socialement déterminé, est cependant une variable extrêmement puissante qui fait plier son environnement humain et statistique. Elle est, de plus, fixe, rigide dans le temps. Depuis 1835, la carte des âges au mariage n'a guère changé, sauf en Bretagne où l'on assiste, entre 1835 et 1890, à une hausse, signe d'un renforcement de la structure familiale autoritaire. Ailleurs, malgré une baisse lente et générale des âges au mariage dans le courant du XXᵉ siècle, les *écarts entre régions* restent les mêmes. En 1950 comme en 1850 on se marie plus tard dans l'Est qu'en Aquitaine ou en Provence. La constance dans le temps de cette carte est frappante : elle est un signe certain de la solidité générale des paramètres de l'anthropologie sociale.

---

1. Plus exactement les mères de trente à quarante ans.

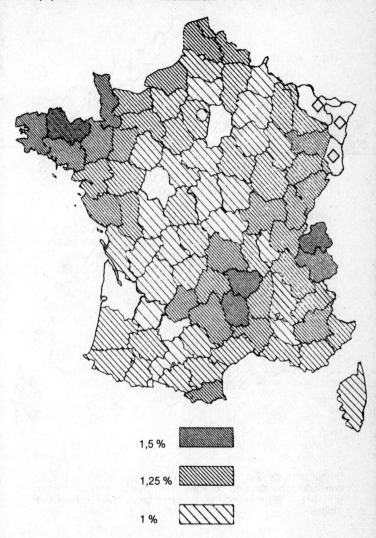

1,5 %	
1,25 %	
1 %	

Proportion de naissances gémellaires entre 1911 et 1913.

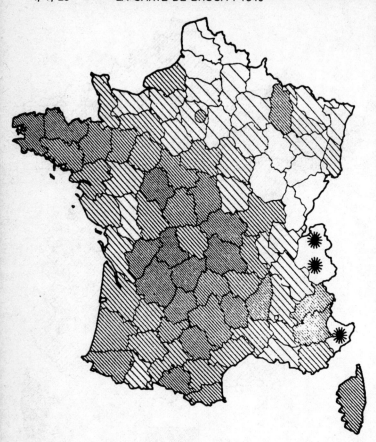

Défaut de taille. Plus les hachures sont serrées, plus il y avait une forte proportion de conscrits exemptés du service militaire (en 1831-1849) en raison de leur trop petite taille (échelle des rangs).

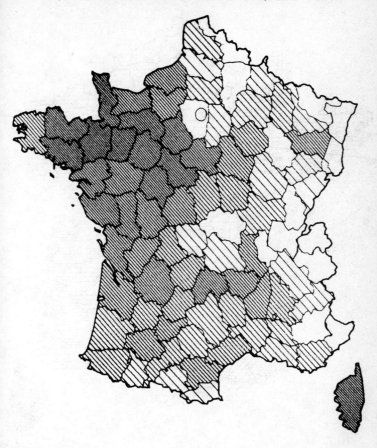

Petites tailles. Plus les départements sont foncés, plus la taille moyenne des conscrits était faible en 1948 (échelle des rangs).

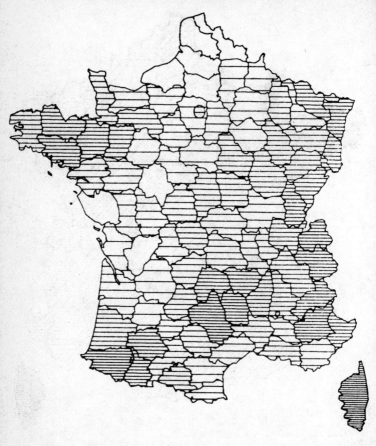

28,5 ANS   26,5 ANS

27,5 ANS   25,5 ANS

Age moyen des hommes à leur mariage aux environs de 1955.

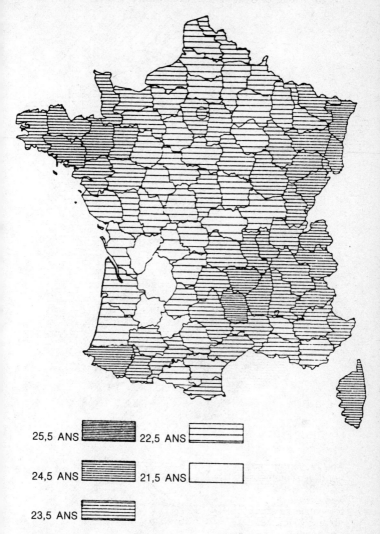

25,5 ANS 22,5 ANS

24,5 ANS 21,5 ANS

23,5 ANS

Age moyen des femmes à leur mariage aux environs de 1955.

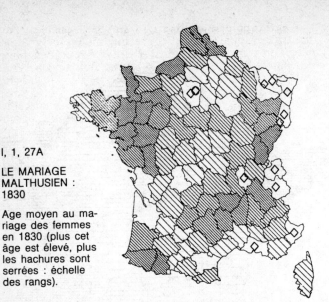

I, 1, 27A

LE MARIAGE
MALTHUSIEN :
1830

Age moyen au ma-
riage des femmes
en 1830 (plus cet
âge est élevé, plus
les hachures sont
serrées : échelle
des rangs).

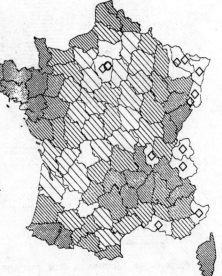

I, 1, 27B

LE MARIAGE
MALTHUSIEN :
1901

Age moyen au ma-
riage des femmes
en 1901 (plus cet
âge est élevé, plus
les hachures sont
serrées : échelle
des rangs).

148

L'anthropologie physique du XIXᵉ siècle, par contraste, apparaît fragile, presque molle, malgré son affection particulière pour les tibias, les crânes, pour les parties osseuses de l'organisme humain en général. La carte de la taille des conscrits vers 1830-1840, dont Broca s'était servi au milieu du XIXᵉ siècle pour définir les races françaises, n'est plus reconnaissable dans son équivalent actuel. En un siècle, le classement des régions a changé. Certains pays du Sud-Ouest ont rattrapé et dépassé certaines régions du nord de la France. Les progrès de l'alimentation ont fait grandir les Celtes et proto-Celtes plus vite que les Germains.

La société est décidément moins visible, mais plus solide, plus réelle, que la race.

LE DURCISSEMENT DE LA FAMILLE BRETONNE

Evolution d'autant plus remarquable qu'elle est unique, la hausse de l'âge au mariage en Bretagne dans le courant du XIXᵉ siècle se produit dans une région hostile au départ au mariage précoce.

Les évolutions divergentes de l'Ouest intérieur, où l'âge au mariage baisse, et de la Bretagne, où il monte, révèlent le caractère hétérogène de cette région conservatrice, que André Siegfried avait percé sous l'uniforme de catholicisme et de réaction commun aux deux zones.

La Bretagne est plus ambiguë, plus instable, du point de vue anthropologique comme du point de vue politique. Elle comprend des poches démocrates, et même rouges. L'Ouest et la Bretagne sont des régions culturellement distinctes, accidentellement réunies par la géographie. Anthropologiquement, la Bretagne est plus proche du Rouergue, du Pays basque ou de l'Alsace que du Maine, de l'Anjou ou de la Basse-Normandie.

1 an et +   ▄▄▄   0 à − 1 an   ▨▨▨

0 à 1 an   ▧▧▧   − 1 an et +   ▭▭▭

Évolution de l'âge moyen au mariage des femmes entre 1830 et 1900.

FEMMES

Le mariage moderne fixe une démarcation nette entre relations amoureuses et vie de famille. La signature crée un instant sec et précis ; il y a un avant et un après mariage. Il y a des mariés et des célibataires. Cette typologie sans nuances a eu beaucoup de mal à supplanter les pratiques d'union plus anciennes, qui survivent à l'ombre du mariage. Dans certaines régions d'Europe, comme la Bavière ou la Carinthie, le mariage d'Eglise n'a d'ailleurs jamais vraiment écarté son rival païen. Dans ces pays, on compte couramment plus d'un tiers d'enfants nés avant mariage ou hors de tout mariage. Ce ne sont pas des régions de morale dissolue, mais des pays conservateurs, et ils perpétuent leurs vieilles règles « immorales ».

En France aussi, le mariage officiel, civil puis religieux, s'est superposé à de très anciennes coutumes régissant les rapports entre hommes et femmes. Les règles imposées par l'Eglise et l'Etat ont défini un nouvel ordre et un nouveau désordre sexuel. Il y a, à partir du concile de Trente, des enfants naturels et des conceptions prénuptiales ; il y a, à partir de la Révolution, des reconnaissances et des légitimations d'enfants nés hors mariage ; il y a, à partir de la loi Naquet, des divorces. Il est habituel de juger chacun de ces événements du point de vue moral. La langue elle-même le suggère en les désignant positivement ou négativement : mariages de réparation, illégitimité (*Bastardy* disent les Anglais), reconnaissance. L'opinion s'émeut lorsque les divorces augmentent ou lorsque les enfants naturels deviennent plus fréquents. On parle de relâchement des mœurs quand il faudrait parler de résurgence de conceptions très anciennes des rapports humains. Chaque événement qui défie le mariage ou qui en corrige les écarts exprime à sa manière la continuité d'une société et son mouvement. Les sociétés géantes du monde présent sont en réalité menacées de toute part par leurs fondements anthropologiques. Cernées par la déviance des règles qu'elles se sont fixées, elles tentent d'en éviter la reproduction pour assurer leur propre survie.

Historiquement, les dispositifs de protection du mariage se sont doublés de mécanismes d'observation. Circonscrire le danger et extirper le mal, voilà le mot d'ordre pour les Gaillard, d'Angeville ou Villeneuve-Bargemont qui se lancent au début du XIXe siècle dans de grandes enquêtes statistiques sur l'illégitimité, le vagabondage et le paupérisme.

L'écart des conduites entraîne ainsi l'indiscrétion des statisticiens qui nous renseignent mieux sur la pathologie du mariage que sur sa stricte observance. Dès le Second Empire, on publie le détail des légitimations et celui des mariages légitimants, tandis que la composition des familles honnêtes demeure secrète. Cette ample moisson de chiffres, commencée au XIXe siècle, offre une grande variété de points de vue sur les rapports entre hommes et femmes, entre adultes et enfants, sur des attitudes mal ou peu formalisées, s'exprimant par les conceptions avant et hors mariage, par des reconnaissances paternelles, par une répartition des rôles masculins et féminins, par des divorces. Attitudes qui se transmettent, simplement parce qu'elles sont en contact direct avec les processus de reproduction physiques et culturels ; pour cette dernière raison aussi, il ne faut pas s'attendre ici à découvrir une géographie anthropologique immuable, comme c'était le cas pour la structure des familles et le déroulement du cycle de vie.

Il n'y a pas de ruptures brusques, ou de retournements mais de lents mouvements de progression et de récession, empruntant des chemins tracés depuis longtemps.

Quand la loi Naquet est votée en 1881, on pense que le refus de l'Eglise va forger la géographie du divorce. C'est en partie vrai au sud de la France ; on voit sur la carte des divorces (rapportés au nombre des couples) en 1896, que les départements catholiques du Pays basque et du sud du Massif central restent insensibles à la nouvelle loi. C'est encore vrai de la Bretagne. Au Nord et à l'Est cependant, le divorce se répand en terre catholique aussi bien qu'ailleurs. Inversement, les zones très déchristianisées du Centre ne montrent aucun enthousiasme pour le divorce. La répartition initiale du divorce recoupe plutôt celle de l'industrialisation et de l'urbanisation : le Nord-Est de la France, les villes de Lyon, Bordeaux et Marseille sont les plus touchées. Le divorce semble se couler dans le moule de la modernité. Arrivant après elle, il en serait une conséquence. Mais pourquoi ne suit-il pas l'industrialisation et l'urbanisation dans leur progression des cent dernières années ? La carte du divorce en 1922, en 1946 et en 1975 ne bouge pratiquement pas par rapport à 1896. Le divorce a seulement progressé un peu vers le sud de la Loire où il atteint maintenant le Puy-de-Dôme, l'Allier, le Berry et le Loiret. Par compensation, il faiblit relativement au Nord. On ne peut attribuer une telle stabilité de la répartition à des facteurs économiques changeants. Il existe un milieu favorable au divorce bien avant sa légalisation.

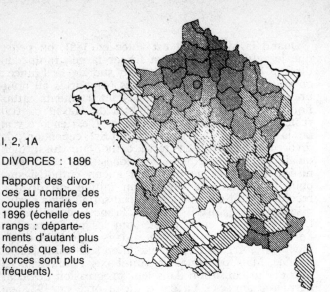

I, 2, 1A

DIVORCES : 1896

Rapport des divorces au nombre des couples mariés en 1896 (échelle des rangs : départements d'autant plus foncés que les divorces sont plus fréquents).

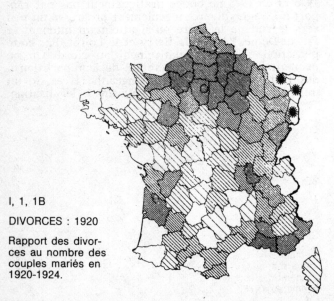

I, 1, 1B

DIVORCES : 1920

Rapport des divorces au nombre des couples mariés en 1920-1924.

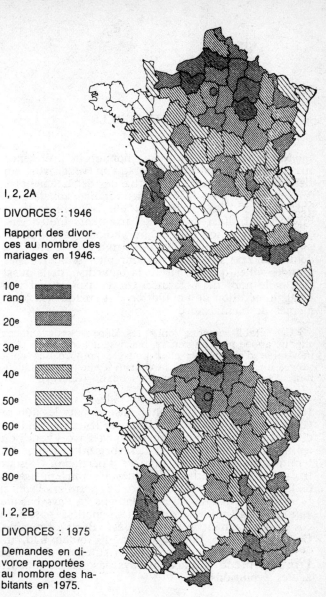

I, 2, 2A

DIVORCES : 1946

Rapport des divorces au nombre des mariages en 1946.

10e rang
20e
30e
40e
50e
60e
70e
80e

I, 2, 2B

DIVORCES : 1975

Demandes en divorce rapportées au nombre des habitants en 1975.

ENFANTS NATURELS

« Nous pensons qu'on doit donner la préférence aux naissances naturelles, lorsqu'on veut avoir un élément de la moralité respective des départements », écrit d'Angeville en 1837. Fâcheux indice, constate-t-il bientôt, car « les parties les plus éclairées de la France sont, ainsi que les départements industriels, dans une condition de moralité moins bonne que les pays où l'instruction est peu répandue ». En effet, au début du XIXe siècle, ce ne sont plus seulement les grandes villes qui favorisent la bâtardise, mais aussi l'est et le nord de la France. On accuse un peu vite « l'agglomération de population » et surtout les organismes de bienfaisance :

« Ces établissements, dont les dépenses deviennent chaque année plus onéreuses, paraissent avoir pour effet inévitable d'augmenter chez nous le nombre des naissances illégitimes, comme la charité légale accroît indéfiniment celui des pauvres en Angleterre » (Guerry).

La fréquence des naissances illégitimes en 1861-1865 écarte de tels arguments. Mises à part les quatre grandes villes du Second Empire, les trois régions d'illégitimité sont très précisément les trois zones où les mœurs et les coutumes défavorisent le moins les femmes (notamment en matière d'héritage). Ce sont trois des pôles anthropologiques les plus puissants de la France : le Nord, territoire des premiers Francs, l'Est et surtout l'Alsace des Alamans, le Pays basque enfin. L'illégitimité se diffuse lentement à partir de ces bases, gagnant le Centre-Ouest (Berry, Touraine, Orléanais) et la Bourgogne, tandis qu'au sud, un mouvement de bascule se produit au cours duquel la Provence prend la place du Pays basque. Ce sont les seules évolutions.

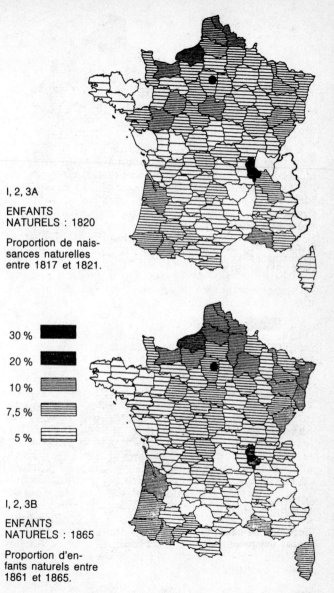

I, 2, 3A

ENFANTS
NATURELS : 1820

Proportion de nais-
sances naturelles
entre 1817 et 1821.

30 %

20 %

10 %

7,5 %

5 %

I, 2, 3B

ENFANTS
NATURELS : 1865

Proportion d'en-
fants naturels entre
1861 et 1865.

159

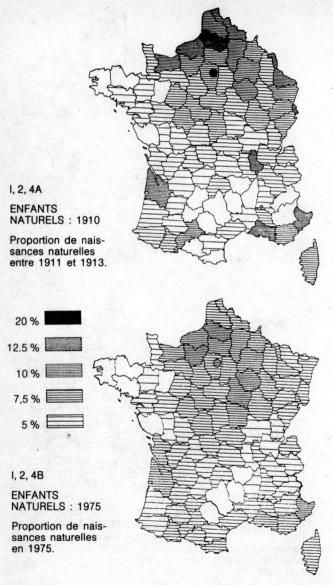

I, 2, 4A

ENFANTS
NATURELS : 1910

Proportion de nais-
sances naturelles
entre 1911 et 1913.

20 %
12.5 %
10 %
7,5 %
5 %

I, 2, 4B

ENFANTS
NATURELS : 1975

Proportion de nais-
sances naturelles
en 1975.

INDISCRÉTIONS

Entre la rencontre des futurs parents, la conception d'un enfant et le mariage, toute une séquence d'événements peut se produire et s'interrompre, créant une variété de situations intermédiaires, allant de l'enfant légitime à l'avortement. Intermédiaires : les enfants conçus avant le mariage, qui suit leur naissance (parfois une dizaine d'années plus tard) ; les enfants reconnus par leur père puis légitimés par le mariage ; les enfants reconnus sans mariage ; les enfants non reconnus, abandonnés, tués à leur naissance. La statistique française a recensé avec passion tous ces détails.

Deux types extrêmes orientent la géographie de l'illégitimité. Dans le Nord et l'Est de la France, les enfants naturels ne se heurtent pas à une répulsion sociale. Souvent reconnus, encore plus souvent légitimés par un mariage, ils meurent moins qu'ailleurs. En ces pays où la virginité n'est pas une condition du mariage, l'enfant n'est pas non plus un obstacle irrémédiable. On se marie progressivement. Mariages et familles forment des séries décalées. Paradoxalement, le type le plus opposé a quelques caractères voisins : sur le littoral méditerranéen, la fréquence de l'illégitimité exprime simplement le mépris du mariage, laïc ou religieux, sans lequel les couples stables existent tout aussi bien. L'union d'un homme et d'une femme n'est pas une affaire publique, mais privée. Elle ne relève pas de la société globale mais de l'accord entre deux lignages. Déjà présent en Languedoc et en Provence, ce modèle est très puissant en Corse. Dès 1835, l'abbé Gaillard, statisticien et moraliste, considérait l'illégitimité en Corse comme un artifice comptable, dans la mesure où les couples non mariés y vivaient chrétiennement et avaient seulement oublié de passer devant le maire. Lorsqu'une contingence les y conduisait, ils y arrivaient entourés de leurs enfants : c'est en effet le département français où le nombre moyen des enfants légitimés par mariage légitimant est le plus fort.

Entre ces deux types extrêmes, dont l'un est produit par la liberté des femmes et l'autre par le mépris de la loi, l'illégitimité apparaît plus rarement. Elle est ressentie honteusement : la mère accouche loin de son domicile, l'enfant est souvent abandonné et survit rarement. Il n'a aucun statut ; ignoré de son père, il représente un fardeau pour sa mère. Cette infortune extrême se nuance dans deux provinces où l'illégitimité a subi une mutation au cours des cent dernières années : le Pays basque et le Centre. Dans les Pyrénées-Atlantiques, les Landes et les Hautes-Pyrénées, l'illégitimité traditionnelle (que l'analyse des registres paroissiaux met déjà en évidence au XVIIIe siècle) est petit à petit étouffée par la religion qui s'implante en force au XIXe siècle, diminuant une part des libertés féminines. Dans le Centre — en Berry, Touraine et Sologne — l'illégitimité progresse ; mais elle rencontre une grande résistance du mariage, qui la contient, par tous les modes possibles de légitimation. Très tôt, cette région, où les enfants meurent peu (moins de 10 p. 100 avant un an dès le milieu du XIXe siècle) a une attitude ambiguë. C'est là que les infanticides sont les plus nombreux en 1830, c'est aussi là que la fécondité diminue sans rémission au XIXe siècle. Imitation irraisonnée de Paris dont le régime de migration se modifie au cours du XIXe siècle et désorganise des sociétés rurales déjà assez fragiles ? Hésitation anthropologique plutôt, car le Centre est un pays mal défini, zone d'extension maximale de l'Occitanie, zone ultime de pénétration franque, il se décompose en une mosaïque de sociétés mal stabilisées. Orchestre sans chef, il offre ici l'image de ce que serait la France sans capitale.

Ces cinq types d'illégitimité s'ordonnent du nord au sud en une succession de cartes.

La proportion de mariages légitimants d'abord. En 1858, ils sont uniquement fréquents pour le premier type extrême, et parfaitement bien organisés à partir des deux pôles germaniques. Le Pays basque, où l'illégitimité est encore forte à cette époque, ne pratique guère le mariage après la naissance. Les signes de l'effondrement ultérieur de l'illégitimité dans cette région sont donc déjà présents. En 1911, les mariages légitimants se sont diffusés à l'ensemble de la zone Nord. Ils atteignent également le Centre où l'illégitimité se développe à la même époque. Ces cartes coïncident avec la répartition actuelle des conceptions prénuptiales. Dans le Nord et en Alsace, près du quart des mariages ont lieu *après conception d'un enfant*. De tels mariages sont exceptionnels en Bretagne ou au sud de la Loire, sauf dans les quelques départements du Centre qui constituent à eux seuls un type original d'illégitimité, modèle prudent où l'on répare ce qu'on appelle une erreur.

Ces conceptions prénuptiales témoignent aussi d'une moindre contrainte de la sexualité féminine.

La carte des naissances illégitimes rurales la plus ancienne que nous puissions tracer (1853), fait apparaître un troisième type d'illégitimité, basque, qui s'oppose nettement au littoral méditerranéen où l'enfant naturel est très rare (le type corse ne se rencontre alors que dans les villes et en Corse).

La proportion globale de naissances illégitimes n'est pas un indicateur satisfaisant de tolérance sociale. Elles peuvent être nombreuses en conséquence de changements dans les rituels amoureux et cependant être réprouvées. La tolérance se traduit par des conditions normales de l'accouchement qui, au XIXe siècle, a lieu à domicile. Le rejet de l'enfant naturel conduit au contraire la mère à l'hôpital. En comptant la fréquence des naissances à domicile d'enfants naturels et d'enfants légitimes, on peut se faire une idée assez exacte de l'attitude dominante du milieu vis-à-vis des naissances hors du mariage. C'est au nord de la France et en Corse que le nombre

163

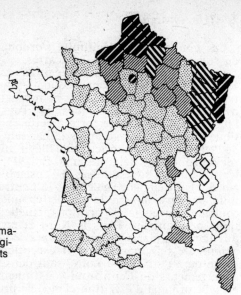

I, 2, 5A

LES ENFANTS
PRÉCÈDENT
LE MARIAGE :
1858

Proportion de mariages ayant légitimé des enfants en 1858.

> 7,5 %

5,2-7,5 %

4,5-5,2 %

3,6-4,5 %

< 3,6 %

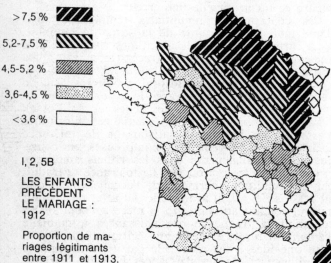

I, 2, 5B

LES ENFANTS
PRÉCÈDENT
LE MARIAGE :
1912

Proportion de mariages légitimants entre 1911 et 1913.

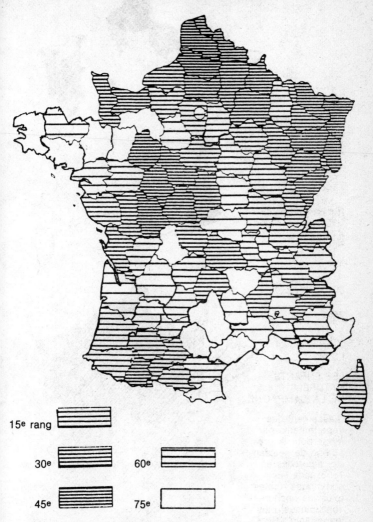

15e rang

30e   60e

45e   75e

Plus le département est sombre, plus fréquents sont les mariages de femmes enceintes (mariages de l'après-guerre, échelle des rangs).

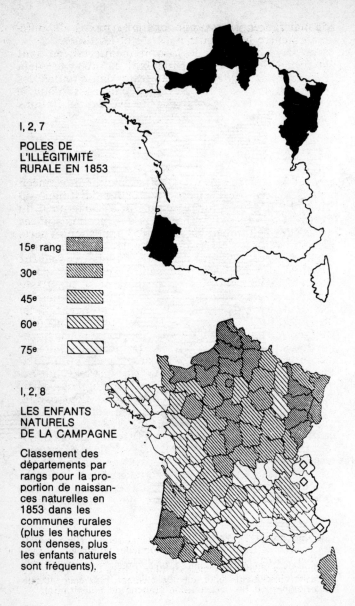

I, 2, 7

POLES DE
L'ILLÉGITIMITÉ
RURALE EN 1853

15e rang

30e

45e

60e

75e

I, 2, 8

LES ENFANTS
NATURELS
DE LA CAMPAGNE

Classement des
départements par
rangs pour la pro-
portion de naissan-
ces naturelles en
1853 dans les
communes rurales
(plus les hachures
sont denses, plus
les enfants naturels
sont fréquents).

166

de naissances à domicile cause le moins de différences entre les enfants naturels et légitimes.

Le Pays basque et le littoral méditerranéen sont intermédiaires, le rejet de l'enfant naturel y est déjà perceptible ; il devient manifeste dans toutes les zones où l'illégitimité est rare, mais aussi dans le centre de la France, nouvelle preuve des hésitations de cette région [1].

Le style méditerranéen

Avec les cartes suivantes, le modèle méditerranéen apparaît plus précisément : tantôt il se distingue du Nord-Est, tantôt il lui ressemble et s'écarte ainsi du reste de la France. La répartition des reconnaissances paternelles en milieu rural en 1853 appartient à cette dernière catégorie. Au nord-est de la ligne Saint-Malo - Genève, l'enfant naturel est assez souvent reconnu par son père ; au sud, à l'exception de la Provence et du Languedoc, son père ne se manifeste pas (ou ne peut se manifester car il est déjà marié). La même carte, en 1911-1913, réalise une partition de la France encore plus nette. Mais n'oublions pas que, si l'on reconnaît l'enfant au Sud, on épouse rarement la mère. Si l'on s'y décide, plusieurs enfants accompagnent souvent les mariés. La carte du *nombre moyen d'enfants légitimés par mariage* fait en effet ressortir avec netteté la région méditerranéenne. Le Nord lui-même s'est éclairci, et le Centre plus encore. Sous l'apparence du modèle corse se cache un autre modèle méditerranéen, effet probable de l'effondrement des familles patriarcales du Languedoc et de Provence (l'accentuation des reconnaissances paternelles à la fin du XIXe siècle en est un autre indice). Les lignages ont relâché leur contrôle sur les femmes, mais gardent un semblant de force pour rechercher le séducteur ; plus vraisemblable-

---

1. Nous avons classé les départements selon la proportion des naissances légitimes hors du domicile, puis selon la proportion des naissances illégitimes au domicile, et nous avons comparé les deux classements : plus l'écart est grand entre les deux classements pour un département, plus cela indique un rejet net ou une acceptation franche de l'illégitimité.

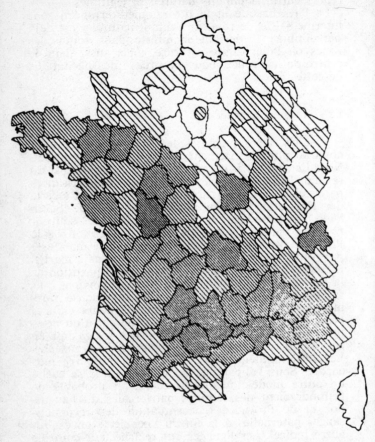

Les départements ont été classés par rangs pour leur différence
de rangs entre naissances naturelles et naissances légitimes à
domicile. Les plus clairs sont ceux pour lesquels la différence
est la plus faible (naissances survenues entre 1911 et 1913).

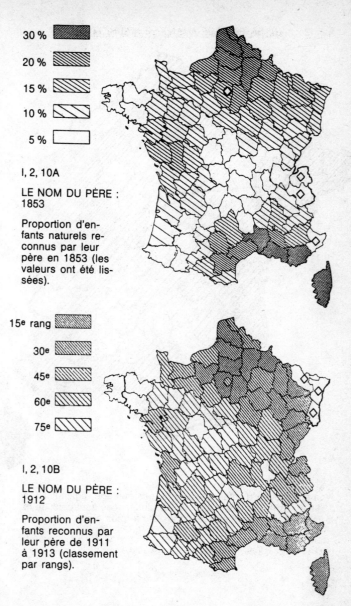

30 %
20 %
15 %
10 %
5 %

I, 2, 10A

LE NOM DU PÈRE : 1853

Proportion d'enfants naturels reconnus par leur père en 1853 (les valeurs ont été lissées).

15e rang
30e
45e
60e
75e

I, 2, 10B

LE NOM DU PÈRE : 1912

Proportion d'enfants reconnus par leur père de 1911 à 1913 (classement par rangs).

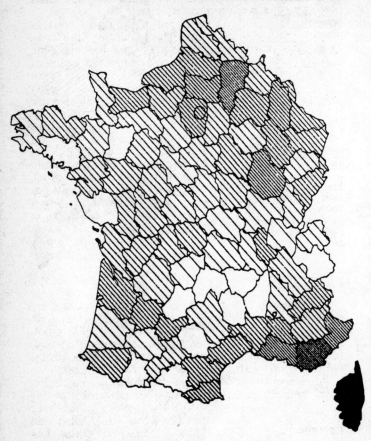

Nombre moyen d'enfants reconnus par mariage légitimant (de 1911 à 1913). Les départements les plus foncés sont ceux où le nombre moyen d'enfants reconnus est le plus élevé.

ment, ce dernier n'a pas rompu avec la mentalité patrilinéaire : ces enfants illégitimes sont les siens plus que ceux de la femme séduite.

Un même taux d'illégitimité n'a pas du tout la même signification dans le Haut-Rhin et en Corse. Dans un cas, des rapports plus instables et plus égaux entre les hommes et les femmes se reflètent dans un taux élevé. Une mère peut organiser l'éducation de son enfant sans le père, elle peut aussi espérer se marier ; dans l'autre cas, l'illégitimité est une pure apparence statistique, les femmes sont entièrement soumises aux lignages qui font et défont les alliances. La même chose peut être dite du divorce. Dans le nord de la France, il témoigne d'une certaine liberté des individus ; dans le sud, il exprime le bon vouloir des hommes tout-puissants. Au nord, l'égalité des conditions permet de conclure des mariages sans contrats, au sud, la domination masculine a pour seule limite les régimes dotaux. Au nord le modèle de référence est scandinave, au sud il est musulman.

Le nouveau Centre

En 1911-1913, la statistique a distingué, parmi les enfants légitimés par un mariage, ceux qui avaient été reconnus auparavant par le père. La région méditerranéenne, la Corse et le Nord-Est viennent en tête, la région du Centre est en revanche l'une de celles où ces reconnaissances sont les plus rares.

De telles reconnaissances s'inscrivent naturellement dans les types extrêmes d'illégitimité où elles constituent des éléments du cycle de vie familial ; mais dans le Centre, où la fréquence assez élevée de l'illégitimité est récente, elles n'ont pas de statut. Les enfants naturels ne peuvent être reconnus que par un mariage. On le constate effectivement sur la carte. On y a rapporté le nombre d'enfants légitimés par un mariage au nombre d'enfants naturels. La région du Centre a ici le même comportement que le Nord et l'Est, tandis que le Sud se détache. Bien peu d'enfants naturels aquitains ou provençaux deviendront légitimes par le mariage de leurs parents. Ils mourront ou ne seront jamais reconnus.

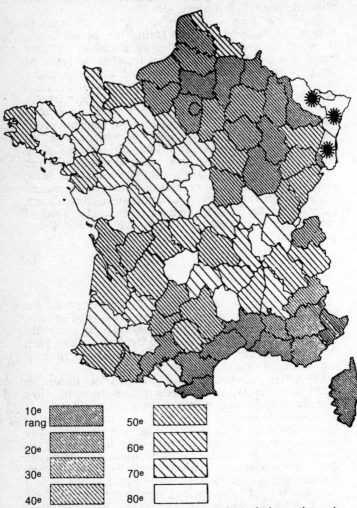

10e rang		50e	
20e		60e	
30e		70e	
40e		80e	

Proportion des enfants nés avant le mariage de leur mère qui avaient été reconnus par leur père auparavant entre 1911 et 1913. (Plus les hachures sont denses, plus la proportion est élevée : échelle des rangs.)

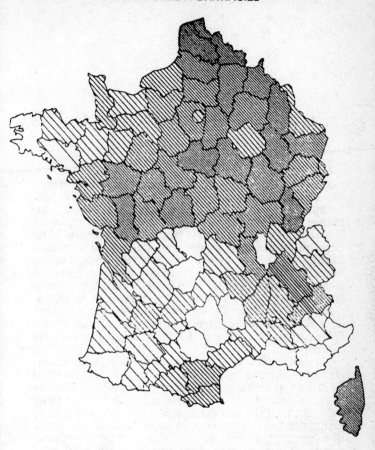

Plus le département est foncé, plus les enfants naturels sont ultérieurement légitimés par un mariage.
(Rapport du nombre des enfants légitimés par un mariage au nombre des enfants naturels. Cette proportion donne une première indication du destin des enfants naturels, mais elle est déformée à cause de la mortalité des enfants naturels et de leur âge au moment du mariage de leurs parents ; échelle des rangs.)

LE MASSACRE DES INNOCENTS

Les bâtards ont de faibles chances de survie au XIXᵉ siècle. Pour l'ensemble de la France, leur mortalité est deux fois et demie supérieure à celle des enfants légitimes. Voilà pourquoi, à Paris, où un enfant sur trois naît sans père légal, il n'y a pas un habitant bâtard sur trois, constate Guerry en 1830. Certaines zones sont plus mortelles que d'autres. D'Angeville en a dressé la liste et nous l'avons reportée sur la carte 14 ; on y a indiqué combien d'enfants sont décédés pour mille enfants trouvés entre 1826 et 1831. Le sud de la France et la région du Centre sont impitoyables pour les jeunes abandonnés dont les quatre cinquièmes disparaissent. L'Alsace et la Lorraine, le Pays basque sont plus cléments.

Un siècle plus tard, la situation n'a pas beaucoup changé malgré la disparition des institutions de bienfaisance qui servaient de mouroir. La carte 15 dessine la répartition de la « mortalité infantile » des enfants naturels, en 1912. Les décès d'enfants naturels ont été rapportés aux naissances. Ce procédé à lui seul explique la carte, et le fait que, dans certains départements, il meurt plus d'enfants naturels qu'il n'en naît : l'Orne, la Sarthe, l'Eure, et la Loire ou l'Ardèche sont dans cette situation. La raison en est simple. Les jeunes décédés sont nés ailleurs et ont été mis en nourrice dans ces départements. On trouve en effet une bonne concordance entre cette carte et celle des enfants sous contrôle sanitaire à la même époque. Cette imperfection de la carte en fait peut-être tout l'intérêt : les zones denses de placement ne se situent

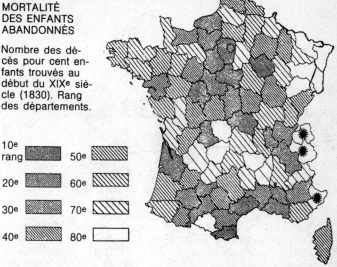

I, 2, 14A

MORTALITÉ
DES ENFANTS
ABANDONNÉS

Nombre des décès pour cent enfants trouvés au début du XIXe siècle (1830). Rang des départements.

10e rang

20e

30e

40e

50e

60e

70e

80e

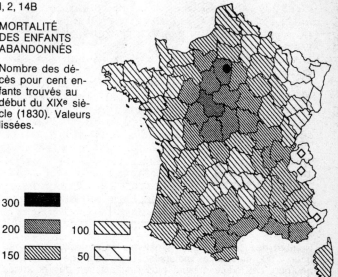

I, 2, 14B

MORTALITÉ
DES ENFANTS
ABANDONNÉS

Nombre des décès pour cent enfants trouvés au début du XIXe siècle (1830). Valeurs lissées.

300

200

150

100

50

175

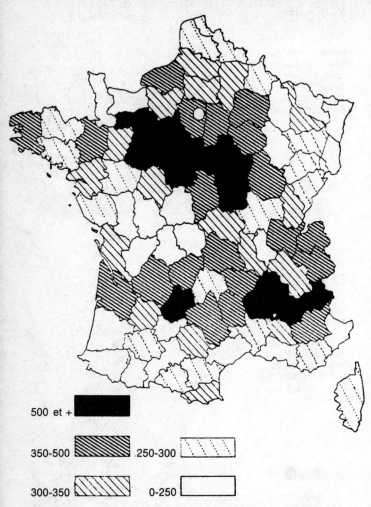

500 et +

350-500   250-300

300-350   0-250

Nombre des décès d'enfants naturels de moins d'une année
pour 1 000 naissances naturelles (en raison des mises en
nourrice, cet indice mesure plus l'implantation des nourrices
que la mortalité des enfants nés en dehors du mariage).

pas dans la France du Nord-Est, plus tolérante à l'égard des enfants naturels, ni sur le bassin méditerranéen, mais à la lisière de ces zones d'illégitimité, dans les premiers départements où elle est mal acceptée et où les très grandes villes — Paris, Lyon, Marseille — envoient leurs bâtards. A la frontière des zones d'illégitimité se créent ainsi des tourbillons qui en bloquent la propagation.

FEMMES AU TRAVAIL

Quelques rares données aident à cerner la distribution des rôles masculins et féminins face au travail, à la naissance et à la mort.

— Au travail : chaque recensement, depuis 1896, distingue dans chaque profession les hommes et les femmes. Les déclarations de métiers féminins n'ont guère été utilisées par les économistes : ils constataient des variations inexplicables entre le nord et le sud de la France pour la plus importante des catégories, les agriculteurs. Ce qui invalide une statistique pour l'économiste en fait tout l'intérêt pour l'anthropologue : en se déclarant comme travailleuses ou comme inactives, les femmes (et leurs maris) situent leur rôle social. Bien entendu, dans toutes les sociétés les femmes travaillent beaucoup, à la maison et aux champs, la question n'est pas là mais dans ce que la société considère comme une occupation normale. Dans le nord de la France, de la Bretagne à la Lorraine, le travail des femmes aux champs est socialement reconnu ; dans le Midi, particulièrement en Provence, c'est le contraire. Les débits de boisson offrent une image plus saisissante encore de la séparation des rôles : dans toute la France du Nord-Ouest de la Bretagne aux Ardennes, les femmes sont plus nombreuses que les hommes derrière le comptoir. Elles sont absentes des tavernes de l'Est et des débits de boisson du littoral méditerranéen. Or, c'est précisément dans la France du Nord-Ouest que les hommes boivent le plus, et, aussi, qu'ils meurent le plus, tandis que jusqu'au début du XX\ :sup:`e` siècle, en Provence, les femmes avaient une plus forte mortalité que les hommes. Le partage des rôles détermine aussi la résistance des sexes. L'alcoolisme, comme l'Eglise catholique ou le parti communiste, a son appareil et ses rituels. Il a lui aussi trouvé ses bases anthropologiques.

I, 2, 16A

DERRIÈRE LE
COMPTOIR

Proportion des débits de boisson tenus par des femmes en 1896. Les hachures denses correspondent aux plus fortes proportions (échelle des rangs).

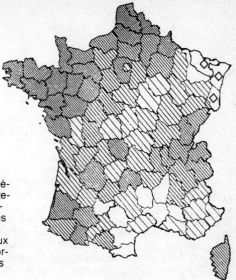

I, 2, 16B

DERRIÈRE
LA CHARRUE

Proportion de travailleurs féminins dans l'agriculture en 1901. Les hachures denses correspondent aux plus fortes proportions (échelle des rangs).

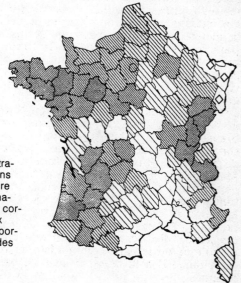

NAISSANCES ET BÛCHERS

A l'Est les femmes conservent certains pouvoirs. Il y a plusieurs siècles, l'Etat et la Société cherchèrent à réduire le rôle des femmes d'un certain âge, les « sorcières », détentrices de savoirs corporels : médecines (remèdes de bonne femme), contraception, avortement et accouchement. Encore aujourd'hui malgré leur éviction lointaine, malgré l'obstétrique et la gynécologie, sciences masculines, la carte des sages-femmes coïncide bien avec celle des sorcières d'antan.

I, 2, 17

SAGES-FEMMES

Classement des départements dans l'ordre croissant de la proportion de sages-femmes par habitant en 1970. Les départements les plus foncés ont la plus forte proportion de sages-femmes.

15e rang

30e   60e

45e   75e

I, 2, 18

PROCÈS DE SORCIÈRES

Régions où les procès des sorcières furent les plus nombreux et les plus meurtriers au XVIe et au début du XVIIe siècle.

ÉGALITÉ DES SEXES
ET MORTALITÉ DES HOMMES

La carte des écarts d'âge entre époux permet de distinguer trois pôles égalitaires, à l'Ouest, au Nord et à l'Est. Dans ces trois régions, la différence d'âge entre mari et femme est minimale. Curieusement, cette carte n'est pas sans rapport avec celle de la mortalité masculine. Les régions sexuellement égalitaires sont fréquemment des zones de forte mortalité masculine. La carte des quotients de mortalité entre 20 et 50 ans fait elle aussi apparaître les trois pôles Ouest, Nord et Est.

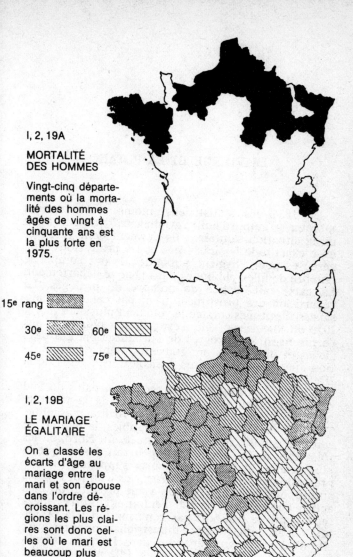

I, 2, 19A

MORTALITÉ DES HOMMES

Vingt-cinq départements où la mortalité des hommes âgés de vingt à cinquante ans est la plus forte en 1975.

15e rang

30e   60e

45e   75e

I, 2, 19B

LE MARIAGE ÉGALITAIRE

On a classé les écarts d'âge au mariage entre le mari et son épouse dans l'ordre décroissant. Les régions les plus claires sont donc celles où le mari est beaucoup plus vieux que son épouse (en 1865).

LA VIERGE ET LA PUTAIN

En 1856, les statisticiens, moins sournoisement moraux qu'aujourd'hui, travaillaient à l'amélioration de la situation sanitaire ; ils devaient donc recenser avec exactitude les infirmités et les professions dangereuses pour l'hygiène publique. Ils ont compté le nombre de filles publiques dans chaque département. La carte fait justice de nombre de préjugés. La répartition des prostituées n'est pas celle des naissances illégitimes comme le voulaient plusieurs moraliste du XIXe siècle, elle n'est pas non plus celle des garnisons, ni des progrès de l'urbanisation. Les pays riches et industriels ont souvent autant de prostitution que les départements agricoles et pauvres de la Bretagne par exemple.

Toutefois, ce sont les départements urbains du Sud qui viennent en tête. L'exaspération de la virginité féminine y rencontre celle de la virilité masculine. Toutes deux n'étant guère compatibles, la femme est soit une épouse, soit une prostituée. Au Nord, où les rôles sont moins opposés, on pourrait penser que la plus grande liberté des rapports supprime l'amour professionnel. Il n'en est rien, chacun des pôles anthropologiques de l'époque a une prostitution plus active que les régions qui l'entourent. Autres idées reçues qui ne trouvent pas confirmation : la prostitution n'accompagne pas l'industrialisation intensive ; elle n'est pas moins répandue dans les pays catholiques que dans les terres laïques. Elle n'est pas plus fréquente là où la contrainte morale retarde l'âge au mariage que là où les jeunes gens se marient très tôt.

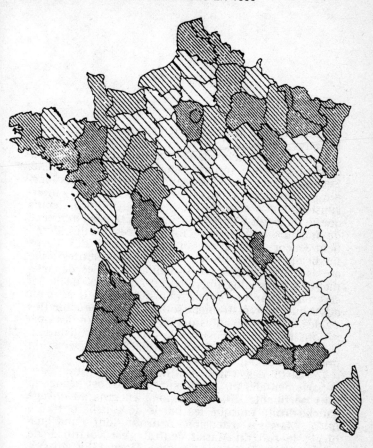

Les départements ont été classés par rang dans l'ordre croissant de leur proportion de prostituées en 1856 : Plus les
prostituées sont nombreuses plus la teinte du département est
foncé.

AVORTEMENT

Traditionnellement l'avortement est fréquent dans les pays d'Europe de l'Est où il tient lieu de contraception. En revanche, dans les pays latins, il était jusqu'à une époque récente rigoureusement condamné. Les pays anglo-saxons et scandinaves ont depuis longtemps une attitude plus libérale. La carte des « interruptions volontaires de grossesse » en France, depuis que la loi légalise l'opération, ne reflète pas l'influence de facteurs précis. Les circonstances locales dominent encore. Dans certains chefs-lieux, des corps médicaux réactionnaires créent mille petites difficultés et repoussent leurs clientes vers des départements voisins plus libéraux. La nouveauté de la loi se traduit par une répartition erratique. Il se peut aussi que l'enregistrement soit assez mal effectué (les études les plus récentes doublent le nombre des opérations comptabilisées) car la précédente législation, celle du divorce, s'était au contraire développée selon une stricte logique régionale.

La carte des votes des députés (sur une base départementale) pour ou contre l'I.V.G. est beaucoup plus pertinente. Elle correspond en gros au clivage gauche-droite puisque les partis de gauche ont voté la loi. Mais ses extensions à droite sont remarquables : le sud du Massif central s'est volatilisé, de même que la majeure partie des Alpes. L'Est aussi a amorcé un virage vers plus de tolérance. Ces trois régions ont évolué rapidement au cours des dernières années. Dans l'Est, la fécondité est en chute libre.

Au Sud, les derniers bastions traditionnels sont en train de s'aligner sur leurs voisins. Seul l'Ouest élargi a une position cohérente : vote de droite, fécondité forte (relativement), opposition aux interruptions de grossesse.

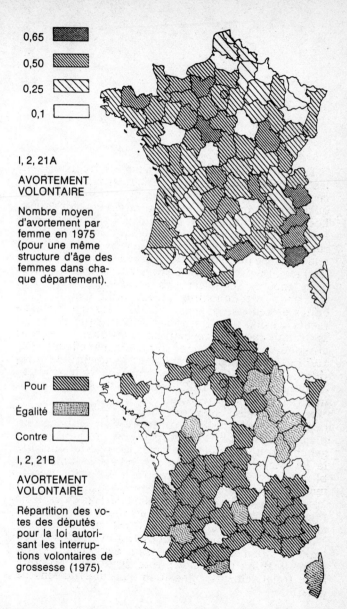

0,65

0,50

0,25

0,1

I, 2, 21A

AVORTEMENT
VOLONTAIRE

Nombre moyen
d'avortement par
femme en 1975
(pour une même
structure d'âge des
femmes dans cha-
que département).

Pour

Égalité

Contre

I, 2, 21B

AVORTEMENT
VOLONTAIRE

Répartition des vo-
tes des députés
pour la loi autori-
sant les interrup-
tions volontaires de
grossesse (1975).

187

SYMPTÔMES

Les individus échappent de temps à autre aux contrôles qu'exercent sur eux l'organisation familiale et leurs proches. Mais ces exceptions, quand on les rassemble, obéissent à de nouvelles régularités. Il n'y a pas plus de hasard dans les manifestations de la violence que dans celles de l'ordre. L'un et l'autre trahissent autant la société qui les soutient que celle qui les réprime. La diversité des sociétés françaises et leurs coexistences plus ou moins prononcées en de mêmes lieux entraîne alors la diversité de leurs dérèglements. Violences et névroses n'ont pas les mêmes terrains et ne se fixent pas dans les mêmes régions, mais elles s'ordonnent en d'autres séries régulières où resurgissent les démons familiers que la modernité a éveillés au cours des deux derniers siècles, de l'éclatement des lignages à l'alcoolisme.

Les dérangements individuels n'ont pas tous leur origine dans les troubles de la société. D'autres lignes de force distribuent aussi les coups et blessures, les viols, les assassinats et la folie. L'une d'entre elles court, millénaire, de l'estuaire de la Seine au Jura. Elle sépare les pays ouverts où la densité du voisinage peut devenir insupportable des pays « d'enclos » où l'isolement peut rendre farouche.

Dans les pays ouverts, où les rapports entre hommes et femmes sont égalitaires, la violence est endémique et ne parvient à être contenue que là où les systèmes familiaux sont le plus puissamment organisés, en Alsace et dans le Nord. Dans les pays où les champs sont clos par des murs de pierre sèche ou des haies vives, si l'éclatement des systèmes anthropologiques n'a pas été compensée par l'installation d'appareils religieux ou politiques comme en Bretagne et dans le Centre, les névroses et la violence se déchaînent. C'est le cas de la Normandie et des départements méditerranéens. La distribution des névroses et de la violence renseigne plus sur la nature d'une société que l'implantation des usines ou des tracteurs.

VIOLENCES

La statistique criminelle ne permet pas d'identifier une seule violence mais plusieurs, distinctes par la nature et la répartition géographique. La violence absolue, celle du meurtre, est fréquente, à la fin du XIXᵉ siècle, dans deux régions principales.

A Paris et dans la vallée de la Seine, le nombre élevé des homicides semble un effet de modernité, lié à la présence d'une forte proportion d'individus déracinés, nés dans d'autres départements.

Sur les bords de la Méditerranée et en Corse, cette violence profonde est au contraire un paramètre anthropologique. Entre Perpignan et Nice, entre Ajaccio et Bastia, on tue plus volontiers que dans le nord du pays.

*
* *

Les coups et blessures volontaires, mais ne menant pas à la mort des victimes, mesurent un autre type de violence, moins déterminée, brouillonne, résultant vraisemblablement plus d'un mauvais *self-control* des individus que d'une volonté consciente de tuer. La façade méditerranéenne disparaît. Seule reste au sud la Corse, qui est décidément de toutes les fêtes quand il s'agit de violence. Les régions les plus remarquables pour ce second type sont celles du Nord et de l'Est. Il s'agit de la France germanique, celle des procès de sorcellerie, de l'habitat groupé et de rapports entre hommes et femmes égalitaires et instables. Cette violence est d'autant plus remarquable qu'elle se produit dans une région nettement moins alcoolisée que l'Ouest, qui lui, est très calme du point de vue judiciaire, sauf évidemment, en ce qui concerne les contraventions pour délits d'ivresse.

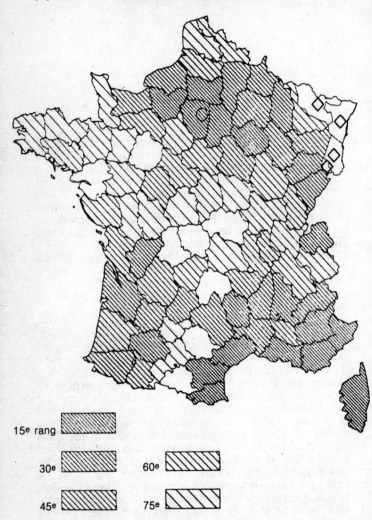

Plus les meurtres et assassinats sont fréquents, plus les hachures sont denses (classement des départements pour la proportion de meurtres et assassinats de 1875 à 1885).

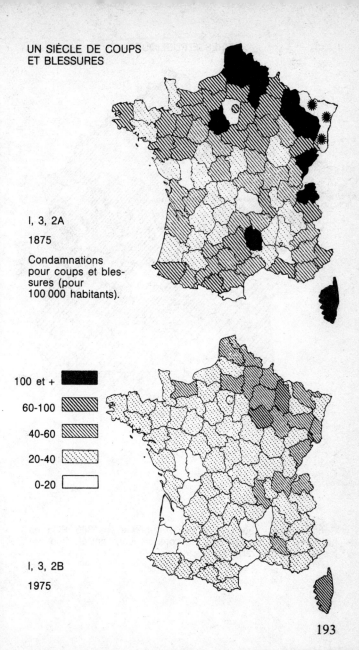

UN SIÈCLE DE COUPS
ET BLESSURES

I, 3, 2A

1875

Condamnations
pour coups et bles-
sures (pour
100 000 habitants).

100 et +
60-100
40-60
20-40
0-20

I, 3, 2B

1975

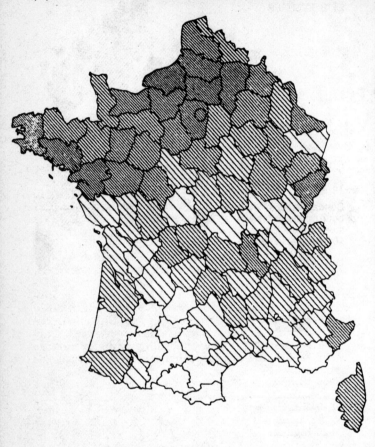

Contraventions pour délit d'ivresse publique en 1885. Plus les hachures sont denses, plus les contraventions ont été fréquentes (échelle des rangs).

NÉVROSES

Plusieurs cartes, à la fois proches et lointaines par les thèmes, font apparaître les deux mêmes pôles : la Normandie, où la Seine rencontre la Manche ; la Provence, où le Rhône rejoint la Méditerranée. Ces cartes concernent toutes des phénomènes névrotiques ou paranévrotiques : internements psychiatriques, viols, couples mariés mais sans enfants, votes d'extrême-droite. Il est difficile d'établir entre ces diverses manifestations de malaise mental des relations très fermes et très sûres. Ce qu'on peut affirmer, cependant, c'est que la Normandie et la Provence en recueillent plus que leur part. Entre 1870 et 1980, les deux provinces font apparaître, pour ces variables, des moyennes anormalement élevées. L'apparition des deux régions au palmarès de la névrose tient sans doute à la combinaison de deux types de facteurs.

Commun aux deux provinces est le fait d'être situées en des lieux privilégiés du point de vue des communications, à la jonction du fleuve et de la mer.

Les terrains anthropologiques des deux régions sont distincts, sans être totalement dépourvus de points communs. La Normandie est une région d'individualisme extrême, mais anthropologique : la famille nucléaire y domine vraisemblablement depuis le Moyen Age. La Provence est une zone d'individualisme historique, c'est-à-dire acquis, résultat d'une explosion du lignage méditerranéen au XIXe siècle.

L'extrémisme individualiste et l'explosion d'un système communautaire encouragent également l'apparition de symptômes névrotiques nombreux et variés.

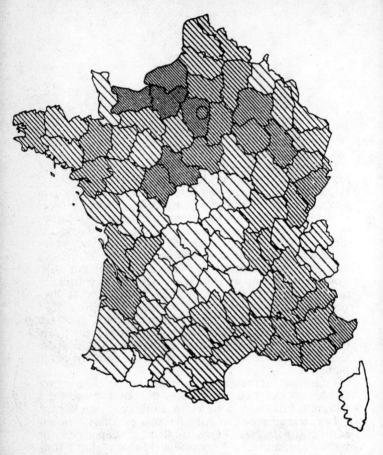

Nombre de viols pour cent mille habitants de 1875 à 1885.

EXTRÊME-DROITE

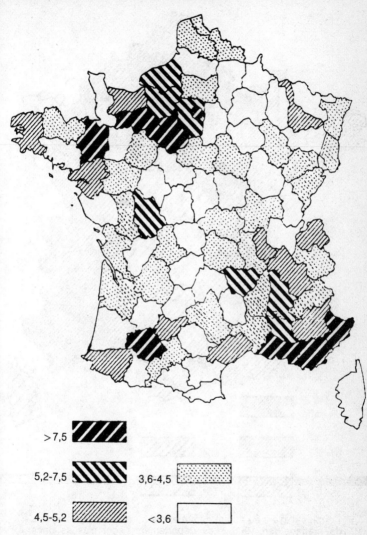

> 7,5

5,2-7,5   3,6-4,5

4,5-5,2   < 3,6

Importance des votes en faveur de l'extrême-droite aux élections législatives de 1978 (pour mille).

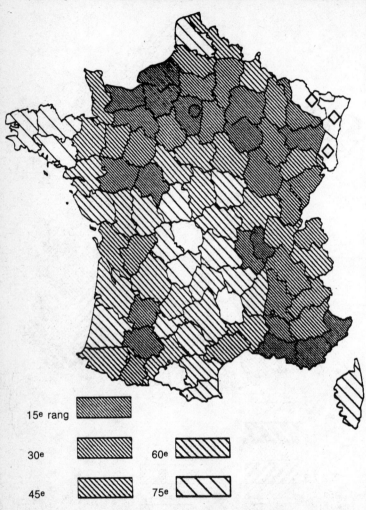

15e rang

30e   60e

45e   75e

Couples n'ayant eu aucun enfant après au moins vingt-cinq ans
de mariage (en 1906). Les départements sont classés dans
l'ordre croissant : plus ils sont foncés, plus les couples y sont
stériles.

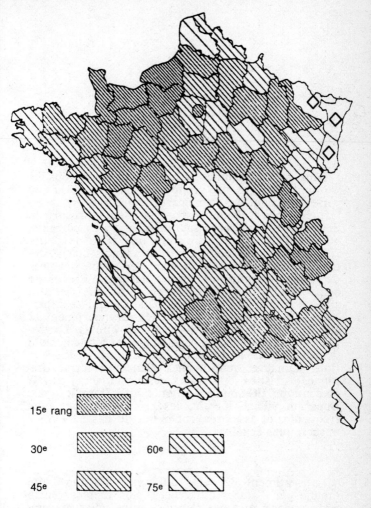

15e rang

30e   60e

45e   75e

Proportion d'internés dans les hospices (hôpitaux psychiatriques) en 1876.
Les hachures serrées correspondent aux proportions élevées (échelle des rangs).

POPULATION ÉPARSE
POPULATION AGGLOMÉRÉE

Dans deux communes de même dimension, tous les habitants peuvent être groupés en chefs-lieux, ou dispersés en hameaux, en écarts, voire pulvérisés en fermes isolées. Pour le voyageur qui parcourt la France, cette différence saute aux yeux ; en Lorraine, ou en Champagne, il trouvera une série de petits villages étirés de long de la route, tandis qu'en Bretagne ou dans le Sud-Ouest, ce ne seront que poignées de fermes dissimulées par des bosquets. En cas de dispersion, les rencontres sont plus difficiles, les voisinages immédiats comptent plus. Ce qui se répercute à la fois sur les possibilités de mouvement et sur le choix du conjoint également limités. La distinction entre l'épars et l'aggloméré est fondamentale du point de vue anthropologique. Elle définit les relations humaines quotidiennes. Dans une ferme bretonne, les visites sont assez rares et motivées ; travail en commun, prêt ou réparation d'outils, famille, amis. Dans un village lorrain, les rencontres sont plus fréquentes et assez souvent le fait du hasard. On s'y observe plus et mieux.

*
* *

Le sentiment de cette différence a d'abord été étouffé par d'autres différences, plus visibles ; entre pays ouverts et pays d'enclos, entre villes et campagnes.

Lorsque l'Anglais Young visite la France en trois voyages successifs avant et durant la Révolution, il

Séparation entre les régions de champs sans clôtures (quadrillage) et celles où les champs sont entourés de murs ou de haies d'après les notes de voyage de A. Young en 1787 et 1789.

note ce contraste qui lui rappelle les célèbres querelles sur l' « *openfield* ». De Danville a proposé une reconstitution approximative de cette découpe dont nous avons dessiné une version départementale. Ce n'est plus ici une ligne Saint-Malo - Genève, mais Le Havre - Genève, qui sépare la France en deux ; au Sud, le bocage et les haies, au Nord, le pays ouvert. Cette ligne, correspond aussi à la frontière entre populations éparses et agglomérées.

*
**

Il faut attendre les premiers recensements de la République pour que la distinction entre population éparse et agglomérée soit effectuée, commune par commune (elle est d'ailleurs publiée encore de nos jours sous cette forme : éparse étant distingué d'« aggloméré au chef-lieu »). La carte représente en vraies valeurs l'importance de la population éparse. Il y a cent ans (au recensement de 1876) deux zones de population agglomérée apparaissent avec netteté : le nord de la ligne Le Havre - Genève et le littoral de la Méditerranée. Ce sont au fond, les deux zones où la vie de groupe est très ancienne. De multiples caractères moraux ou sociaux suivront ces frontières entre zones éparses et agglomérées, mais d'autres sépareront nettement le Midi, aux tendances patrilinéaires, du Nord où les rapports familiaux sont moins orientés. La seconde carte indique l'ordre des départements pour leurs populations éparses en 1975. La similitude des deux cartes est étonnante. Bien que la proportion de population agglomérée ait grimpé de 18 p. 100 en 1876 à 70 p. 100 en 1976, la progression n'a pas remis en cause le classement des régions. L'urbanisation, responsable de cette hausse de l' « aggloméré », s'est développée presque uniformément, proportionnellement aux groupements initiaux.

Les fonctionnaires de la statistique générale étaient plutôt embarrassés pour donner une explication de cette division de la France. Ils en proposeront deux, successivement.

Première approche : la population se serait groupée pour mieux résister aux invasions ennemies. C'est certain pour les villages méditerranéens retranchés contre les raids barbaresques ; pour la France

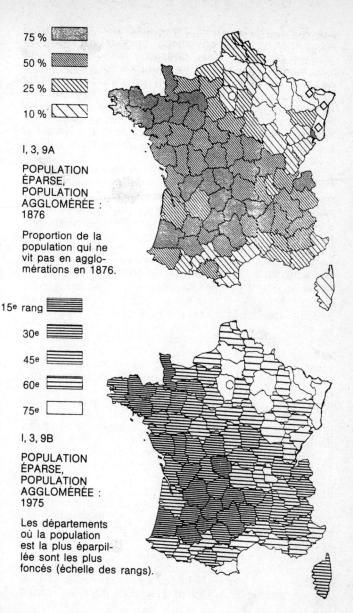

75 %

50 %

25 %

10 %

I, 3, 9A

POPULATION
ÉPARSE,
POPULATION
AGGLOMÉRÉE :
1876

Proportion de la
population qui ne
vit pas en agglo-
mérations en 1876.

15e rang

30e

45e

60e

75e

I, 3, 9B

POPULATION
ÉPARSE,
POPULATION
AGGLOMÉRÉE :
1975

Les départements
où la population
est la plus éparpil-
lée sont les plus
foncés (échelle des rangs).

203

du Nord, l'explication est audacieuse. Les « invasions » furent effectivement périodiques sur ses plaines ouvertes. Mais pourquoi n'avoir alors pas « fermé » les plaines et pourquoi s'être groupés dans des villages en longueur qui n'ont rien des *oppidum* provençaux ? L'insuffisance de l'explication était assez nette pour qu'une autre, tout aussi fonctionnelle, lui soit substituée. En 1881, une deuxième raison est donnée : le groupement des habitants du Nord-Est tient à la profondeur des nappes phréatiques et donc à la difficulté d'y percer des puits.

Explication tout aussi fantaisiste, puisque les aptitudes aquifères du Nord-Est sont très variables, et que, de surcroît, les habitudes varient de village à village et de région à région, certains se contentant de mares ou d'étangs d'autres utilisant des puits, des sources, ou des rivières.

Quelle explication trouver à cette répartition des populations éparses et agglomérées ? Il paraît vain de rechercher une cause que l'archéologie fait remonter à de nombreux siècles.

DEUXIÈME PARTIE

LE MOUVEMENT
DES HOMMES

Le déplacement des hommes à la surface du territoire et leurs résidences successives donnent à l'espace sa qualité particulière. Si les Français parcouraient sans arrêt leur pays, ne se fixant jamais plus de quelques mois ou années dans les mêmes lieux, le mélange des mœurs serait complet, les différences entre régions tiendraient seulement à leurs ressources économiques ou géologiques. On s'agrégerait à proximité des mines, on créerait les industries à distance optimale des divers lieux d'extraction de matières premières, on disposerait enfin les centres urbains de manière à assurer le mieux possible leur ravitaillement et leur rayonnement administratif. Les créateurs de villes ont tous rêvé à cette plasticité des populations humaines, venant épouser la perfection abstraite des modèles d'aménagement du territoire. Ce qui est parfois vrai dans les pays neufs, à l'ouest des Etats-Unis, en Australie ou en Sibérie, demeure en France une fiction. Les salines d'Arc et Senans, en Franche-Comté, donnent un bon exemple des mésaventures des technocrates. L'architecte visionnaire C.-N. Ledoux, qui avait été chargé de cette réalisation grandiose du XVIIIe siècle, avait en effet tout prévu, sauf la versatilité des changements économiques. Une nappe d'eau saline devait être pompée pour en extraire le sel. Comme le bois servait de combustible dans cette opération, Ledoux construisit la manufacture en pleine forêt d'Arc, pour diminuer les coûts de transport et il commença à édifier une ville industrielle. Personne ne s'y installa ; la houille se substitua au bois ; on découvrit plus loin une nappe profonde où la concentration de sel était dix fois supérieure.

Une telle aventure s'est souvent reproduite : les matières premières succèdent aux matières premières, des gisements nouveaux supplantent les anciens, les usines vieillissent avant même que la répartition de la population ne s'y adapte. Les modes économiques passent, les hommes restent. La lenteur des migrations françaises décale les structures économiques et démographiques et entraîne le maintien de différences anthropologiques entre régions.

Paradoxalement, le mouvement des hommes exprime plutôt leur immobilisme. Les cartes qui suivent présentent sous divers aspects cette étrange viscosité. Chacun, ou presque, reste à proximité des siens, amis ou famille et se contente d'améliorer sa situation par sauts de puce. Toute la France s'ordonne ainsi par petits déplacements. Au centre, Paris fait mine d'organiser le mouvement, mais c'est un faux-semblant. Paris subit aussi la loi de l'immobilisme ; constituant le point d'aboutissement de filières immémoriales, il est le résultat d'une longue sédimentation où les départements et les métiers ont savamment organisé le peuplement de la capitale.

NAITRE ET HABITER

Quatre cartes expriment la mise en mouvement de la France en un siècle, elles en soulignent aussi le rythme prudent. En 1872 seulement 8 p. 100 des Français résidaient en dehors de leur département de naissance, 15 p. 100 en 1901, 20 p. 100 en 1911, 25 p. 100 en 1936 et 35 p. 100 en 1975. Plus de deux Français sur trois restent donc solidement attachés à leur département natal. En 1872, quand un Français sur deux travaillait dans l'agriculture, l'attachement à la terre pouvait passer pour une nécessité. Aujourd'hui, cette raison agricole n'existe plus, mais l'attachement au voisinage se perpétue, malgré la modernisation industrielle et commerciale. Il y a conflit entre une vérité quotidienne, celle du voisinage, et une vérité officielle, celle des économistes et planificateurs. D'un côté, chacun a éprouvé la densité des liens villageois ou urbains, leur mélange de protection et de cruauté ; de l'autre le langage officiel ne parle que d' « attraction » de la main-d'œuvre, d'aménagement du territoire, de marché national du travail. Les cartes de la migration montrent de quel côté se situe la vérité.

La répartition de l'immobilité en France est contrastée et relativement stable dans le temps. Dans certaines zones comme la Bretagne ou le Massif central, l'immense majorité (plus de 80 p. 100) des habitants est née sur place. Certains individus originaires de ces régions les ont quittées : on les retrouve dans les départements où la proportion de natifs est plus faible ; ces départs n'ont pas été compensés par des arrivées. Les régions les plus claires sur la carte sont

LES DÉRACINÉS

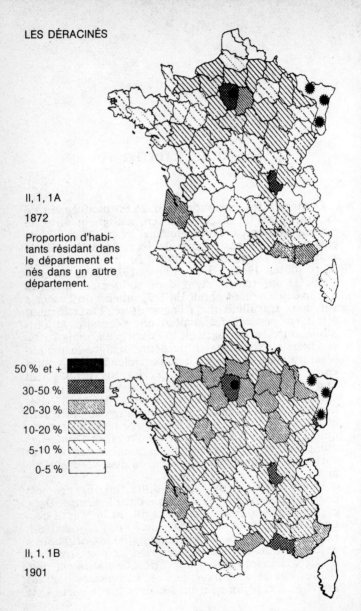

II, 1, 1A

1872

Proportion d'habitants résidant dans le département et nés dans un autre département.

50 % et +
30-50 %
20-30 %
10-20 %
5-10 %
0-5 %

II, 1, 1B

1901

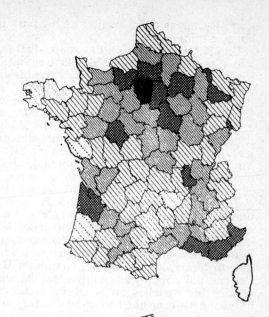

II, 1, 1C

1936

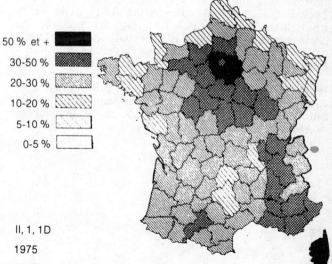

50 % et +	■
30-50 %	▨
20-30 %	▨
10-20 %	▨
5-10 %	░
0-5 %	□

II, 1, 1D

1975

donc les terres d'émigration et les plus foncées les zones d'immigration.

En 1872, la répartition des zones d'attraction forte suit d'assez près le cours des fleuves, ou les rivages maritimes. Flux naturels et flux humains empruntent encore les mêmes trajets : les vallées de la Garonne, du Rhône, de la Loire et de la Seine, les côtes de la Méditerranée. Les quatre grandes villes de l'époque ponctuent l'ensemble : Paris, Lyon, Marseille, Bordeaux. A partir de 1901, la mobilité déborde les vallées du Nord et s'étend à toute l'Ile-de-France. Aujourd'hui, seules les zones montagneuses et périphériques n'ont pas encore été atteintes. A mesure cependant que le mouvement gagne le pays, il s'apaise dans l'œil du cyclone, à Paris, où une proportion croissante des habitants est née. A aucun moment, ces cartes de la mobilité générale ne coïncident avec celles des mutations économiques ; certes, des régions attardées (économiquement s'entend) restent à l'écart, mais d'autres, comme le Berry ou le Poitou, participent au mouvement tandis que les régions industrielles du Nord, de la Lorraine et de l'Alsace n'attirent pas beaucoup d'autres provinciaux. Les grandes migrations vers les mines du Nord et de Lorraine, l'attraction industrielle, font partie de la mythologie économique. En fait, ici encore, les régions ethnographiques manifestent leur résistance, et défendent leur existence, par ce refus d'une mobilité dont l'effet serait, à terme, une banalisation de l'espace. Ce ne sont pas les lieux, les climats, les ressources industrielles qui donnent aux régions leur caractère ; c'est le maintien d'une population stable qui transmet son organisation sociale et sa conception des rapports humains.

LA FRANCE IMMOBILE

A l'intérieur de cette France peu mobile, il existe, à la fin du XIXᵉ siècle, une France réellement immobile. Un détail permet de s'en rendre compte en 1891 : les recenseurs ont en effet séparé la population de chaque département en personnes nées dans la commune et y vivant, personnes nées dans le département et vivant dans une autre commune que celle de leur naissance et enfin, personnes nées dans le département et vivant dans un autre département. Les deux premières catégories permettent de mesurer le brassage à l'échelle du département puisqu'on peut calculer combien de personnes nées dans le département et y résidant, *n'ont pas quitté leur commune*. On voit immédiatement les places fortes de l'immobilisme : Alpes, Massif central, Bretagne, Artois et Flandres, Midi méditerranéen. Dans chacune de ces régions les trois quarts de la population n'ont même pas changé de village.

Sans explication directe, l'immobilité a en revanche de curieuses conséquences anthropologiques et génétiques : ces villages se rapprochent d' « isolats », groupes entièrement clos du point de vue matrimonial. Parce qu'ils y demeurent toute leur existence, les individus s'y marient. La carte des « mariages avec degré de parenté », c'est-à-dire consanguins, est en effet presque calquée sur la carte de l'immobilité.

L'interdiction des mariages de parenté (article 163 du Code civil), a fourni à la statistique l'occasion de s'y intéresser. Dès le milieu du XIXᵉ siècle, le nombre de ces mariages est compilé par départements. Les anthropologues du XIXᵉ siècle, persuadés qu'ils tien-

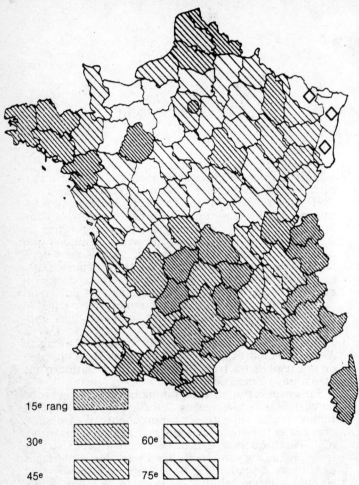

15e rang

30e   60e

45e   75e

Plus les individus refusent de quitter leur village natal, plus les hachures sont serrées :
Rapport du nombre de Français habitant la commune où ils sont nés au nombre de ceux qui habitent le département (mais pas nécessairement la commune) où ils sont nés. La carte est établie en 1881.

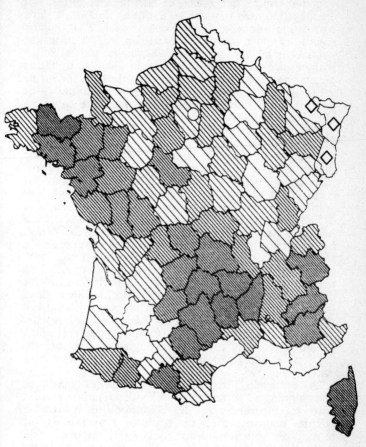

Mariages entre cousins entre 1911 et 1913 (en proportion de tous les mariages : plus ils sont fréquents, plus la teinte est foncée (échelle des rangs).

nent avec la consanguinité, une des causes de la dégénérescence des races, et surtout des élites, ont été désappointés par ces statistiques. F. Devay, dans son étude sur « le danger des mariages conjugaux sous le rapport sanitaire » parue en 1862, n'en utilise aucune et Lacassagne dès 1898 met en garde contre leur emploi. Cependant à partir de 1900, les bulletins de mariage sont remplis avec plus de soin. J. Sutter et L. Tabah considèrent que les statistiques sont acceptables à partir de cette date. La carte concerne la période 1911-1913.

Par un amusant renversement, la transgression de l'interdit de l'inceste, un élément ferme de l'anthropologie, n'est plus en France qu'une conséquence mineure de la sédentarité. Cet interdit est tourné, simplement parce que le « marché matrimonial » est trop étroit. Lorsqu'on tient compte de l'âge des conjoints et de leur degré de richesse, il est en effet difficile d'apparier les hommes et les femmes, dans les zones immobiles de l'ouest et du sud de la France. La séquence des causalités est alors inversée : la sédentarité entraîne la consanguinité qui, à son tour, peut avoir des répercussions biologiques. A priori, on penserait au contraire que c'est la biologie qui sert de fondement à l'anthropologie de la famille, celle-ci influant à son tour sur le mode de vie et l'organisation de l'espace. Cependant la sédentarité relève elle-même de l'anthropologie du voisinage : elle conduit à l'enfermement ; par des montagnes, des haies, des maisons isolées, elle fabrique le paysage ou en tire partie.

La carte de l'immobilité et celle des mariages consanguins se séparent pour les départements de la côte méditerranéenne. Là, l'immobilité n'entraîne aucune consanguinité, mais plutôt l'inverse. Il est tentant d'y voir à nouveau un caractère particulier de cette région où la société est plus attentive aux paramètres traditionnels de l'anthropologie. Autres désaccords : la faible proportion des mariages consanguins dans les grandes villes coexistant avec une forte sédentarité des individus nés à Paris, Lyon et Marseille. A leur manière, les grandes villes recréent les séparations des campagnes d'autrefois : on se marie entre originaires de la même métropole.

LE MOUVEMENT SUR PLACE

Les Français qui parcourent chaque année des dizaines de milliers de kilomètres pour leur travail ou leurs loisirs, sont beaucoup plus modestes quand ils changent de domicile. Ils se déplacent alors d'une rue à la prochaine, d'une commune à la suivante, d'un département à son voisin : ils quittent rarement leur communauté, ils s'y adaptent plutôt par ce mouvement sur place. La permanence de leur installation maintient la diversité anthropologique tandis que leurs courtes migrations assurent la transition entre les zones. Rien n'arrête en France la diffusion comme le font ces frontières non écrites entre Flamands et Wallons, rien ne la précipite non plus comme l'imaginent les chantres de l'aménagement du territoire.

L'émigration à partir de chaque département suit alors un schéma prudent et uniforme ; le département de la Sarthe en fournit un exemple parmi quatre-vingt-dix autres. L'attraction des départements limitrophes est la plus forte (ils sont dessinés en noir). Pour les départements un peu plus éloignés, les attractions deviennent deux fois plus faibles (hachures), deux fois plus faibles encore pour les départements en pointillé. L'attraction de la Normandie sur les Manceaux faiblit très vite ; ils sont deux fois moins nombreux à gagner la région de Caen que le Perche tout proche, et six fois moins tentés par le Cotentin. Au sud, ils s'aventurent à peine dans le Poitou, encore moins dans les Deux-Sèvres. En quelques dizaines de kilomètres, les émigrants ont épuisé toutes leurs forces.

Les émigrants comtois, provençaux ou basques

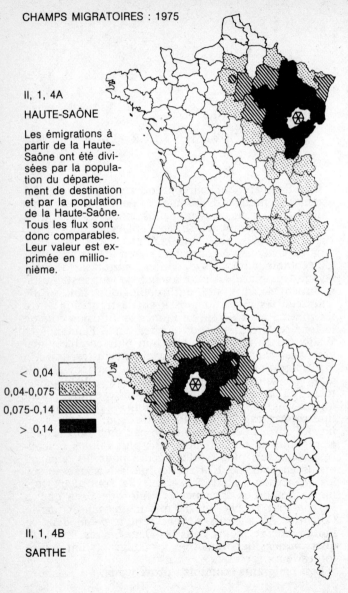

II, 1, 4A

HAUTE-SAÔNE

Les émigrations à partir de la Haute-Saône ont été divisées par la population du département de destination et par la population de la Haute-Saône. Tous les flux sont donc comparables. Leur valeur est exprimée en millionième.

< 0,04
0,04-0,075
0,075-0,14
> 0,14

II, 1, 4B

SARTHE

218

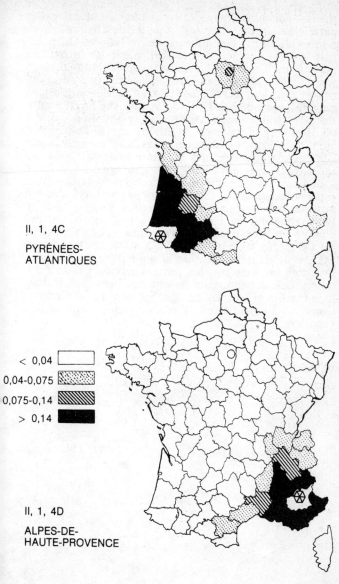

II, 1, 4C
PYRÉNÉES-
ATLANTIQUES

< 0,04
0,04-0,075
0,075-0,14
> 0,14

II, 1, 4D
ALPES-DE-
HAUTE-PROVENCE

219

dont les déplacements ont été représentés avec les mêmes conventions ne sont pas plus aventureux. Ces cartes dessinent le paysage mental de chaque département et fixent l'étendue de ses relations. On pourrait alors imaginer qu'apparaîtraient les provinces traditionnelles et les zones anthropologiques distinctes. Il n'en est rien tant les déplacements sont continus et tant leur échelle est restreinte. Les migrations basques sont déjà à bout de souffle sur la rive nord de la Garonne, bien avant d'avoir atteint la limite des familles complexes, le Rhône arrête la progression des Niçois, la Loire celle des Manceaux. A la vue des premiers contreforts du Massif central, les habitants de Besançon perdent tout courage.

Ces cartes de l'immobilisme font justice aux espoirs immodérés des planificateurs du territoire qui au XIXe siècle pensaient vider les provinces avec leurs chemins de fer. Chaque gare était construite comme une succursale de la capitale et de l'industrie. Au XXe siècle, les bâtisseurs d'autoroutes ont conservé cet espoir d'une fluidité de la main-d'œuvre. Mais les Français ne sont pas les pions amovibles d'un échiquier socio-économique, ils ont des liens précis avec leur famille et leur entourage. Sur la carte des migrations, on lit avant tout l'attachement à leur milieu familier.

LES AFFINITÉS ÉLECTIVES

Régulières et concentriques au premier coup d'œil, les migrations révèlent à l'examen des orientations, des préférences et des refus. Les fleuves, les rivages et les montagnes dirigent les flux humains, les grandes villes les attirent. L'importance des métropoles et leur rayonnement les rapproche imaginairement tout comme on croit que les étoiles les plus brillantes sont les plus proches.

Les départements lointains ne tombent pas immédiatement sous l'influence d'une ou plusieurs grandes villes. Leur asservissement se produit en plusieurs temps : une migration initiale d'abord, ensuite des fixations secondaires sur le chemin qui mène à la ville, enfin une fusion des aires migratoires. Les cartes des pages suivantes montrent ces étapes, à la fin du XIXe siècle en quatre stades représentés chacun par un département caractéristique.

L'Aveyron est au début de son expansion migratoire. Bordeaux et Marseille, les deux grandes villes les plus voisines sont déjà reliées par des chemins continus. La route de Lyon est en train de s'ouvrir à travers le Massif central, mais pour Paris, les échanges en sont au premier stade et aucun itinéraire précis ne se dessine encore.

La Saône-et-Loire en est au second stade. La migration vers Paris s'est développée au point que la capitale attire autant que les plus proches voisins. La jonction du champ d'attraction parisien et de la couronne de départements entourant la Saône-et-Loire est en train de s'opérer. En compensation, les Bourguignons se désintéressent du Sud.

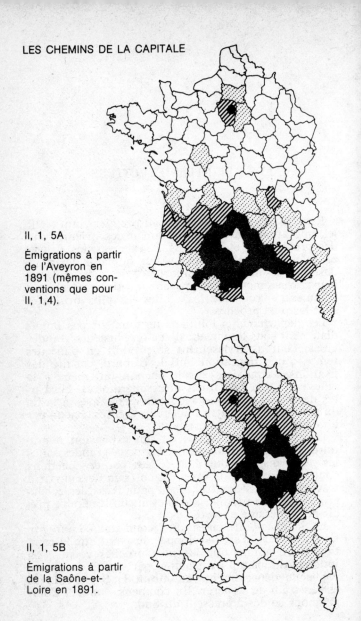

II, 1, 5A

Émigrations à partir de l'Aveyron en 1891 (mêmes conventions que pour II, 1,4).

II, 1, 5B

Émigrations à partir de la Saône-et-Loire en 1891.

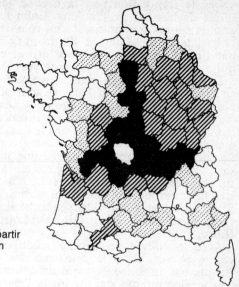

II, 1, 5C

Émigrations à partir
de la Creuse en
1891.

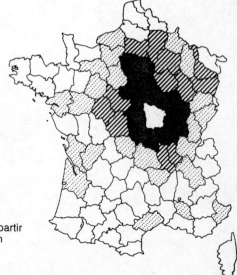

II, 1, 5D

Émigrations à partir
de la Nièvre en
1891.

Dès le Puy-de-Dôme et la Creuse, les flux migratoires deviennent insignifiants. Enfin les vallées des grands fleuves jouent encore un rôle, la Loire par le Loiret, le Loir-et-Cher et l'Indre-et-Loire, le Rhône, par l'Isère, la Drôme, le Vaucluse et enfin la Seine qui a sans doute facilité la route vers Paris.

La Creuse en est au stade suivant. Les migrations en direction de Lyon et Paris se sont développées au point de créer un courant physiquement matérialisé par une chaîne de départements consécutifs joignant la Creuse à ces deux villes. Dans le quart de la France que déterminent ces deux courants, l'invasion change de forme et se propage comme une nappe remplissant presque également tout le secteur avant de buter sur les Vosges et les Ardennes. Le Massif central au sud fait presque complètement écran. Tout le Nord-Ouest échappe aussi à la pénétration qui s'amorce timidement par la Loire (Maine-et-Loire) et la Seine (Eure, Calvados).

Avec la Nièvre, le dernier stade est atteint. La région parisienne et la couronne des départements voisins ont fusionné et forment désormais une aire d'expansion unique, qui atteint la Picardie.

SUR LA ROUTE DE PARIS

Les « champs d'émigration » au XIXe siècle de quatre départements voisins montrent à quel point les chemins migratoires sont précis.

Les migrants vendéens passent par Angers et Tours, puis quittent la vallée de la Loire pour rejoindre Paris à travers la Beauce, déposant en chemin quelques-uns d'entre eux comme un léger limon. La côte Atlantique constitue une aire de circulation rivale et plus ancienne ; on sait que la mer rapproche. Nazairiens et Nantais qui abandonnent la Loire-Atlantique suivent le même rivage, mais quand ils se dirigent vers Paris ils passent déjà plus au nord que les Vendéens.

Les habitants des Côtes-du-Nord, très nombreux à avoir émigré, se sont d'abord répandus dans toute la Bretagne, puis gagnent la région parisienne, soit par la voie maritime, se fixant le long de la Seine, soit par la Normandie et le bocage manceau. Enfin les Bretons de l'extrême Ouest, ceux du Finistère négligent la voie de terre et progressent le long des côtes normandes où ils se fixent souvent. (Ils s'engagent aussi dans la vallée de la Loire.)

Sur la première carte, celle de la Vendée, la présence du Var et celle de la Meuse et de la Meurthe pouvaient passer pour des jeux de hasard. Comme on retrouve sur chaque carte suivante, ce hasard lorrain et varois, il faut abandonner l'hypothèse aléatoire. Pour la Lorraine il s'agit sans doute d'une attraction économique (ce sont les départements qui s'accroissent vite à cette époque) ; on voit que l'attraction en

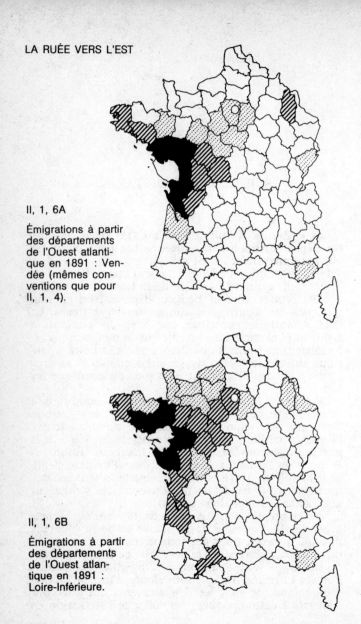

II, 1, 6A

Émigrations à partir des départements de l'Ouest atlantique en 1891 : Vendée (mêmes conventions que pour II, 1, 4).

II, 1, 6B

Émigrations à partir des départements de l'Ouest atlantique en 1891 : Loire-Inférieure.

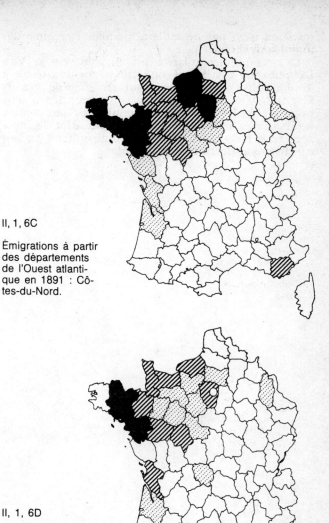

II, 1, 6C

Émigrations à partir
des départements
de l'Ouest atlanti-
que en 1891 : Cô-
tes-du-Nord.

II, 1, 6D

Émigrations à partir
des départements
de l'Ouest atlan-
tique en 1891 :
Finistère.

question n'est pas de taille à modifier le régime des migrations de voisinage.

La seconde irrégularité est formée par le Var. L'explication est ici mi-coutumière, mi-industrielle : Toulon, Brest, et Lorient sont en effet de grands arsenaux. Ouvriers et marins sont recrutés à leur proximité et les échanges de population, tout comme les mariages entre originaires de ces départements sont plus fréquents. Cette proximité s'étend en fait à l'ensemble des marins de Bretagne.

LUMIÈRES RIVALES

Chaque grande ville a sa clientèle, chacune son territoire. La provenance des immigrants donne une idée de l'aire d'influence de chacune. On voit sur les cartes suivantes comment se partage la France du Sud. Chaque métropole est bloquée dans son extension par les métropoles voisines. L'influence de Bordeaux est arrêtée par la Loire, le Massif central, mais aussi par la présence de Toulouse. Le partage du Sud-Est entre Lyon et Marseille est encore plus net. Fugitivement, ces cartes ressuscitent de très anciens découpages du territoire, ainsi les Lorrains et les Bourguignons sont attirés par Lyon et Marseille et les cartes dessinent la Lotharingie à l'existence si brève. En négatif, on pressent aussi la domination des lumières parisiennes. Seul, un accident géographique, le Massif central, protège encore les villes du sud du feu parisien.

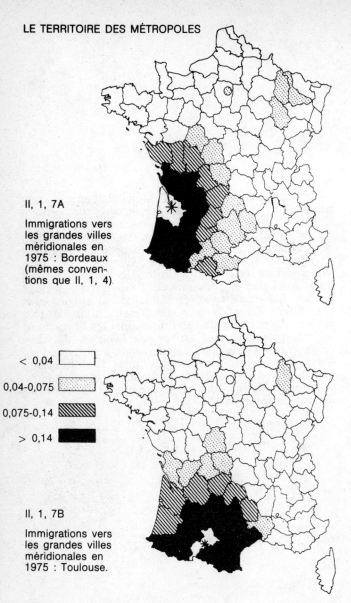

II, 1, 7A

Immigrations vers les grandes villes méridionales en 1975 : Bordeaux (mêmes conventions que II, 1, 4).

< 0,04

0,04-0,075

0,075-0,14

> 0,14

II, 1, 7B

Immigrations vers les grandes villes méridionales en 1975 : Toulouse.

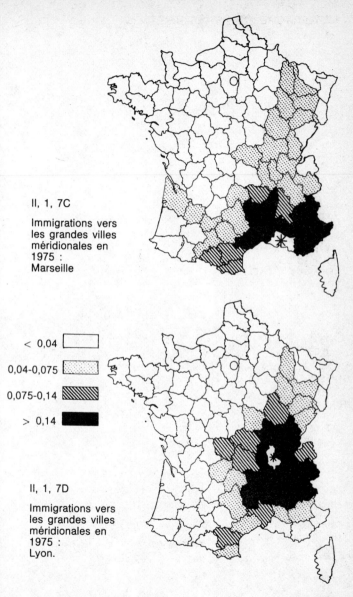

II, 1, 7C

Immigrations vers
les grandes villes
méridionales en
1975 :
Marseille

< 0,04

0,04-0,075

0,075-0,14

> 0,14

II, 1, 7D

Immigrations vers
les grandes villes
méridionales en
1975 :
Lyon.

L'ORIGINE DES PARISIENS

Durant tout le XIXe siècle, les Parisiens de souche ne représentent qu'un tiers de la population totale. Pour connaître les habitants de la capitale, il faut donc déterminer leurs origines ; Bertillon s'y emploie très tôt, en analysant 10 246 bulletins de décès survenus à Paris en 1833. Les recenseurs s'y intéressent ensuite à partir de 1891. Ils décortiquent dès 1901 les métiers parisiens par origine, par âge, par arrondissement. Paris est la tête du pays : n'espèrent-ils pas que la capitale tout entière forme une représentation proportionnelle du pays, une chambre des députés géante ?

La population parisienne est étudiée pour une autre raison, policière cette fois. Les émeutes populaires scandent l'histoire de la ville. Sous la Révolution, la Convention et la Commune, pour des raisons différentes, on s'emploie à mettre en fiche la population : cartes de sûreté et recensements détaillés des sections, registres de cartes d'assemblée. Certains de ces documents ont pu être conservés et donnent une idée de l'origine des Parisiens dès 1793.

On peut donc suivre à peu près deux siècles du peuplement de Paris, période durant laquelle la ville et ses faubourgs sont passés d'environ 700 000 personnes à près de dix millions.

La première carte montre quelle était l'attraction de la « section Popincourt » sur les départements français. La section Popincourt, l'un des quartiers les plus extérieurs du Paris révolutionnaire, était située à proximité de l'actuelle place de la Nation. 68 p. 100 de ses 4 031 hommes âgés de plus de 15 ans, dénom-

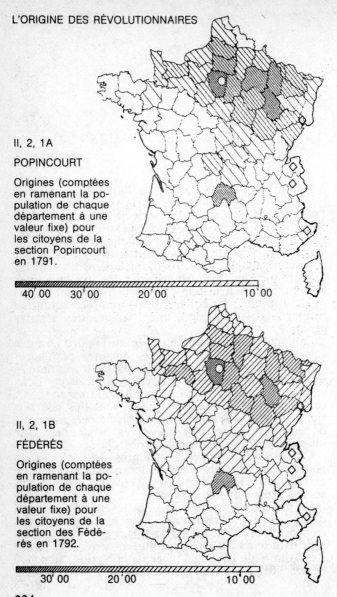

II, 2, 1A

POPINCOURT

Origines (comptées en ramenant la population de chaque département à une valeur fixe) pour les citoyens de la section Popincourt en 1791.

40'00   30'00   20'00   10'00

II, 2, 1B

FÉDÉRÉS

Origines (comptées en ramenant la population de chaque département à une valeur fixe) pour les citoyens de la section des Fédérés en 1792.

30'00   20'00   10'00

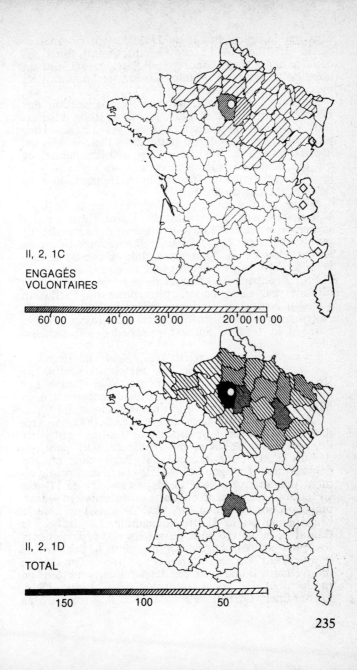

II, 2, 1C

ENGAGÉS
VOLONTAIRES

60'00   40'00   30'00   20'00 10'00

II, 2, 1D

TOTAL

150   100   50

brés par le recensement de 1793, étaient originaires de la province. A l'exception du Cantal, tous les départements fournisseurs de Popincourtois sont au nord de la ligne Saint-Malo - Genève, qui apparaît ici avec une grande netteté.

Les cartes de sûreté délivrées par la section des Fédérés, entre 1792 et 1793, fournissent un résultat tout à fait analogue bien qu'il s'agisse d'un quartier plus central et plus dense (situé dans l'ancien Marais, à proximité de la Bastille) ; 73 p. 100 des personnes qui ont demandé leur carte étaient nés en dehors de Paris. Ils provenaient, encore plus nettement, du nord de la France et du Cantal.

Même constatation pour les enrôlés et engagés volontaires sous le Consulat et l'Empire étudiés par L. Bergeron. La carte de leur origine, aux échancrures près de l'Eure-et-Loire et de la Nièvre, coïncide avec la partition de la ligne Saint-Malo - Genève ; à nouveau le Cantal fait cavalier seul au sud.

En regroupant les effectifs de ces trois sources, on obtient une carte encore plus nette où le Bassin parisien central se distingue même légèrement de la Normandie et de l'Alsace. Amiens-Mézières au nord et Saint-Malo - Genève au sud paraissent infranchissables.

La carte dressée à partir des relevés de Bertillon sur les décès parisiens de 1833 est encore semblable. Un seul département supplémentaire, la Creuse. Les maçons de la Marche et du Limousin commencent en effet à travailler dans le bâtiment parisien.

La carte suivante nous fait sauter à 1891 ; à cette date le recensement publie un tableau croisant lieux de naissance, et lieux de résidence. On peut en déduire l'attraction exercée par Paris dans chaque département. La ligne Saint-Malo - Genève a pratiquement disparu. Une ligne de départements de l'Ouest situés immédiatement en dessous fournissent désormais, proportionnellement, plus de Parisiens que la Champagne ou la Haute-Normandie. La Creuse, le Cantal et la Nièvre sont parmi les six départements les plus attirés, et ils commencent à faire école autour d'eux. On voit clairement se profiler un double mouvement. D'une part ces départements mettent en mouvement les zones intermédiaires, Indre, Cher, Loir-et-Cher, Corrèze, Puy-de-Dôme. D'autre part ils

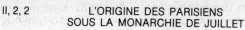

L'ORIGINE DES PARISIENS
SOUS LA MONARCHIE DE JUILLET

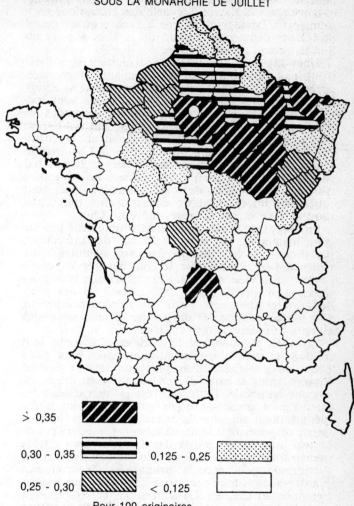

> 0,35

0,30 - 0,35 ·

0,125 - 0,25

0,25 - 0,30 < 0,125

Pour 100 originaires
de chaque département

Départements où étaient nés les Parisiens décédés en 1833 (en
proportion de la population des départements en 1801).

contaminent leurs voisins : Aveyron, Lozère, Lot pour le Cantal, Haute-Vienne pour la Creuse, Saône-et-Loire pour la Nièvre. La carte des attractions parisiennes ne laisse maintenant à l'écart qu'un grand Sud-Ouest démarrant au sud de la Bretagne, et un Sud-Est commençant à Lyon.

Vingt ans après, en 1911, les attractions vers Paris n'ont pas beaucoup changé. Le champ migratoire, après sa percée vers le sud, est en train de se solidifier. Les infimes déplacements d'attraction sont toutefois pertinents car ils préfigurent les évolutions les plus récentes. L'équilibre précédent entre l'Est et l'Ouest se modifie. L'Est est maintenant moins attiré par Paris. La Lorraine décroche après la Champagne, tandis que la propagation vers l'Ouest et le Sud-Est se confirme. Le Cantal et la Creuse ne sont plus maintenant des îlots de forte attraction mais sont reliés par un chapelet de départements tout aussi tournés vers Paris : Corrèze, Indre ou Cher.

En 1946, les tendances se sont simplement prolongées, lentement. La carte de France des attractions parisiennes est comme figée dans son aventure historique. A l'axe Paris-Rodez se sont agrégés le Lot, la Lozère, et la Vienne. Le Sud-Est poursuit son dégagement, ainsi que l'Est ; la Bretagne est un des pôles de la migration vers Paris. Seul l'Ouest intérieur s'interpose désormais entre elle et les attractions élevées de la Sarthe ou de l'Orne.

En 1975, l'agglomération parisienne compte huit millions et demi d'habitants, quatre fois plus qu'au début du siècle, huit fois plus que sous le Second Empire, mais la carte de son recrutement est étrangement immobile. Le terrain est si bien creusé, les flux si bien organisés qu'ils se reproduisent d'eux-mêmes. Tout au plus le basculement vers le Sud-Ouest se poursuit-il insensiblement. Les barrières de la vallée de la Loire et de la Garonne sont encore perceptibles avec leurs lignes de grandes villes, mais l'attraction parisienne a atteint les départements sans grandes villes de leur sud immédiat : les Basses-Pyrénées, les Charentes, les Deux-Sèvres. Symétriquement le dégagement de l'Est et du Sud-Est s'accentue. La coupure est particulièrement nette à l'intérieur du Massif central où tout le versant est bascule vers Lyon et Marseille tandis que l'ouest reste sous la

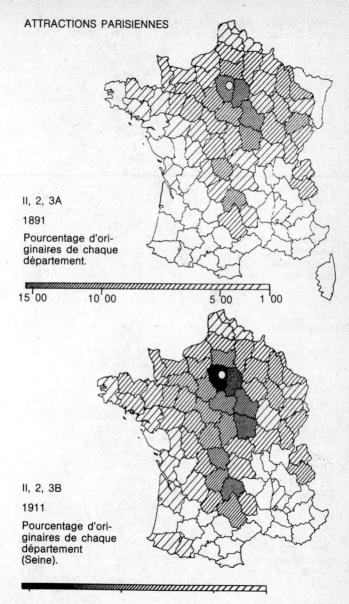

II, 2, 3A

1891

Pourcentage d'ori-
ginaires de chaque
département.

15'00   10'00   5'00   1'00

II, 2, 3B

1911

Pourcentage d'ori-
ginaires de chaque
département
(Seine).

239

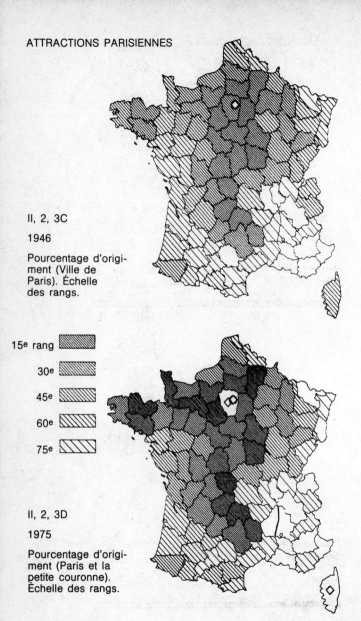

II, 2, 3C

1946

Pourcentage d'origiment (Ville de Paris). Échelle des rangs.

15e rang

30e

45e

60e

75e

II, 2, 3D

1975

Pourcentage d'origiment (Paris et la petite couronne). Échelle des rangs.

L'OMBRE DE LA CAPITALE :
CONSÉQUENCES MORALES DU DÉRACINEMENT

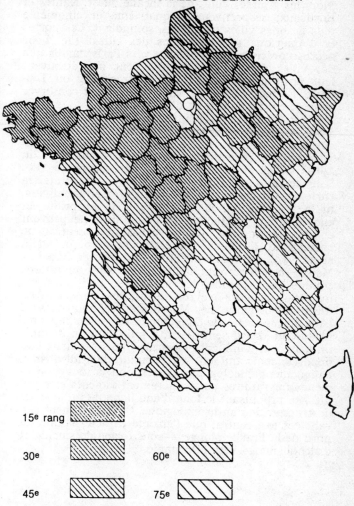

15e rang

30e   60e

45e   75e

Proportion des décès par suicide et alcoolisme en 1975 : les
départements les plus foncés sont les plus atteints (échelle des
rangs).

coupe de Paris. Ce renversement de très longue période était perceptible dès le début du XIXᵉ siècle. Alors les grandes villes de la façade ouest, Nantes et Bordeaux, respectivement quatrième et cinquième plus grandes villes françaises, somnolent. Ces portes de l'Amérique sont devenues des culs-de-sac. Leur nécrose précipite leurs régions vers Paris, tandis que des villes dynamiques maintiennent ou retrouvent leur position régionale : Lille, Strasbourg ou Toulouse. De même Lyon et Marseille peuvent conserver leurs aires d'influence et d'attraction.

Il est toutefois fascinant d'observer la lenteur de cette conquête de l'Ouest par Paris, et non moins curieux de voir l'actuelle répartition spatiale fabriquée par les revendeurs et ramoneurs cantalous du XVIIIᵉ siècle, et par les maçons limougeots du XIXᵉ. Sans cette longue histoire, on ne peut interpréter la carte des attractions vers Paris en 1975. Ni la religion, ni la politique, ni la structure de la propriété, et encore moins les facteurs économiques, ne peuvent en rendre compte. L'axe Paris-Massif central ne correspond à aucune nécessité économique et à aucune voie de communication naturelle et évidente. Mais il revient souvent, dans l'histoire des migrations comme dans l'étude des structures politiques. La ligne Seine-Creuse-Aveyron définit une zone d'extrémisme idéologique. Les Marches et le Limousin sont d'obédience socialiste ou communiste, selon l'époque. Le sud du Massif central est, depuis l'Ancien Régime, un haut lieu d'influence cléricale. Dans ces deux cas, opposés, mais qui ont en commun le radicalisme, l'alignement idéologique correspond à des phénomènes migratoires particulièrement violents et durables, se produisant le long d'une ligne de faille et de destructuration anthropologique. C'est également suivant cet axe central que l'anxiété caractéristique du nord de la France plonge — sous forme de suicide et d'alcoolisme — vers l'Occitanie.

LES QUARTIERS DE PARIS

A la fin du XIXe siècle, Paris est déjà une mégalo-
pole. Mais elle est aussi cent villages, juxtaposés,
dont chacun reproduit, en miniature, une région de
France. Les provinciaux qui arrivent dans la capitale
ne s'installent pas au hasard, n'importe où. Ils se
regroupent. Chaque province a ses quartiers préfé-
rentiels. Et ce cœur de la nation qu'est Paris semble
parfois moins un creuset, lieu de fusion des peuples,
qu'un microcosme, dans lequel cohabitent, sans se
dissoudre entièrement, les diverses cultures provin-
ciales.

Il y a deux stratégies de conquête. Les habitants de
départements situés au nord de la Loire se concen-
trent dans les arrondissements périphériques, les
plus proches de leurs lieux d'origine. On trouve les
Ardennais dans le 19e et le 20e, les Picards dans le 18e,
les Bretons dans le 15e. Paris semble représenter
pour ces provinciaux, une masse compacte qu'ils
pénètrent progressivement. Les premiers arrivants se
sont installés aux portes de Paris, aux premiers faubourgs qu'ils ont rencontrés et de là, ils progressent
lentement vers le centre.

Pour les immigrés du sud de la Loire, la conquête
de Paris se déroule tout à fait différemment. On les
trouve très nombreux dans le centre de la capitale,
chacun dans son quartier : les Creusois dans le
5e arrondissement, à Mouffetard et à l'Arsenal, les
Savoyards dans le 2e arrondissement, les Cantalous
dans le 11e, les Gascons dans le 8e, les Lyonnais et les
Dauphinois dans le 9e. A partir de cette base centrale,
ils progressent vers l'extérieur de la ville : pour les

sudistes, l'espace est inversé. Ils atteignent le centre avant la périphérie.

Ces deux tactiques distinctes tiennent sans doute aux moyens de transport employés par les émigrants. Ceux du Nord sont arrivés à l'époque des diligences, des chevaux et même, de la marche. Plus tard, il en sera de même pour les Bretons misérables qui rallient la capitale à travers la Beauce qu'ils colonisent. Lemoine, en 1906, a décrit avec précision leur implantation et aussi ce mode de progression grégaire qui fournit une clef à la géographie des implantations parisiennes :

« Rien n'est plus frappant que de constater comment le plus souvent les gens du même village émigrent vers les mêmes régions, interrogez 100 Bretons fixés à Saint-Denis, 70 vous répondront qu'ils sont de Plougover, Saint-Nicolas-du-Pélem dirigera ses émigrants sur Versailles ; quant au Roscovite, il paraît avoir élu son séjour préféré à la Roquette et à Vaugirard... On voit beaucoup de communes en train d'être bretonnisées. Ainsi, à Montigny-le-Bretonneux, près de Versailles, sur 318 habitants, on trouve 56 Bretons ; tout près de là, à Guyancourt, 159 sur 598 habitants. »

Au contraire, les habitants du Sud, voyageurs plus tardifs comme les Méditerranéens et les Gascons, ont gagné Paris en chemin de fer. Les deux départements dont l'émigration est très ancienne, le Cantal et la Creuse, ont installé très tôt leurs bases au centre de la ville.

**

Pour rendre compte du partage de Paris par les émigrants, on peut inverser la perspective en traçant la carte des attractions départementales de chaque arrondissement.

Les vingt arrondissements sont remarquablement spécialisés : le 3e arrondissement est dominé par les Savoyards ; ce sont les porteurs de l'hôtel Drouot, les tenanciers des cafés et des restaurants qui leur permettent de conserver leurs habitudes ou de les retrouver. Le 4e est peuplé de Limougeots, le 5e de maçons creusois et de Languedociens. Basques, Aquitains, Niçois et bourgeois de l'Ouest se sont établis

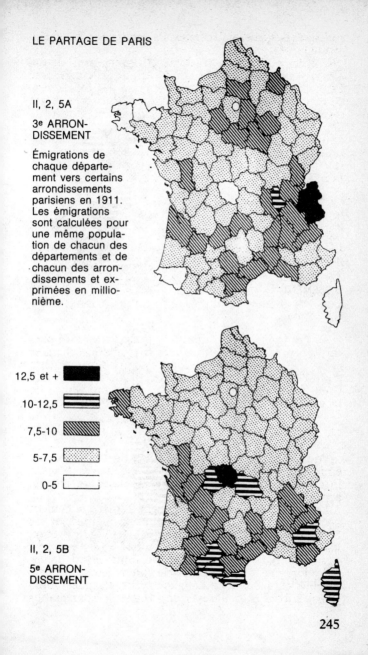

II, 2, 5A

3e ARRON-
DISSEMENT

Émigrations de
chaque départe-
ment vers certains
arrondissements
parisiens en 1911.
Les émigrations
sont calculées pour
une même popula-
tion de chacun des
départements et de
chacun des arron-
dissements et ex-
primées en millio-
nième.

12,5 et +

10-12,5

7,5-10

5-7,5

0-5

II, 2, 5B

5e ARRON-
DISSEMENT

245

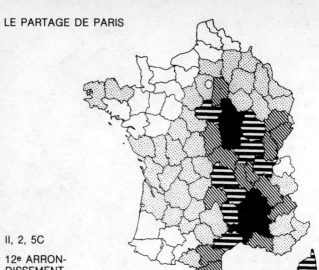

II, 2, 5C

12e ARRON-
DISSEMENT

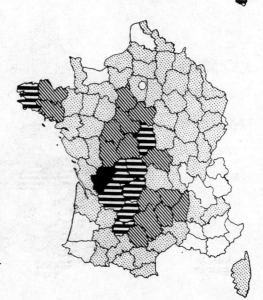

II, 2, 5D

13e ARRON-
DISSEEMNT

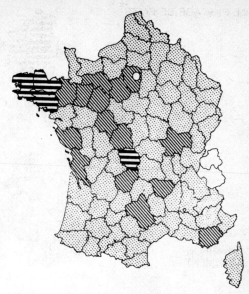

II, 2, 5E

15e ARRON-
DISSEMENT

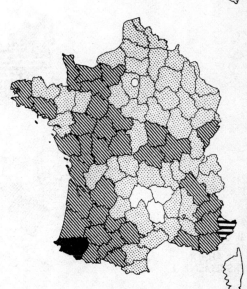

II, 2, 5F

16e ARRON-
DISSEMENT

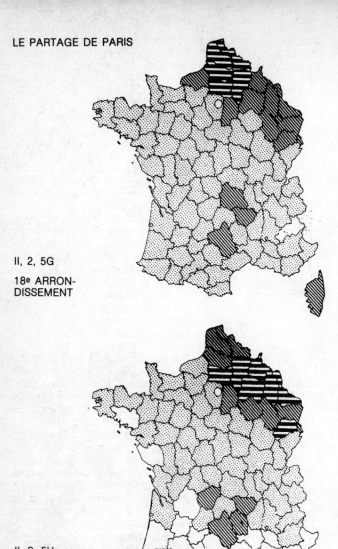

II, 2, 5G

18e ARRON-
DISSEMENT

II, 2, 5H

19e ARRON-
DISSEMENT

dans le 7e et le 8e. Le 11e est aux Cantalous, le 12e reçoit à la fois les Ardéchois, leurs riverains et les ressortissants d'un étroit pinceau de départements situés au sud-est de Paris. Dans le 13e, les Bretons côtoient les originaires de l'ouest du Massif central ; mais ils règnent sans partage sur le 14e et le 15e. Le 18e, le 19e et le 20e échoient aux Français du Nord et de l'Est.

L'attirance du Nord pour la périphérie et la centralité du Midi s'exagèrent encore lorsqu'on compare l'origine des habitants de Paris et de la banlieue. On a calculé pour chaque département le rapport de ses originaires installés en banlieue et à Paris *intra muros*. L'affection du Nord pour la banlieue et celle du Midi pour la ville de Paris sont également visibles.

En 1975 aussi, on peut comparer les départements selon le partage de leurs ressortissants entre Paris et la banlieue. La carte ressemble encore de façon frappante à celle de 1911. L'Ouest s'est un peu éclairci, ce qui signifie qu'il accentue sa localisation banlieusarde. Le Sud-Est s'obscurcit encore, il est résolument central.

L'explication de la disposition des migrants dans l'agglomération parisienne passe ainsi par deux voies parallèles.

La première est écologique. Les liens du voisinage se reconstituent à l'intérieur des grandes villes où les semblables s'assemblent et attirent de nouveaux émigrants. Dans les grandes villes américaines où les différences d'origine sont encore plus accentuées qu'en France, les China Town, les Little Italy, les quartiers polonais ou baltes sont une évidence. Les liens que les émigrants conservent et entretiennent avec leur pays d'origine ont fait l'objet d'études magnifiques et émouvantes. Chaque communauté forme un milieu sécurisant pour ses membres et hostile aux arrivants d'autres nationalités. La ville se constitue par couches successives de migrants venus de différents pays. Cette archéologie est moins violente en France. Les limites entre communautés ne sont distinctement tracées, ni dans les départements d'origine, ni dans les arrondissements d'arrivée. Un Chinois n'ira pas s'égarer à Little Italy, qui jouxte China Town à New York ; un Creusois ou un Limougeot voisineront à Paris. Où commence le « pays »,

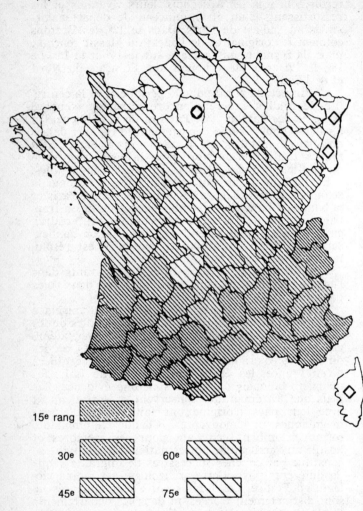

15e rang

30e   60e

45e   75e

Plus le département est foncé, plus ses habitants préfèrent Paris à la banlieue lorsqu'ils s'installent en région parisienne. (Proportion vivant à Paris parmi ceux qui se sont établis dans la Seine en 1911 ; échelle des rangs.)

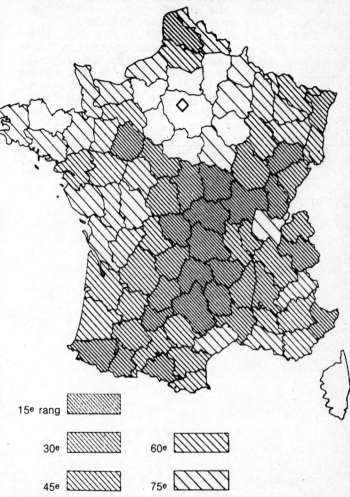

15e rang

30e   60e

45e   75e

Plus le département est foncé, plus ses habitants préfèrent Paris
à la grande banlieue lorsqu'ils s'installent en région parisienne
(natifs de chaque département vivant à Paris et dans la petite
couronne rapportés à l'ensemble des natifs établis en région
parisienne en 1975 ; échelle des rangs).

où finit-il ? La chance de la France est de ne jamais pouvoir répondre précisément à cette question. Elle est une gigantesque zone de transition balisée par quelques pôles anthropologiques plus durs.

De l'absence de zones parfaitement définies, il est erroné de conclure à l'absence de systèmes anthropologiques. La ville demeure un milieu écologique. Le migrant, pour y trouver sa place, doit compter sur les siens, sur des proches, et se repérer dans un monde où subsistent quelques signes de son univers d'origine, auxquels il pourra se raccrocher et qui le guideront. Métiers réservés à certaines provinces, commerces d'aliments régionaux, associations, journaux. Tout un monde souterrain survit, éclate parfois dans les fêtes et les bals du samedi soir. L'arrivée successive et les implantations rivales de provinciaux ne suffisent cependant pas à justifier le partage de Paris.

L'ORIGINE DES MÉTIERS PARISIENS

La ségrégation spatiale s'appuie sur une spécialisation professionnelle. Le recensement de 1911 fournit un classement des travailleurs selon le métier et le département d'origine. Plus jamais ensuite, on ne retrouvera ce détail soigné de la statistique. Les catégories fines et significatives comme celles des boulangers ou des maçons, des cafetiers ou des concierges ont vite été noyées dans un charabia « socioprofessionnel », qui nourrit aujourd'hui les tableaux des recenseurs et les livres des sociologues. Le détail des départements d'origine disparaîtra à son tour. En 1975, aucune publication ne le donne plus. (Il faut le rechercher sur des « microfiches » confidentielles.) Un monde pertinent et sensible a été ainsi enseveli. On ne peut donc analyser l'origine des métiers parisiens qu'avant la première guerre mondiale.

En 1911, les métiers s'organisent suivant l'ancienneté de la migration et l'éloignement des régions d'origine. Aux départements proches, alphabétisés, industrialisés ouverts de la zone nord, correspondent plutôt des métiers intellectuels ou hautement spécialisés ; aux émigrants de la zone sud reviennent les activités artisanales traditionnelles à assise territoriale étroite.

Le régionalisme du recrutement est tout à fait remarquable.

Les ingénieurs d'abord : ils viennent de tout le nord de la France et des grandes villes du sud. La Bretagne, le Sud-Ouest et les Alpes n'en fournissent guère. On cherche en vain dans leur cas les pôles migratoires, si prononcés à l'époque, de la Creuse, du

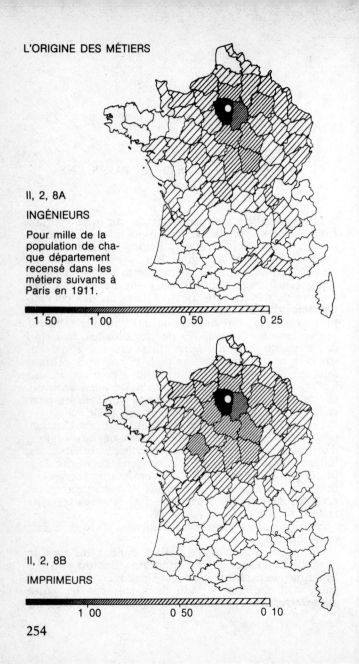

L'ORIGINE DES MÉTIERS

II, 2, 8A

INGÉNIEURS

Pour mille de la population de chaque département recensé dans les métiers suivants à Paris en 1911.

1 50   1 00   0 50   0 25

II, 2, 8B

IMPRIMEURS

1 00   0 50   0 10

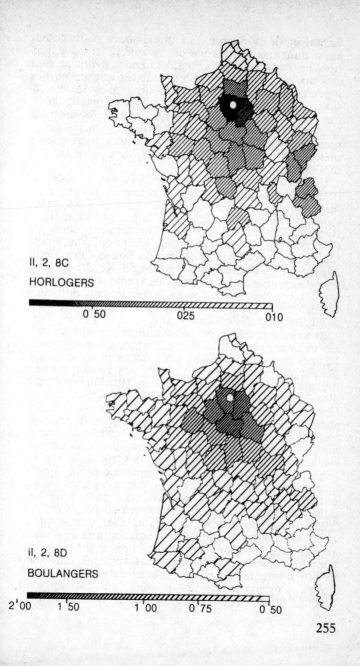

II, 2, 8C
HORLOGERS

0 50   025   010

il, 2, 8D
BOULANGERS

2'00   1 50   1 00   0 75   0 50

Cantal et de la Savoie. Les imprimeurs se recrutent aussi dans une vaste zone où les différences d'attraction ne sont pas très sensibles. Leurs origines sont cependant déjà un peu plus sudistes que celles des ingénieurs, tendance qui s'accentue avec les horlogers. Apparaissent alors de véritables particularismes : le Jura et le Doubs sont toujours célèbres pour leurs fabricants de montres. Moins connues, de ce point de vue, sont les Alpes également méritantes ; métiers d'hiver en montagne qui sont devenus des métiers tout court à Paris.

Un second groupe de professions, moins intellectuelles, mais à forte résonance anthropologique se dispose au nord de la région parisienne, et passe assez rapidement la ligne des lumières, Saint-Malo-Genève. Ce sont d'abord les boulangers issus de l'Yonne, de la Sarthe, et de l'Eure-et-Loire, puis, moins fréquemment, du Berry, du Loir-et-Cher, de la Nièvre : répugnance des femmes du Nord ou tradition de meunerie en ces zones de froment ? Le pétrin, les bâtards, les baguettes, et le levain sont entre les mains de ces artisans ; le pain fournit alors la moitié des calories parisiennes.

Avec les cuisiniers, on passe plus nettement au sud. Ils viennent du centre de la France, de son ventre. Le métier est déjà moins précis. Les chefs coqs s'y mêlent aux gâte-sauce, employés des restaurants et des grandes maisons, voire des institutions. On voit alors apparaître des Bretons et des Provençaux. Obstinément, les Nordistes, les Limougeots et les gens du Sud-Ouest, pourtant fameux pour leurs préparations, résistent à l'attrait des casseroles parisiennes. Avec les domestiques, on descend encore dans l'échelle de l'artisanat et des métiers. Ils se recrutent plus au sud. On a l'impression que l'engagement s'est fait dans l'ordre ; d'abord les boulangers ont été appelés, et ils venaient d'à côté, puis les cuisiniers que l'on a recherchés un peu plus loin.

Pour les domestiques, il a fallu aller encore plus loin ; les habitants des départements distants sont arrivés plus tard, ont trouvé les bonnes places occupées et se sont momentanément réfugiés dans ce métier d'attente, ou plutôt, d'observation.

Ainsi, progressivement, métiers générateurs de tabous, alimentaires, vestimentaires ou ménagers,

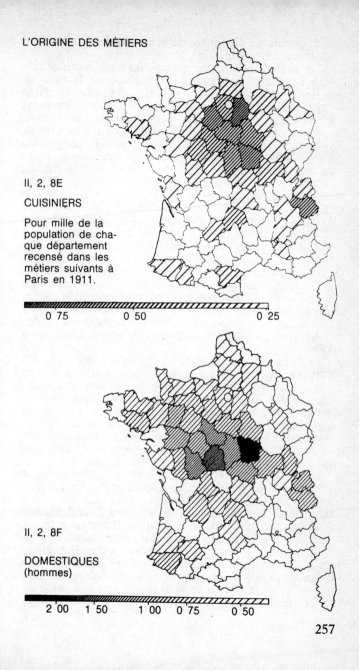

II, 2, 8E

CUISINIERS

Pour mille de la population de chaque département recensé dans les métiers suivants à Paris en 1911.

0 75   0 50   0 25

II, 2, 8F

DOMESTIQUES
(hommes)

2 00   1 50   1 00   0 75   0 50

257

sont remontés du centre de la France pour s'installer au cœur de la capitale [1].

Le troisième groupe de métiers se recrute très loin : métiers faiblement spécialisés, où le tour de main se double d'une résistance physique et d'une organisation professionnelle. Les maçons viennent exclusivement de quatre départements du Centre, mais dont le pôle est le département de la Creuse. On connaît par des récits, l'extraordinaire migration de ces hommes du bâtiment. Déjà spécialisés avant la Révolution, ils se déplacent dans toute la France par mouvements saisonniers. Dans certains villages de la Creuse, il ne restait pas en hiver un homme sur cinq. A partir de la révolution de 1830, ils s'installent à Paris ; les grands travaux immobiliers démarrent et dureront jusqu'à la guerre de 1914. Déracinés, ils ont les premiers songé à construire le socialisme plutôt que des immeubles bourgeois. En 1848, ils figurent en bonne place parmi les déportés. Leur révolte fut ramenée au pays où elle s'entretient toujours. Le socialisme parisien transplanté dans le centre limousin se retrouve bien entendu dans les votes communistes. Mais on le perçoit mieux encore dans les votes d'extrême gauche, recueillis par Arlette Laguiller, en 1974.

Les chauffeurs, un peu moins concentrés que les maçons, ont leur épicentre en Corrèze. Ils recrutent aussi dans les zones centrales fournissant les cuisiniers et les domestiques. Ils sont d'ailleurs, eux aussi, souvent domestiques. La suprématie corrézienne s'explique mal sans un réseau de relations très solide entre tous les chauffeurs de ce pays, particulièrement entre les chauffeurs de ces taxis, qui trois ans plus tard, conduiront les soldats sur la Marne.

La répartition des cafetiers n'est pas une surprise pour l'habitué des bougnats qui hésite entre l'Auvergne et la Savoie. Les Cantalous sont soutenus dans leur effort par les Aveyronnais et les Lozériens.

Enfin, tout au sud de la France, Paris recrute ses postiers : le facteur a l'accent du Sud-Ouest. Profession assez nouvelle, le tri postal relaie l'ancienne spécialité méridionale du petit métier judiciaire. Les hommes de loi — conseillers, avocats, robins en tous genres — étaient dans le Midi nombreux à la veille de la Révolution. Seuls à manier les lettres dans un pays

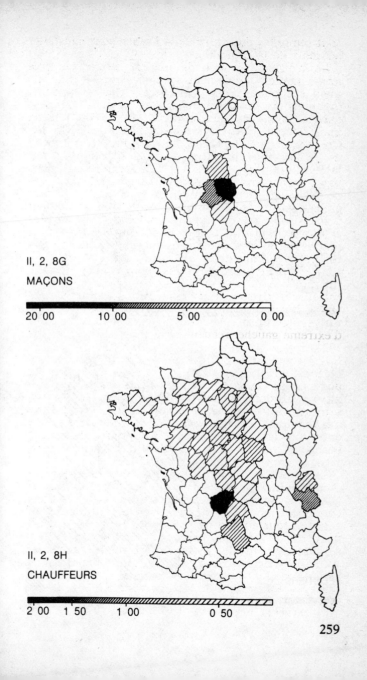

II, 2, 8G
MAÇONS

20 00   10 00   5 00   0 00

II, 2, 8H
CHAUFFEURS

2 00   1 50   1 00   0 50

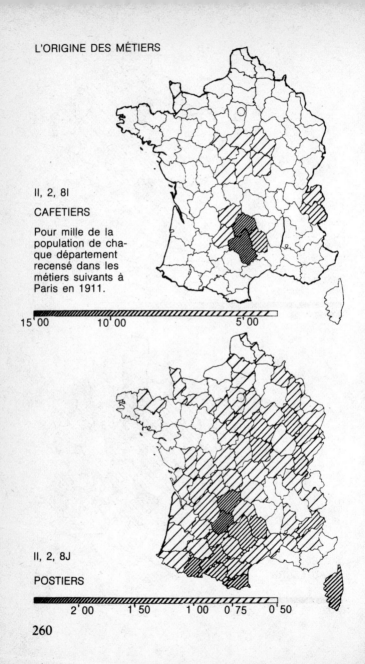

II, 2, 8I

CAFETIERS

Pour mille de la population de chaque département recensé dans les métiers suivants à Paris en 1911.

15'00 10'00 5'00

II, 2, 8J

POSTIERS

2'00 1'50 1'00 0'75 0'50

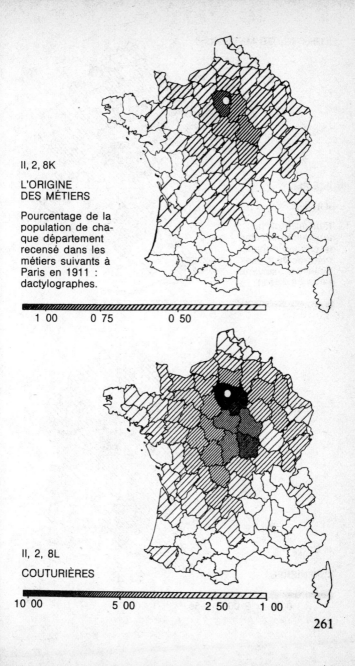

II, 2, 8K

L'ORIGINE
DES MÉTIERS

Pourcentage de la
population de cha-
que département
recensé dans les
métiers suivants à
Paris en 1911 :
dactylographes.

1 00　　0 75　　0 50

II, 2, 8L

COUTURIÈRES

10 00　　5 00　　2 50　　1 00

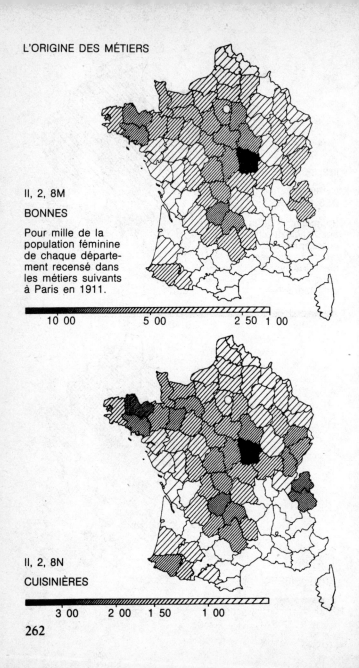

L'ORIGINE DES MÉTIERS

II, 2, 8M

BONNES

Pour mille de la population féminine de chaque département recensé dans les métiers suivants à Paris en 1911.

10 00   5 00   2 50   1 00

II, 2, 8N

CUISINIÈRES

3 00   2 00   1 50   1 00

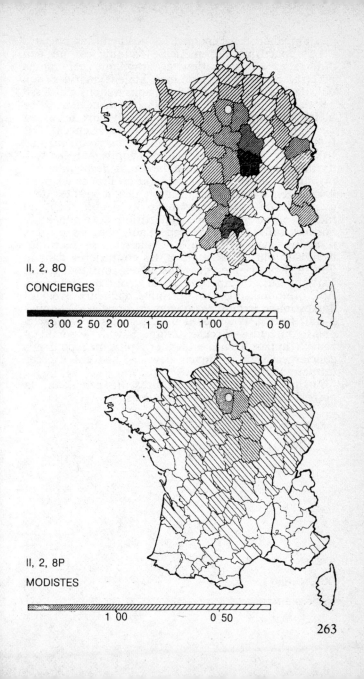

II, 2, 8O
CONCIERGES

3 00 2 50 2 00 1 50 1 00 0 50

II, 2, 8P
MODISTES

1 00 0 50

peu alphabétisé à l'époque, les voici qui les portent.

La répartition des métiers féminins est un peu différente. L'organisation géographique est moins précise. Souvent ces femmes étaient mariées aux ouvriers ou aux artisans dont nous venons de dessiner les origines. Par elles, ils commençaient à se mêler à la population parisienne, à étendre le réseau de leurs relations et de leurs expériences. Ces femmes, souvent issues du même pays qu'eux, ne trouvaient pas dans leur métier l'équivalent des solidarités masculines. Comme dans tant de populations primitives, les femmes se révèlent en France les meilleurs agents de la socialisation des migrants, dont elles effacent progressivement le double lien, au métier et au pays. Une répartition échelonnée du nord au sud, se retrouve cependant, pour les métiers féminins, mais atténuée : les dactylos se recrutent beaucoup plus dans le Nord, les couturières dans le Centre. Les origines des cuisinières sont tout à fait particulières. On aperçoit ici le début de l'immigration bretonne, que l'on retrouve d'ailleurs avec les domestiques féminines, autrement appelées « bonnes à tout faire ». Pour ces deux catégories, les départements du Sud — Creuse, Cantal, Savoie — commencent à apparaître. C'est encore plus net pour les concierges dont les maris devaient souvent exercer un petit métier artisanal.

Aucune de ces cartes ne présente cependant la netteté des répartitions masculines.

TROISIÈME PARTIE

LES TRAJETS
DE LA MODERNITÉ

Le XVIIIᵉ siècle s'est achevé en apothéose de la Raison : elle a triomphé de la religion, elle a découvert des lois physiques admirables, elle va maintenant régénérer les mœurs et organiser la société. Le Comité de mendicité décrète l'éducation universelle, le Comité de la division abroge tous les anciens découpages du territoire, ces châtellenies, vigueries, intendances et bailliages, pour les remplacer par les départements. On institue le système métrique, la numération décimale, le suffrage universel ; on prépare le Code civil, on bouleverse le droit pénal. Ni la chute de la Montagne, ni l'Empire, ni la Restauration ne feront rentrer dans l'œuf ces projets prométhéens. Ceux-ci s'étaient éveillés avant la Révolution, ils pouvaient lui survivre. Alphabétisation, divorce, enfants naturels, contraception et même suicide, désirs et pulsions qui s'étaient exprimés pendant la Révolution allaient continuer à se développer. Mais chacun à sa façon, privé de vue pour se guider, les voici condamnés à errer en France à tâtons, devenus les jouets du milieu anthropologique qu'ils avaient la prétention de dominer. Les chemins de l'école prennent alors ceux des écoliers, sans se soucier des directives émises par la capitale. La contraception, grâce à laquelle les individus commencent à contrôler la dimension de leur famille, se répand sans respect des déterminations qui auraient dû la guider et joue un ballet savant avec les idéologies religieuses ou politiques. Enfin, le choc même de la modernité, vécu et ressenti dans le désespoir d'individus désormais seuls au monde, se répercute en longues séries de suicides qui tracent un troisième et dernier trajet de la modernité.

Exaspérés par ces rébellions des signes de la modernité, fascinés par leurs conséquences extrêmes, *les statisticiens du XIXe siècle allaient en dresser des inventaires monumentaux. La première carte de l'alphabétisation apparaît dans le premier grand atlas statistique, celui de Dupin ; les suicides fournissent à Guerry l'une de ses six magnifiques cartes. D'Angeville est obnubilé par la ligne Saint-Malo - Genève qui trace la démarcation entre la France éduquée et la France ignorante. Toute la fin du siècle est occupée par des enquêtes géantes et des atlas superbes qui détaillent les mille facettes de l'alphabétisation, du suicide ou du déclin de la fécondité : statistique de l'Education nationale, atlas de la S.G.F., de Bertillon, de Cauderlier, cartes de Levasseur... Tous ces documents permettent aujourd'hui de dresser la carte des trajets de la modernité, de décrire son aboutissement actuel, inattendu, anthropologique.*

ÉDUCATION

A la veille de la Révolution, plus de la moitié des Français du Nord ou de l'Est savent lire et écrire ; au Sud et à l'Ouest, plus des deux tiers demeurent analphabètes.

La ligne qui partage les deux France court du golfe de Cancale au lac de Genève. Elle est si clairement tracée que Malte Brun parle, dès 1821, de la France « éclairée » du Nord et de la France « obscure » du Midi.

Au Sud, lire et écrire demeure le privilège d'une élite qui reproduit ainsi sa situation sociale : grouillement de juristes, avoués, avocats, conseillers du roi, notaires simples ou royaux, conseillers à la cour des aides, tous gens de robe que le droit écrit fait souvent à peine vivre. Un paysan qui apprend à lire et écrire devient à la fois un rival potentiel et un débouché perdu. Heureusement, les fonctions abstraites de l'écrit et la complexité des rites éducatifs maintiennent une alphabétisation restreinte semblable à celle de la Chine des mandarins, de l'Egypte des scribes ou de la Rome des écrivains publics [1]. L'éducation y définit et reproduit une classe distincte, élite bureaucratique ou bourgeoise. Seuls les foyers protestants du Sud échappent au modèle : on y lit pour lire la Bible.

Au nord de la France, paysans et beourgeois se sont déjà lancés dans l'étonnante aventure de l'alphabétisation de masse. Au lieu de figer la société,

---

1. Sur les sociétés d'alphabétisation restreinte « restricted literary », cf. J. Goody, *Literary and traditional society*.

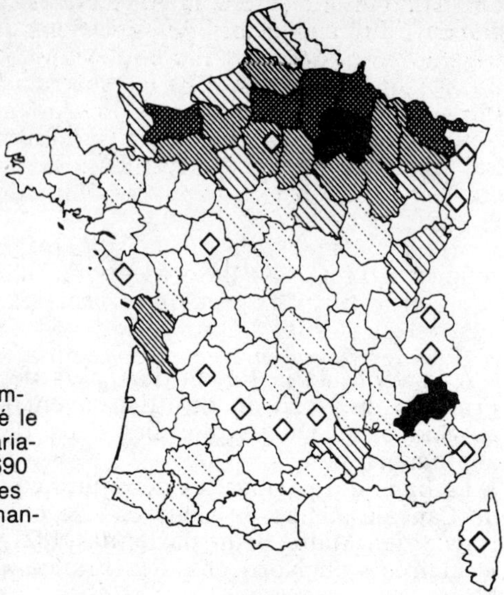

III, 1, 1

1686-1690

Proportion d'hommes ayant signé le registre des mariages en 1686-1690 (losange pour les départements manquants).

+ de 60 %

50-60 %

40-50 %

30-40 %

20-30 %

de 20 %

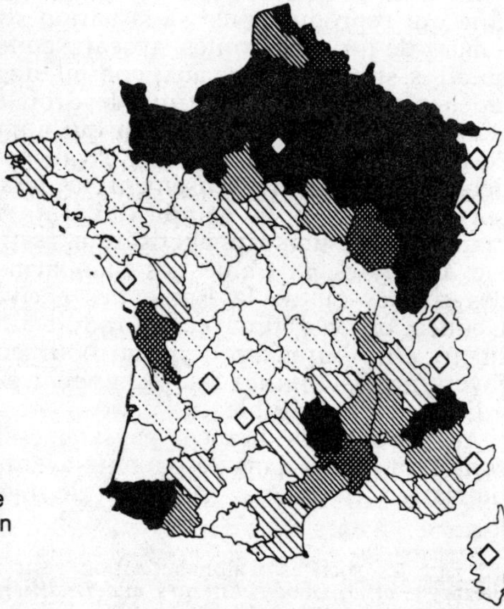

III, 1, 2

1786-1790

Proportion des hommes ayant signé le registre des mariages en 1786-1790.

l'instruction universelle la bouscule et la met en mouvement. En changeant des relations humaines élémentaires et précoces, elle bouleverse l'anthropologie du voisinage. Aller à l'école, suivre un horaire, se taire, obéir à un maître, se lier à des camarades, toutes ces activités remplacent l'apprentissage familial des champs et des veillées. Le cadre scolaire concret transforme les rapports humains autant que le contenu des livres.

Au nord, l'éducation fut aussi à l'origine une affaire religieuse. La Contre-Réforme, pour riposter à Luther et Calvin qui propageaient le protestantisme par la lecture de la Bible, alluma des contre-feux dans les régions les plus menacées. Ce furent aussi les régions à « sorcières » et la circonstance n'est pas fortuite. Les régions de haute éducation et celles des procès de sorcellerie se recouvrent.

L'Etat fut plus réticent que l'Eglise à alphabétiser. Méfiance du pouvoir royal, indifférence de la Révolution et de l'Empire malgré de beaux discours. Aussi, quand la poussée éducative s'accentue au milieu du XIXᵉ siècle, les clivages religieux et anthropologiques, latents en 1789, resurgissent. En 1854, la ligne qui sépare l'ombre des lumières est enfoncée d'est en ouest. Le Pays basque, le Massif central et particulièrement son revers sud, le Dauphiné et le Lyonnais se détachent au sud de la France pour l'éducation comme pour la religion. Le littoral méditerranéen est plus tiède dans les deux cas. Enfin, l'ignorance crasse se retranche dans le Limousin, le Quercy et les provinces du Centre, Berry, Bourbonnais, Nivernais : aux mêmes endroits, l'alphabétisation tardive et rapide s'accompagnera d'une baisse tardive et rapide de la fécondité. Aux mêmes endroits, le parti communiste l'emporte sur les autres partis de la gauche actuellement.

Au nord de la ligne Saint-Malo - Genève, la religion crée aussi un morcellement. Le Nord et l'ensemble du Bassin parisien s'essoufflent derrière la Lorraine, l'Alsace, la Franche-Comté et dans une moindre mesure, la Normandie, toutes terres catholiques, tandis que la déchristianisation atteint déjà l'Ile-de-France, l'Artois et la Picardie.

Malgré les efforts déjà importants de l'Etat, Paris n'apparaît pas en 1854 comme l'organisateur de l'ins-

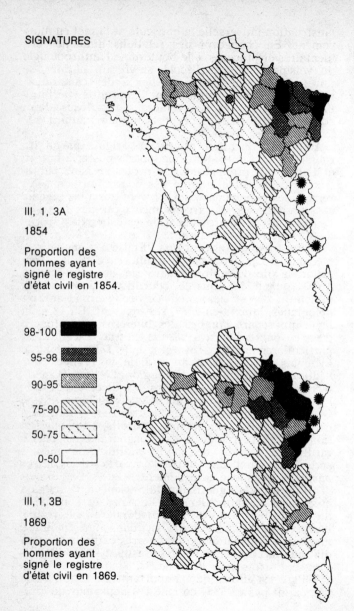

III, 1, 3A

1854

Proportion des hommes ayant signé le registre d'état civil en 1854.

98-100
95-98
90-95
75-90
50-75
0-50

III, 1, 3B

1869

Proportion des hommes ayant signé le registre d'état civil en 1869.

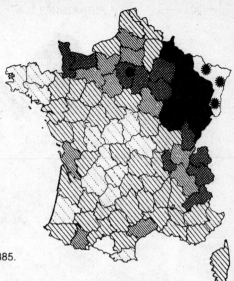

III, 1, 3C

1885

Proportion des
hommes ayant
signé le registre
d'état civil en 1885.

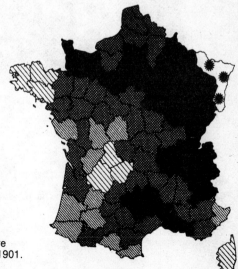

III, 1, 3D

1901

Proportion des
hommes ayant
signé le registre
d'état civil en 1901.

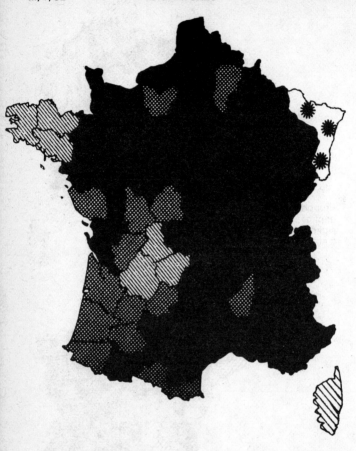

Proportion des hommes ayant signé le registre d'état civil en 1913.

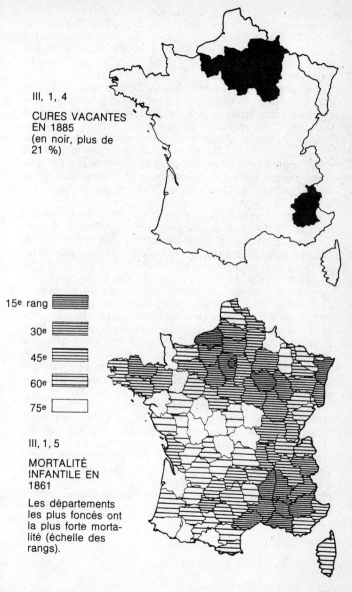

III, 1, 4

CURES VACANTES
EN 1885
(en noir, plus de
21 %)

15e rang
30e
45e
60e
75e

III, 1, 5

MORTALITÉ
INFANTILE EN
1861

Les départements
les plus foncés ont
la plus forte morta-
lité (échelle des
rangs).

truction, les grandes villes non plus. A Paris, l'éducation est déjà assez répandue, mais elle l'est beaucoup moins dans les départements environnants. La zone qui s'étend de la Meuse à la Normandie et qui est limitée au nord par la Somme, au sud par la Loire semble donc être le théâtre d'étranges mutations en cette fin du XIXe siècle. Tout à la fois, l'éducation va s'y accélérer, les suicides s'y installer. La mortalité infantile y sera la plus forte de France et les cures vacantes y deviendront légion. L'Ile-de-France bascule. Zone anthropologique assez floue, elle attire tous les syndromes de la modernité et en subit toutes les conséquences ; la capitale n'y est pas pour grand-chose ; son influence se limite aux deux départements de la Seine-et-Oise et de la Seine-et-Marne.

La progression de l'éducation va effectivement ignorer Paris et se développer essentiellement à partir de la Lorraine en deux courants : l'un gagnera tout l'Ouest, l'autre le Sud. Au début du siècle, la bataille est presque terminée, l'alphabétisation a contourné le Massif central, et rejoint les bastions sud (on constate à nouveau la faible activité du pôle basque) de Lozère et d'Aveyron, progresse partout frontalement entourant, puis pénétrant le « triangle analphabète » dont les trois sommets sont les Landes, l'Allier et le Finistère. En 1913, il ne demeure plus que des réduits en Bretagne et dans le Limousin. Encore, ces réduits sont-ils exagérés par l'échelle choisie, puisque à cette époque la proportion de signatures dépasse partout 90 p. 100.

La carte de 1913 coïncide presque exactement avec la carte de la taille des conscrits en 1948 : les deux zones de faible taille sont les mêmes. Au XIXe siècle, la France du Nord avait de la même manière des conscrits plus grands que la France obscure. L'anthropologie physique apparaît ici comme la conséquence d'une des activités les plus conscientes, les plus culturelles : lire et écrire. Savoir lire et écrire entraîne un rapport différent à l'hygiène et à la nourriture.

LE SUCCÈS DES INTERMÉDIAIRES

Au XVIIIe siècle, on apprenait à lire en latin. Au XIXe siècle, on apprend à lire en français. Cela ne fait pas une énorme différence pour les Alsaciens, les Flamands, les Auvergnats, les Bretons et tous les patoisants qui forment à cette époque plus de la moitié de la population. La carte qu'Abel Hugo établit pour 1835 ne compte que vingt départements entièrement francisés et quatre autres presque entièrement. Sur la carte que construit Eugen Weber pour 1863, la moitié des départements ne parlent pas ou peu le français. En rapprochant ces deux cartes, on voit que certains départements du Nord-Est restent indéfinis et intermédiaires : Somme, Marne, Haute-Marne, Côte-d'Or, Aube. A la limite du français et du non-français, ces départements très alphabétisés sont aussi les principaux pourvoyeurs de l'élite technocrate. La carte de l'origine des élites en 1823 montre qu'ils ont le meilleur rendement en polytechniciens, normaliens et centraliens. Le recrutement de l'élite s'effectue au nord d'une ligne Amiens-Lausanne encore plus nette que la ligne Saint-Malo - Genève. La hiérarchie du nord de la France se précise donc clairement en trois lignes : la Loire d'abord, extension maximale des familles complexes du Sud, puis Saint-Malo-Genève qui rejette dans les ténèbres la Bretagne et les pays de Loire, enfin Amiens-Lausanne qui écarte les Normands, les Beaucerons et les Briards.

Le recrutement intense de l'élite au nord de la ligne Amiens-Lausanne décroît presque aussi subitement quand on s'éloigne plus au nord ou plus à l'est. Là les pôles anthropologiques immobilisent mieux la

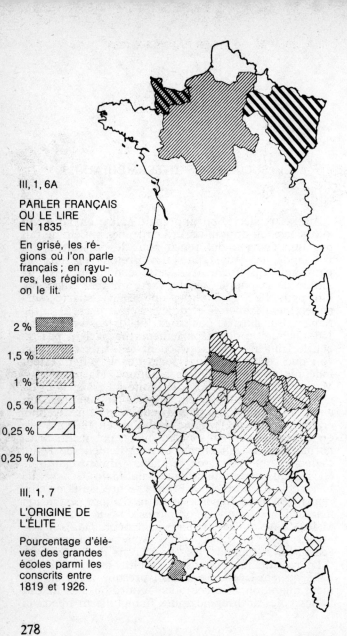

III, 1, 6A

PARLER FRANÇAIS
OU LE LIRE
EN 1835

En grisé, les ré-
gions où l'on parle
français ; en rayu-
res, les régions où
on le lit.

2 %

1,5 %

1 %

0,5 %

0,25 %

< 0,25 %

III, 1, 7

L'ORIGINE DE
L'ÉLITE

Pourcentage d'élè-
ves des grandes
écoles parmi les
conscrits entre
1819 et 1926.

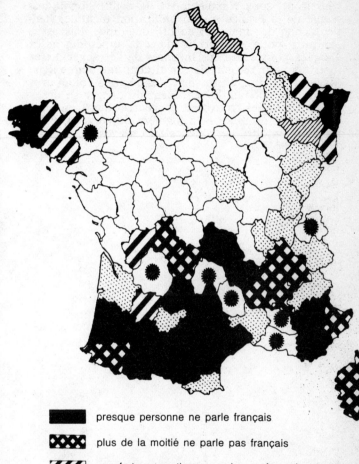

presque personne ne parle français

plus de la moitié ne parle pas français

une forte proportion ne parle pas français

des groupes entiers de villages ne parlent pas français

quelques traces de patois

tous parlent français

jeunesse éduquée qui résiste aux lumières de Paris. Les futurs hauts fonctionnaires saint-simoniens, qui réussiront, sous Napoléon III, la conversion industrielle de la France et son unification mentale, viennent donc des marches de l'Ile-de-France. Pas assez centraux pour s'endormir dans la quiétude, assez éloignés pour sentir les menaces de l'étranger, assez instruits pour réussir, ils constituent une bonne ligne Maginot. En traçant la carte des engagés volontaires à la même époque, le sentiment du danger se préciserait car on les trouverait concentrés aux frontières du Nord et de l'Est. A la manière du cerveau, Paris est ainsi entouré de couches successives.

L'ALPHABÉTISATION DES FEMMES

Puisque l'éducation de masse a des conséquences anthropologiques, il faut s'attendre à des différences marquées entre les hommes et les femmes. Effectivement, les femmes sont plus tardivement alphabétisées, elles étudient plus souvent dans les écoles « congréganistes » tenues par le clergé, mais surtout on sépare les garçons et les filles.

Le XIXᵉ siècle résonne des condamnations de la mixité et parvient à la contenir. La carte de la proportion d'écoles mixtes dans chaque département en 1837 localise les craintes. Le nord de la France attache assez peu d'importance au mélange des sexes, soit par indifférence, soit par tolérance (qui s'exprime aussi dans les reconnaissances d'enfants naturels et le mariage de leurs mères). En revanche, deux régions s'opposent absolument à la mixité (moins de 10 p. 100 des écoles), la Bretagne, sans doute à cause de son retard et de l'importance des écoles religieuses, et le Midi méditerranéen qui donne ici une nouvelle preuve de sa tendance à rejeter les femmes hors de la sphère des relations sociales : on ne doit les trouver ni derrière le comptoir, ni aux champs, ni même à l'école.

Malgré la séparation des écoliers et des écolières, l'alphabétisation féminine suit les mêmes chemins que celle des hommes. A partir de 1850, elle comble même régulièrement son retard, et rejoint son homologue masculine à la veille de la guerre mondiale. On remarque que les cartes de l'alphabétisation féminine s'intercalent bien entre celles de l'alphabétisation masculine. Ceci n'a rien d'étonnant car l'enseigne-

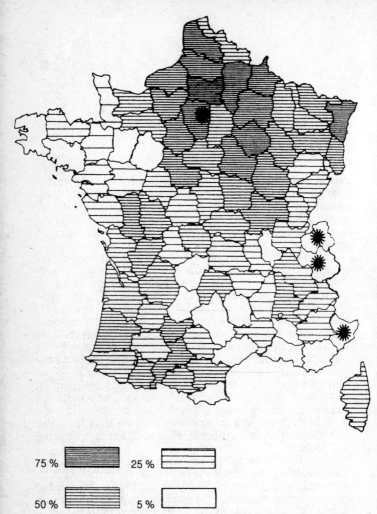

75 %   25 %

50 %   5 %

Pourcentage d'écoles mixtes en 1837 (sur l'ensemble des écoles du département).

SIGNATURE DES FEMMES

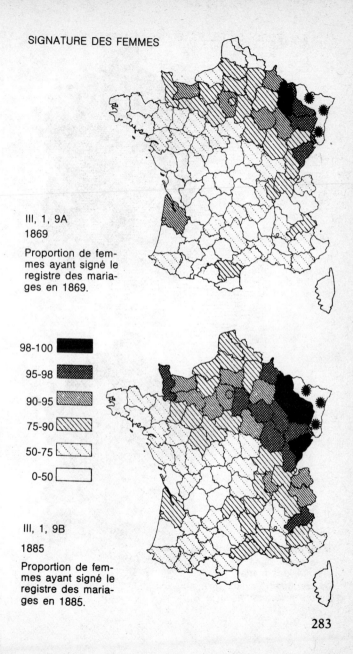

III, 1, 9A

1869

Proportion de femmes ayant signé le registre des mariages en 1869.

98-100
95-98
90-95
75-90
50-75
0-50

III, 1, 9B

1885

Proportion de femmes ayant signé le registre des mariages en 1885.

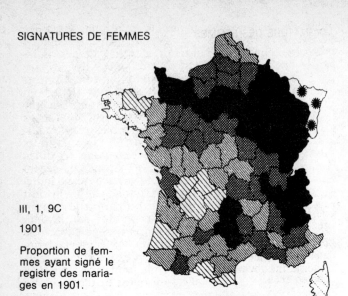

III, 1, 9C

1901

Proportion de femmes ayant signé le registre des mariages en 1901.

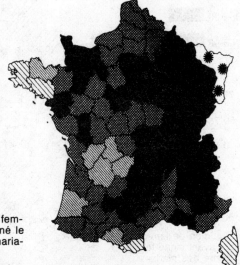

III, 1, 9D

1913

Proportion de femmes ayant signé le registre des mariages en 1913.

ment de masse réorganise les relations entre les parents et les enfants. On ne peut pas imaginer que puissent longtemps coexister deux systèmes différents, l'un pour les filles, l'autre pour les garçons, particulièrement dans l'enfance où les préférences pour une fille ou un garçon sont peu nettes en France. Phénomène global, l'alphabétisation n'a respecté ni les différences sociales, ni les différences familiales, ni les différences régionales. Des bourgeois, elle est allée aux paysans, des garçons aux filles, du nord au sud et à l'ouest. Pour les filles comme pour les garçons, Paris est un acteur secondaire de la propagation. L'éducation progresse lentement de département en département. Elle le doit certes aux efforts parisiens qui préparent le terrain en dégageant mille obstacles accumulés par la déjà longue tradition scolaire — apprentissage séparé de la lecture et de l'écriture, taille des plumes, latin, cinq formes d'écriture, formation des maîtres — mais la demande locale a seule permis la progression et la diffusion : mouvement d'est en ouest et d'est au sud comme pour les grandes invasions, mais mouvement lent. « Le labeur persistant des générations depuis un demi-siècle, l'action féconde des meilleures lois, l'habileté des ministres les plus compétents, les libéralités les plus extraordinaires des parlements ne nous ont pas permis de conquérir année par année plus d'un lettré sur cent conscrits », avoue Jules Ferry en 1880.

ROTATION CLÉRICALE

L'Eglise, qui avait joué un rôle essentiel dans le lancement de l'éducation de masse, est petit à petit écartée dans la seconde moitié du XIXᵉ siècle et supplantée par l'Etat. Elle se recroqueville alors sur ses bases comme le montrent les deux cartes suivantes. Sur la première, on observe un repli stratégique : l'Eglise abandonne l'enseignement des garçons pour se consacrer aux filles ; mais surtout, elle bouleverse son emprise territoriale, abandonnant ses positions au Nord et au Centre pour s'installer en force dans les zones dont elle contrôle encore bien la population, ces bastions religieux de l'Ouest et du Massif central. Ecartée du pouvoir central, l'Eglise s'installe anthropologiquement et met en concordance ses différents appareils, culte, enseignement et presse. La seconde carte illustre une des batailles perdues par l'Eglise durant sa retraite : celle du « lire » contre l'« écrire ». Les deux apprentissages ont été longtemps successifs. Pour certains, lire suffisait. En encourageant l'enseignement des « Béates » durant le XIXᵉ siècle, l'Eglise revigore cette ancienne pédagogie et obtient de courts succès dans les zones les plus arriérées qu'elle contrôle ; très vite l'enseignement moderne, qui triomphe partout ailleurs, balaie cette résistance d'un autre âge.

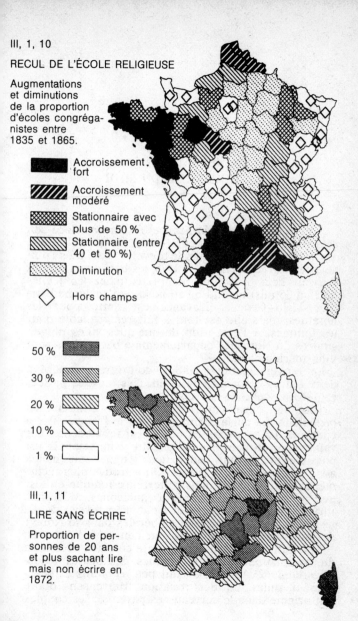

III, 1, 10

RECUL DE L'ÉCOLE RELIGIEUSE

Augmentations
et diminutions
de la proportion
d'écoles congréga-
nistes entre
1835 et 1865.

■ Accroissement.
fort

▨ Accroissement
modéré

▩ Stationnaire avec
plus de 50 %

▨ Stationnaire (entre
40 et 50 %)

▨ Diminution

◇ Hors champs

50 %
30 %
20 %
10 %
1 %

III, 1, 11

LIRE SANS ÉCRIRE

Proportion de per-
sonnes de 20 ans
et plus sachant lire
mais non écrire en
1872.

287

LA REVANCHE DU MIDI

A marches forcées, la France obscure a effacé son retard d'alphabétisation puis, emportée par l'élan, elle a pris de l'avance, conquis le brevet, le bac, puis l'université. Au recensement de 1975, les bacheliers étaient souvent deux fois plus nombreux (chez les jeunes de 25 à 35 ans) au sud qu'au nord de l'ancienne ligne Saint-Malo - Genève. L'avance est nette pour les hommes, mais elle est tout à fait remarquable pour les femmes. A l'exception de quelques villes universitaires du Nord, les départements à bachelières sont tous méridionaux.

Le renversement Nord-Sud doit être comparé à deux autres distributions : celle des langues parlées en 1863, et celle de la fécondité.

Tous les départements aujourd'hui généreux en bacheliers, ne parlaient pas ou peu le français il y a cent ans. La revanche culturelle est ici évidente. Les vaincus retournent les armes du vainqueur. Il est possible aussi que l'éducation longue soit mieux adaptée au sud de la France. On y trouve plus facilement des débouchés dans ce tertiaire ludique qui est une de ses spécialités les plus anciennes. Médecins, juristes, robins abondent et n'ont ni le niveau de vie ni l'emprise des professions libérales dans le Nord : ils sont nombreux car ils savent demeurer modestes.

Une autre carte très importante coïncide avec celle du baccalauréat féminin : celles des basses fécondités en 1962. Au sud, on fait peu d'enfants et beaucoup d'études. Cette corrélation trouve sans doute son origine dans le cerveau des parents : les couples

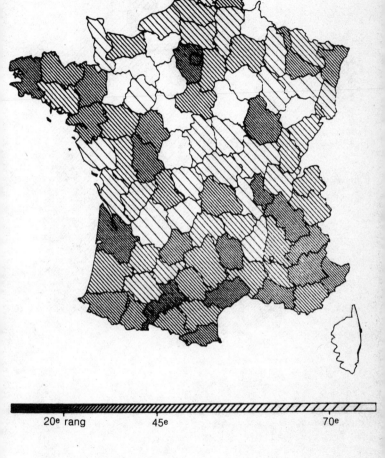

20e rang   45e   70e

Proportion de bacheliers parmi les hommes de 25 à 35 ans au recensement de 1975 (classement par rangs).

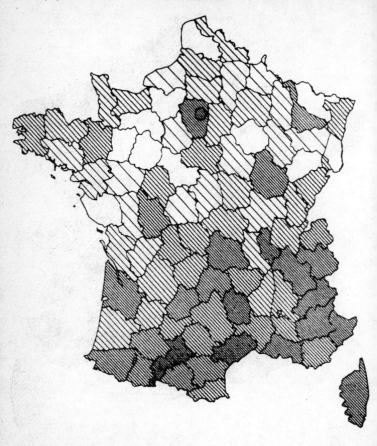

20e rang   45e   70e

Proportion de bachelières parmi les femmes de 25 à 35 ans au recensement de 1975 (classement par rangs).

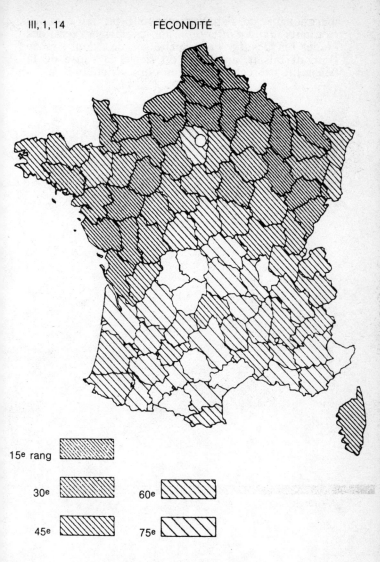

15e rang

30e   60e

45e   75e

Nombre moyen d'enfants en 1962
(classement par rangs)

méridionaux de l'après-guerre ont pu faire moins d'enfants *dans l'intention* de les diriger vers des études longues. La « capillarité sociale » dont Arsène Dumont faisait, au début du siècle, la cause de la dénatalité exercerait donc toujours ses effets.

LE SUICIDE

Durkheim revisited

A l'époque où Durkheim rédige son étude du suicide, l'éducation achève sa conquête et le suicide termine sa poussée. L'un et l'autre vont de pair, l'un et l'autre expriment l'éveil de l'individualisme. On s'affranchit des ténèbres de la tradition, on en périt parfois :

« En tant que le goût de l'instruction dénote un ébranlement des croyances communes, il doit d'une manière générale varier comme le suicide. »

La montée de l'individualisme entraîne le relâchement d'un triple lien, familial, religieux, politique ; l'individu livré à lui-même se laisse plus facilement glisser vers le « suicide égoïste » ou bien, perdant tout sentiment des limites morales et économiques de son activité, aboutit au « suicide anomique ».

Trente ans plus tard, Halbwachs croit au contraire à un « fait social total » et voit dans le suicide une conséquence inéluctable du genre de vie urbain en train de s'imposer :

« L'augmentation très forte du nombre des morts volontaires est un phénomène très général puisqu'il se rencontre partout où le même genre de vie, le même type de civilisation parvient à s'implanter. »

Le suicide n'est pas un accident, l'expression d'une transition douloureuse entre deux types de société, mais un *caractère fixe de la nouvelle société.*

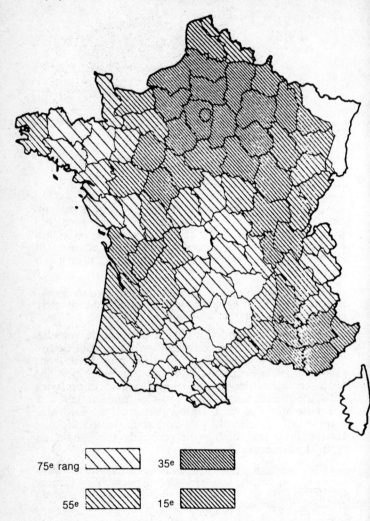

75e rang ▨   35e ▨

55e ▨   15e ▨

Taux (pour 100 000 habitants) de suicide 1875-1885 (échelle des rangs).

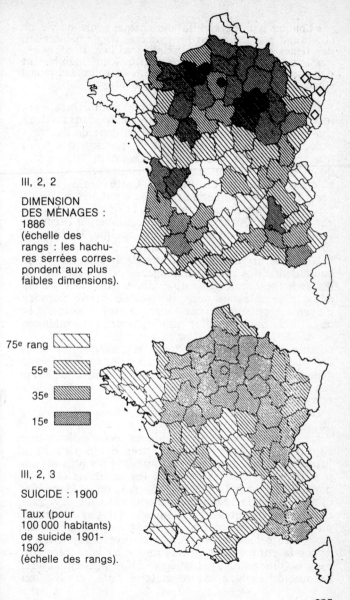

III, 2, 2

DIMENSION
DES MÉNAGES :
1886
(échelle des
rangs : les hachu-
res serrées corres-
pondent aux plus
faibles dimensions).

75e rang

55e

35e

15e

III, 2, 3

SUICIDE : 1900

Taux (pour
100 000 habitants)
de suicide 1901-
1902
(échelle des rangs).

« Chaque type de civilisation, chaque genre de vie ne comprend pas seulement les manières d'agir habituelles, des règles et comme une discipline sociale. Il comporte aussi des accidents, des irrégularités... qui manifestent d'une autre manière, mais non moins énergique, ni moins efficace, les tendances et l'état du milieu. »

Dérèglement de la civilisation pour Durkheim, inconvénient inévitable pour Halbwachs, dans les deux cas, le suicide est étroitement dépendant de l'anthropologie, celle de la famille et du partage des rôles masculins et féminins pour Durkheim, celle du genre de vie, donc du voisinage chez Halbwachs (qui cite souvent Vidal de La Blache). Cette anthropologie renvoie immanquablement les deux auteurs à l'étude des variations du suicide dans l'espace, donc à la cartographie. Durkheim tire ses craintes de l'accroissement des taux de suicide à son époque, Halbwachs se rassure en les voyant se stabiliser.

L'un des arguments centraux de Durkheim est la coïncidence des zones suicidogènes et des régions où les ménages sont de faible dimension. Les cartes départementales du taux de suicide et du nombre moyen de personnes par ménages, reproduites à la page 294 ont en effet une grande ressemblance en 1880. La troisième carte est celle des taux de suicide trente ans plus tard. Halbwachs l'a utilisée pour démontrer l'homogénéisation que réalise le genre de vie moderne. Le suicide se consolide dans ses zones de force et s'étend à des régions jusqu'alors réfractaires.

Durkheim et Halbwachs auraient-ils prévu l'état du suicide en 1975 ?

La carte des taux de suicide en 1975 indique une rupture totale avec l'évolution précédente. Des zones jusqu'alors indemnes sont maintenant les plus atteintes (Bretagne) et les bastions traditionnels ont disparu. Finie la belle époque du suicide à Marseille, dans l'Est et la région parisienne qui sont devenues des zones tranquilles. Le suicide est passé comme une vague ; il a marqué la rupture entre le monde clos d'autrefois et le monde ouvert d'aujourd'hui. Après la rupture, les genres de vie se sont reconstitués et l'individu s'est intégré d'une autre manière. Le suicide s'efface car le malaise de la civilisation

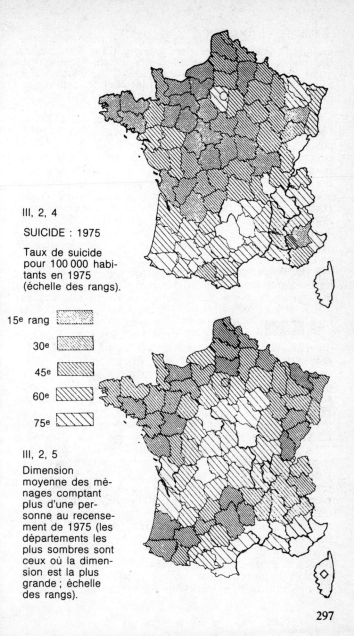

III, 2, 4

SUICIDE : 1975

Taux de suicide pour 100 000 habitants en 1975 (échelle des rangs).

15e rang

30e

45e

60e

75e

III, 2, 5

Dimension moyenne des ménages comptant plus d'une personne au recensement de 1975 (les départements les plus sombres sont ceux où la dimension est la plus grande ; échelle des rangs).

297

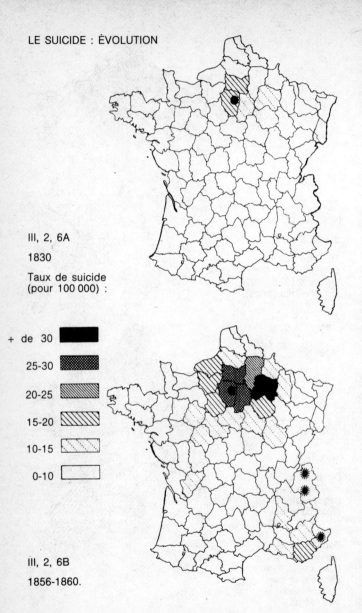

LE SUICIDE : ÉVOLUTION

III, 2, 6A

1830

Taux de suicide
(pour 100 000) :

+ de 30

25-30

20-25

15-20

10-15

0-10

III, 2, 6B

1856-1860.

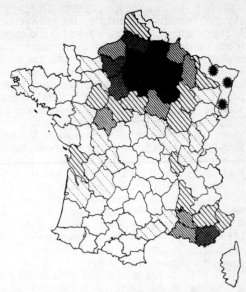

III, 2, 6C
1885.

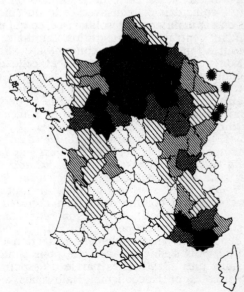

III, 2, 6D
1910.

s'achève. Halbwachs a eu le tort d'adopter une conception fixiste des régions et de trop croire aux faits sociaux totaux : « Ces ensembles complexes de facteurs et de circonstances qui peuvent constituer des régions, des régions définies non pas du point de vue géographique, mais comme des zones de civilisation... » Lorsqu'on envisage les suicides dans une région (définie comme nous venons de le dire), quand on retient tout le milieu où ils apparaissent, on est assuré en tout cas de ne laisser échapper aucune des circonstances qui peuvent les expliquer. Conception tout à fait anthropologique, mais malheureusement doublement en défaut. D'abord le suicide à ses débuts n'est pas une pièce solidaire du reste ; il suit simplement le champ anthropologique, il en épouse le milieu qui le freine ou l'accélère, mais il n'a pas encore atteint ses bases définitives. Seconde faute, emprunter un « préstructuralisme » qui postule l'existence de mystérieux « systèmes » organisés et refuser la superposition de phénomènes plus ou moins désarticulés les uns par rapport aux autres.

En 1975, il est tout aussi difficile de donner raison à Durkheim. La carte de la dimension des ménages qui coïncidait si bien avec celle du suicide en 1880 s'en est maintenant désolidarisée, ce qui écarte l'argument central de l'intégration familiale. Cette carte tout à fait remarquable combine à égalité la répartition des familles nombreuses et celle des ménages complexes. Les premières apparaissent sur le pourtour nord de la France, de la Bretagne à l'Alsace, les autres surnagent au sud, là où la fécondité n'est pas encore trop faible. L'ensemble en tout cas n'a rien à voir avec la carte du suicide actuel.

Il faut alors reprendre l'idée d'un dérèglement temporaire de la société. *Ce n'est pas la répartition du suicide à un instant donné qui doit être associée à celle de la famille de la religion ou des votes politiques, mais son mouvement*. Il faut analyser sa propagation comme celle d'un nouveau phénomène qui, petit à petit, trouve son sens dans la texture sociale et anthropologique. Simple nouveauté au début, trouvant rapidement le terrain de la modernité, puis s'effaçant avec elle pour s'infiltrer en terrains plus sûrs balisés par le désespoir des salariés agricoles et l'alcoolisme. Halbwachs a eu tort de croire que ce mouvement anthropologisant était sur le point de s'achever et se confondait avec le passage de la vie rurale à la vie urbaine. La trajectoire du suicide dans l'espace français n'accompagne aucune trajectoire économique ou sociale. Son départ et son arrivée peuvent être analysés en termes anthropologiques ainsi que son parcours qu'illustre la série de cartes suivantes.

Pendant tout le XIXe siècle et le début du XXe, le suicide s'accroît régulièrement. Les quatre premières cartes font penser à des rochers qui affleurent l'eau (en 1830), puis s'élèvent progressivement à mesure que la marée reflue. Le suicide respecte le milieu dans lequel il se développe et le sature lentement. La carte des taux de suicide rangés par rang que Guerry publie en 1830 est tout à fait comparable à celle que publie Halbwachs en 1930. On assiste seulement à une forte augmentation des taux de suicide jusqu'en 1890, puis à un plafonnement accompagné d'une homogénéisation. Nulle épidémie jusque-là, nulle modification de la répartition relative. Durkheim peut balayer sans hésitation toute idée de propagation et d'imitation. La stabilité des distributions prouve l'existence d'un terrain particulier, responsable à lui seul du suicide. Durkheim est péremptoire contre Tarde et les « lois de l'imitation ». Il reconnaît que le suicide est assez contagieux, mais, « de ce que le suicide peut à priori se communiquer d'individu à individu, il ne suit pas à priori que cette contagiosité produise des effets sociaux ». Seul moyen de trancher, « c'est la carte qu'il faut consulter ». S'il y a contagion, le centre de l'épidémie devrait être le plus touché, puis de proche en proche l'atteinte s'affaiblirait. Comme Tarde, Durkheim ne conçoit l'imitation que de haut en bas ; c'est l'inférieur qui mime le supérieur, « avant tout, il ne saurait y avoir imitation que s'il existe un modèle à imiter ; il n'y a pas contagion sans un foyer d'où elle émane et où elle a par la suite son maximum d'intensité ». Or, à l'époque de Durkheim, Paris a été doublé par les départements situés plus à l'est et l'épicentre du suicide se trouve dans la Marne. Ce ne peut être le foyer, donc il n'y a pas imitation. L'allure concentrique du phénomène tient uniquement au terrain :

« Certains auteurs ont cru pouvoir faire intervenir l'imitation toutes les fois que deux ou plusieurs départements limitrophes manifestent un penchant de même intensité pour le suicide. Cependant, cette diffusion à l'intérieur d'une même région peut très bien tenir à ce que certaines causes favorables au développement du suicide y sont, elles aussi, également répandues, à ce que le milieu social y est partout le même. »

Ce milieu social, d'où vient-il ? Durkheim ignore le mouvement qui le fabrique et incessamment le modifie, mouvement dont l'évolution du suicide après 1900 donne une belle illustration.

Les cartes de 1934 à 1975 rompent en effet la série. Dès 1934, les pôles anciens de la région parisienne et de la Marne s'effondrent tandis que le suicide augmente à la périphérie ouest, de la Somme au Loiret. Double mouvement d'éclatement à partir des centres et déplacement vers l'ouest. En 1954, l'affaiblissement général des taux de suicide n'arrête pas cette évolution et la zone provençale s'efface à son tour. En 1975, on paraît approcher la fin de l'explosion. Tout l'Est est maintenant dégagé, les zones à forte suicidité se situent désormais en Bretagne et dans le Centre-Ouest. Alors qu'au XIXe siècle les suicides étaient fréquents dans les pays riches, instruits, ouverts, industriels, il est maintenant répandu dans des régions agricoles, pauvres et bocagères. Alors que Durkheim en mettait la distribution en coïncidence avec celle des rentiers et de la faible densité familiale, et des divorces, les suicides se produisent maintenant dans des zones sans rentiers, à forte densité familiale et où les divorces sont rares. Voilà le destin de la modernité.

Chaque moment peut être décrit avec précision : l'apparition du phénomène, sa propagation, sa fixation éventuelle.

L'apparition d'abord ; la carte du suicide en 1830 et ce que nous savons du Paris révolutionnaire indiquent l'origine vraisemblable de l'épidémie. Invention, choc psychanalytique, les racines et les causes ne se situent certainement pas dans un terrain anthropologique ou social précis. Le suicide existait auparavant — Vatel ou ceux que ruine la banqueroute de Law —, mais c'est avec la Révolution qu'il

SUICIDE : ÉVOLUTION

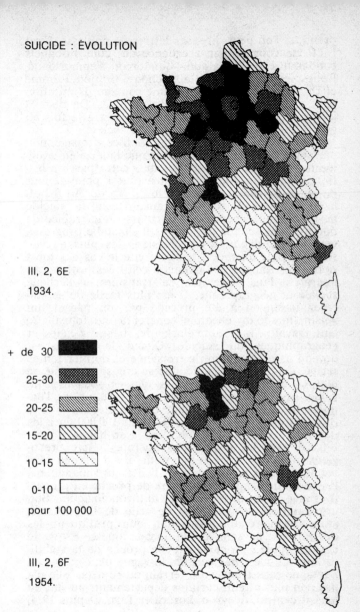

III, 2, 6E
1934.

+ de 30
25-30
20-25
15-20
10-15
0-10

pour 100 000

III, 2, 6F
1954.

prend, si l'on peut dire, ses lettres de noblesse. C'est l'acte de courage par excellence des conventionnels condamnés à l'échafaud. Condorcet s'empoisonne, Robespierre se fracture la mâchoire, Goujon, Romme et Duquesnoy se tuent du même couteau. L'imitation peut prendre appui sur de tels exemples. On tient là le foyer que cherchait Durkheim ; il est à la fois au centre du pays et au sommet de la société.

Dans un second temps, l'imitation se propage, non par copie irréfléchie, mais parce que l'idée a été éveillée dans beaucoup d'esprits par « cette paresse instinctive d'où naît le penchant à imiter pour s'éviter la peine d'inventer », comme le dit Tarde. Au début, la propagation ne rencontre aucun frein. Le suicide ne se répand cependant pas comme une traînée de poudre dans tout le pays, mais il s'installe progressivement. Au début, les professions les plus en vue sont les plus touchées. Morselli cite le cas des fonctionnaires italiens et Durkheim celui des professions libérales. Puis l'exemple se transmet à l'échelle sociale et géographique. Il est plus facile de se suicider lorsqu'on a été précédé par un parent, un voisin, lorsqu'un exemple concret a été fourni. Ce lent travail d'imitation élargit les bases sociales et géographiques du suicide. Quand le suicide est devenu assez commun, le troisième et dernier temps arrive. Le centre de l'épidémie se creuse et en même temps l'atteinte des diverses classes sociales s'inverse. Entre 1955 et 1965, selon les résultats de l'enquête Desplanques, le suicide est maintenant le plus fréquent au bas de l'échelle (89 pour 100 000 chez les ouvriers agricoles) et le plus faible en haut (13 pour 100 000 dans les professions libérales). Acte prestigieux au début, geste romantique, il est devenu plus banal et moins séduisant pour l'élite qui l'abandonne. En continuant à se transmettre de proche en proche, il gagne son ultime base anthropologique. Son implantation se rapproche de celle de l'alcoolisme, autre forme d'autodestruction que pratiquent les ouvriers et paysans de la façade ouest. Est-ce le dernier stade ? La carte est-elle proche de la stabilisation ? Ce n'est pas certain, la vague peut passer en Bretagne sans trouver un terrain où se fixer. Elle n'a pas non plus atteint certains départements au sud du Massif central, Aveyron, Lozère et Tarn. Depuis 1934, on voit d'ailleurs se constituer une ligne de résistance passant par la Creuse, l'Allier, la Loire et le Rhône. Le terrain anthropologique change à peu près à ce niveau comme l'étude des familles l'a montré. Les structures familiales et politiques paraissent enrayer la progression du désespoir. Le suicide ne pénètre pas non plus au sud de l'embouchure de la Loire. Avec les montagnes centrales, il s'agit de l'une des zones immobiles. Les exemples de suicide n'y ricochent plus ou très rarement. Géographie bloquée non sans ressemblances avec celle qui maintient inchangées les variations régionales du suicide dans le reste de l'Europe.

La fin de cette évolution redonne un peu raison à Durkheim et Halbwachs. La perte des liens sociaux qui caractérisait les bourgeois libéraux, les rentiers et les citadins à la fin du XIXe siècle est ressentie de nos jours dans les campagnes. La vie urbaine s'est réorganisée selon d'autres modes de relations, et en les transmettant aux campagnes, elle a défait les liens traditionnels. Les ouvriers agricoles sont certainement moins intégrés aujourd'hui et les bourgeois libéraux plus. L'homogénéisation a fait de lents progrès, mais en même temps, les zones anthropologiques dont l'influence n'était pas perceptible au départ, ont maintenant capté le phénomène, soit par leur résistance comme au sud du Massif central, soit par leur adhésion comme en Bretagne. De la même manière que le parti communiste et la religion catholique se sont modifiées pour entrer dans leurs bases anthropologiques, le suicide a aussi beaucoup changé depuis son départ révolutionnaire.

LE CONTRÔLE DES NAISSANCES

Le contrôle des naissances est un élément essentiel de la modernité. Pratiqué massivement en France dès l'époque révolutionnaire, il est découvert par le reste de l'Europe avec un siècle de retard, à partir de 1880. Mais s'agit-il vraiment d'une nouveauté et d'un simple phénomène de modernité, associé au développement des Lumières et de l'alphabétisation ? On peut poser la question : la France n'est pas, en 1789, le plus avancé des pays d'Europe. Elle est en retard sur l'Angleterre du point de vue économique, sur la Prusse et la Scandinavie dans le domaine de l'alphabétisation. Pourtant, c'est la France qui applique la contraception à la fin du XVIIIe siècle. Et parce qu'elle découvre, simultanément, les droits de l'homme et la République, il est naturel d'associer dans un même mouvement historique révolution politique et révolution dans le domaine des mœurs. Dans le temps, les deux phénomènes sont liés, dans l'espace également.

Au milieu des années 60 du XXe siècle, on peut encore observer en France une coïncidence assez remarquable entre vote politique de gauche et basse fécondité des couples. La carte du vote Mitterrand en 1965, et celle des indices de fécondité les plus faibles en 1975, sont très proches. Les vieilles régions républicaines et antigaullistes ont une attitude réservée vis-à-vis de la procréation.

En 1974 cependant, cette image nette se brouille : Mitterrand reconquiert pour la gauche, après le départ du général de Gaulle, les vieilles régions socialistes du Nord, entre Amiens et Lille. Or, cette

III, 3, 1

**MITTERRAND
MAJORITAIRE EN 1965**

Départements ayant donné la
majorité de leurs suffrages à
Mitterrand aux élections présidentielles de 1965 (en noir).

III, 3, 2

DÉNATALITÉ 1975

33 départements où la fécondité
est la plus faible en 1975 (en
noir).

III, 3, 3

**MITTERRAND
MAJORITAIRE EN 1975**

Départements ayant donné la
majorité de leurs suffrages à
Mitterrand aux élections présidentielles de 1974 (en noir).

partie du pays a un taux de natalité élevé, proche de celui de la vaste zone conservatrice qui l'environne. La relation entre gauche et basse fécondité s'affaiblit, mais ne disparaît pas à l'échelle de la France.

Il n'y a pas entre contrôle des naissances et attitudes politiques une relation directe et immuable. Les coïncidences, fréquentes mais à éclipses, viennent de ce que politique et fécondité sont également déterminées par un substrat anthropologique. Mais si la famille communautaire produit toujours du vote à gauche, elle n'engendre pas immanquablement des taux de natalité faibles.

L'enthousiasme relatif d'une population à se reproduire est un paramètre anthropologique fondamental mais complexe. La décision de procréer, ou de ne pas procréer, met en jeu tous les éléments du système de parenté : simultanément agissent les modèles de relations entre parents et enfants, entre hommes et femmes. L'usage de la pilule, du coït interrompu, ou de toute autre technique de prévention des naissances, définit à la fois un rapport à l'enfance et une relation entre mari et femme. Le résultat est multiple et changeant. Les zones anthropologiques définies par cet ensemble de facteurs, convergents ou conflictuels, correspondent à une pulvérisation absolue de l'ensemble français. Et la fécondité ne peut être rattachée absolument à aucun phénomène social.

Si la relation entre basse fécondité et vote de gauche est imparfaite et instable, le rapport entre contrôle des naissances et progrès de l'alphabétisation est inexistant. Deux régions sont remarquables, au XVIIIe siècle, pour une pratique précoce et étendue du contrôle des naissances : la Normandie et l'Aquitaine. La première est l'une des plus avancées du pays sur le plan culturel, la deuxième l'une des plus arriérées. La contraception démarre simultanément dans la France obscure et dans celle des Lumières.

L'étude historique du développement du contrôle des naissances fait apparaître une succession de coïncidences frappantes plutôt qu'une structure immuable. Parfois la natalité est en phase avec l'idéologie : tel ou tel mouvement de l'indice de fécondité — à la baisse ou à la hausse — peut être fermement associé à l'existence, à l'apparition ou au renforcement d'un système doctrinal particulier — de gauche ou de droite, communiste ou catholique. Mais cinquante ans plus tôt, cette coïncidence n'existait pas et cinquante ans plus tard, elle aura disparu. La fécondité et la politique jouent sur un même clavier anthropologique : mais elles sont, successivement, en accord et en désaccord.

CATHOLICISME ET MALTHUSIANISME :
UNE AFFECTION CACHÉE

La France d'Ancien Régime double sa découverte de la contraception par une autre régulation du taux de natalité, plus inconsciente mais non moins réelle que la pilule ou l'avortement. La technique de base du contrôle de la fécondité, avant la contraception moderne, c'est l'abstinence, difficile à réaliser dans le mariage mais concevable si l'on empêche ou retarde l'union des conjoints.

Un âge au mariage élevé, un taux de célibat important, diminuent le nombre des femmes en situation de procréer. Dans une société vertueuse, seule l'institution matrimoniale autorise les rapports sexuels. Dans un tel contexte, les obstacles au mariage produisent de l'abstinence sexuelle, de la contrainte morale aurait dit Malthus, encourageant ces techniques comme des freins efficaces à une croissance exagérée de la population.

En combinant âge au mariage et taux de célibat, on peut obtenir, pour les diverses provinces de France, la proportion de femmes non mariées vers 1830, et donc officiellement écartées des risques de copulation et de procréation. Cette carte de l'abstinence est connue : c'est, en gros, celle du catholicisme au XXe siècle. L'Eglise, qui abhorre en théorie le malthusianisme, semble en pratique collée aux zones anthropologiques appliquant avec le plus d'entrain les recettes de Malthus.

Ce que ne tolère pas l'Eglise, c'est l'apparition de méthodes plus sophistiquées de régulation de la fécondité, qui préviennent la procréation sans empêcher l'activité sexuelle. Malthus était en parfait

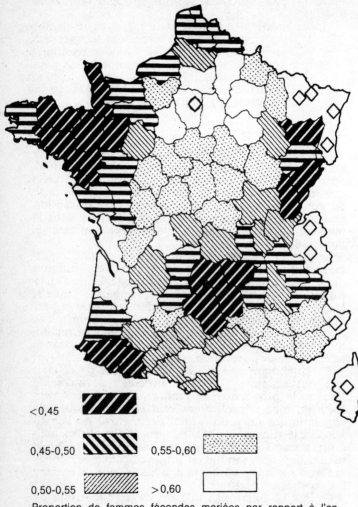

accord avec elle sur ce point : il admettait la capacité du « *vice* » à bloquer l'expansion de la population, mais le réprouvait absolument pour des raisons éthiques.

Cette façon « catholique » de modérer le nombre des naissances, peu visible et largement inconsciente, est aujourd'hui utilisée par la Chine communiste dans son effort pour enrayer la croissance de sa population. En Chine populaire, comme dans les bastions de la France catholique du XIXe siècle, l'âge au mariage est élevé et le célibat fréquent.

L'ENFER SUR TERRE :
FÉCONDITÉ ET MORTALITÉ

La vision malthusienne de l'existence n'est pas plus optimiste que celle du catholicisme. Malthus s'intéresse peu au paradis après la mort, mais il décrit avec précision l'enfer sur terre, tel qu'il se présente au début du XIXᵉ siècle. Selon lui, la quantité de subsistances disponibles définit une limite que ne peut dépasser la population. Tout excédent de naissances doit produire un excédent de décès, correction nécessaire à la stabilité du système. Ce splendide modèle, écologique avant la lettre, tout en équilibres naturels, très peu perturbé par la technologie, n'a rien de réjouissant. Un coup d'œil aux cartes de fécondité et de mortalité dans la France du début du XIXᵉ siècle montre qu'il fonctionne.

Les régions de basse fécondité — Normandie et Sud-Ouest — sont aussi celles de basse mortalité. Les régions de haute fécondité — Centre et Bretagne — sont celles de haute mortalité. La démographie d'Ancien Régime fait de l'homme un animal, pris dans un piège naturel. Le contrôle des naissances est la porte de sortie à cet enfermement écologique.

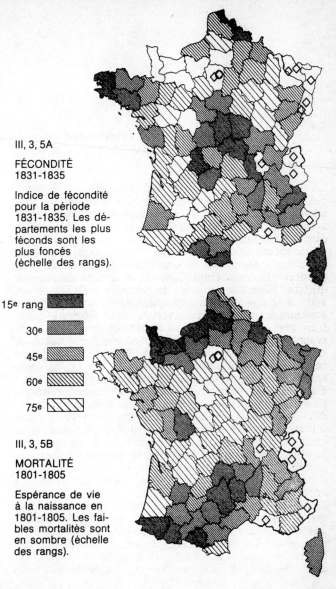

III, 3, 5A

FÉCONDITÉ
1831-1835

Indice de fécondité
pour la période
1831-1835. Les dé-
partements les plus
féconds sont les
plus foncés
(échelle des rangs).

15e rang
30e
45e
60e
75e

III, 3, 5B

MORTALITÉ
1801-1805

Espérance de vie
à la naissance en
1801-1805. Les fai-
bles mortalités sont
en sombre (échelle
des rangs).

Fécondité : le film des événements

L'ensemble de la France a finalement échappé au piège malthusien. Le développement du contrôle des naissances fut, dans ce processus libérateur, largement aussi important que la croissance de la production industrielle ou agricole.

Les provinces ont dû, pour cela, découvrir, les unes après les autres, les moyens idoines de contraception. Dans les conditions de mortalité déclinante du XIXe siècle, les vieilles techniques catholiques et malthusiennes de prévention des naissances — jamais absolument efficaces aux XVIIe et XVIIIe siècles — sont franchement insuffisantes. Les XIXe et XXe siècles sont pour la France une époque de baisse de la natalité, dont l'histoire est cependant difficile à saisir parce qu'elle ne fut homogène ni dans le temps, ni dans l'espace. Certaines régions sont plus précoces que d'autres. Les provinces évoluent selon des rythmes plus ou moins violents. Pire, la tendance générale au déclin des deux derniers siècles est enrayée, à deux reprises, par des remontées du taux de natalité, sous le Second Empire et au lendemain de la seconde guerre mondiale. Pas plus que la décrue biséculaire, ces remontées ne se produisent n'importe où : certaines régions seulement sont affectées. Toujours l'évolution de la fécondité — à la hausse comme à la baisse — est guidée par des structures anthropologiques latentes. Histoire complexe mais fondamentale dans la mesure où elle démontre que certains phénomènes idéologiques récents comme le catholicisme, le communisme ou même le gaullisme, coïncident avec des mutations anthropologiques. Jamais la politique ne se contente de flotter dans l'éther rationnel des espaces économiques et techniques. Toujours les revirements idéologiques sont orientés par des mouvements incontrôlés, parce qu'inconscients, se produisant dans la sphère anthropologique.

Cette histoire démographique et idéologique de la France a un point de départ, deux temps forts, et un point d'arrivée provisoire.

Point de départ : la première moitié du XIXe siècle, durant laquelle l'évolution de la fécondité est sans rapport avec celle de la politique.

Premier temps fort : entre 1850 et 1914, idéologie et démographie se mettent en phase. Le catholicisme réactionnaire et le socialisme révolutionnaire coïncident, géographiquement, avec des mouvements spécifiques de la fécondité.

Deuxième temps fort : au lendemain de la seconde guerre mondiale, le système démographique se dégage des alignements politiques traditionnels mais s'adapte, un instant, à la carte du gaullisme.

Point d'arrivée, provisoire : aujourd'hui. Sans que les écarts entre régions diminuent le moins du monde, l'effondrement de la fécondité produit un réajustement général, peut-être annonciateur d'une réorganisation de la carte politique de la France. En effet, les mutations démographiques semblent *précéder* plutôt que suivre les changements politiques. L'examen des courbes de fécondité pourrait donc avoir une certaine valeur prédictive.

1861 : LA DÉROUTE DU RATIONALISME

En 1861, au terme de près d'un siècle de diffusion du contrôle des naissances, la carte de la fécondité ne rappelle aucune structure connue, économique, culturelle ou religieuse. Trois pôles contracepteurs sont visibles, dont deux très forts, l'Aquitaine et la Normandie, et un moins net, au sud de la Champagne.

Deux de ces points de départ sont situés au nord de la ligne Saint-Malo - Genève, qui sépare la France éclairée de la France obscure. Le troisième est loin au sud de la ligne.

Seul le pôle champenois, secondaire, appartient à une zone de déchristianisation précoce et massive. La Normandie et l'Aquitaine, provinces pionnières dans le domaine du contrôle des naissances, sont alors considérées comme normalement religieuses.

La détermination de ces tourbillons locaux relève des champs anthropologiques. Elle échappe radicalement aux sphères politique, économique, idéologique. La caractéristique commune des trois pôles est de se situer dans des régions de friction : contact anthropologique dans le cas de la Normandie et de l'Aquitaine, contact culturel dans le cas de la Champagne.

En Normandie se rencontrent les modèles celte et germanique de rapports entre hommes et femmes ; en Aquitaine se croisent les types basque et occitan. En Champagne se rejoignent la sphère linguistique parisienne, qui parle français, et la sphère d'alphabétisation germanique, qui progresse d'est en ouest.

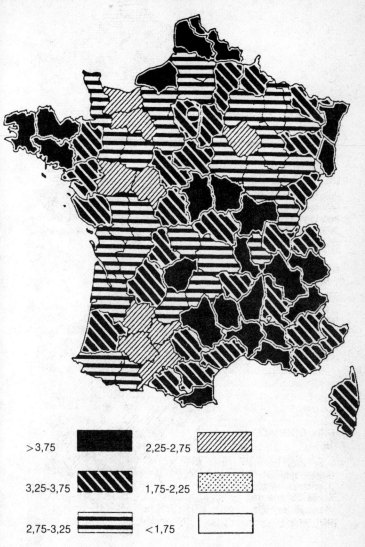

>3,75	████	2,25-2,75	▨▨
3,25-3,75	▨▨	1,75-2,25	░░
2,75-3,25	▤▤	<1,75	☐

Nombre moyen d'enfants par femme en 1861.

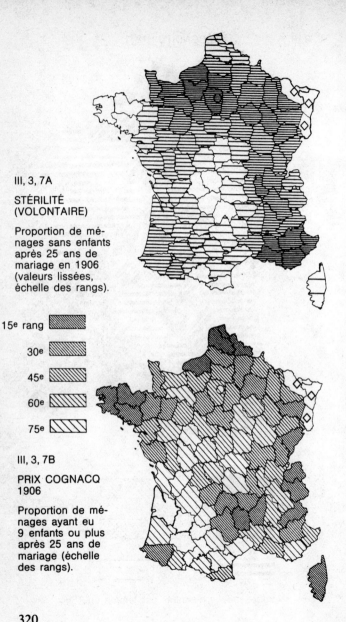

III, 3, 7A

STÉRILITÉ
(VOLONTAIRE)

Proportion de ménages sans enfants
après 25 ans de
mariage en 1906
(valeurs lissées,
échelle des rangs).

15e rang

30e

45e

60e

75e

III, 3, 7B

PRIX COGNACQ
1906

Proportion de ménages ayant eu
9 enfants ou plus
après 25 ans de
mariage (échelle
des rangs).

320

Les types de contraception pratiqués dans les deux bastions les plus nets, Normandie et Aquitaine, sont cependant distincts.

En Aquitaine, on a peu d'enfants mais on en a toujours au moins un ou deux. Les familles très nombreuses, de neuf enfants ou plus, sont extrêmement rares. Dans le Sud-Ouest, le style du contrôle des naissances donne l'impression qu'un certain équilibre existentiel a été atteint, que la nature est soumise aux désirs, modérés, de l'individu.

La contraception normande est d'un autre type : elle contient une charge névrotique certaine. Souvent les couples bas-normands n'ont aucun enfant : refus de procréer plutôt que désir d'harmoniser l'existence. On sent là une tentative pour empêcher la succession normale des générations. De plus, le nombre des familles très nombreuses, de plus de neuf enfants, n'est pas en Normandie insignifiant comme en Aquitaine. La variabilité des comportements individuels est plus forte entre Rouen, Caen et Alençon, qu'entre Agen, Bordeaux et Toulouse. Mesurée dans le domaine politique, la Normandie est volontiers extrémiste dans ses comportements démographiques.

L'HEURE DES IDÉOLOGIES

A la fin du XIXᵉ siècle, la carte de la fécondité ressemble enfin à une structure idéologique connue. La répartition nationale du catholicisme apparaît : la Bretagne, le sud du Massif central, les Alpes, l'Est et le Pays basque sont au rendez-vous. Le Nord également, seule région de France où se superposent le catholicisme et une tradition de gauche.

Catholicisme : l'histoire démographique à l'envers

L'hostilité officielle de l'Eglise au contrôle des naissances (par opposition à la chasteté malthusienne) l'emporte provisoirement, entre 1850 et 1870, dans certaines régions, sur les tendances historiques dominantes. En certains endroits, le catholicisme réussit même à inverser le sens de l'histoire. Sous le Second Empire, la *fécondité remonte* dans des provinces situées aux quatre coins de la France, mais dont la plupart sont en fait les grandes régions d'implantation catholique. Une seule exception, le Limousin, qui sera communiste, mais où la production d'enfants remonte notablement. Dans le reste du pays, c'est-à-dire dans les régions de déchristianisation, la chute de fécondité se poursuit, se généralise.

L'anthropologie saisie par l'Eglise

Jusque vers 1850, les divers pays de France évoluent indépendamment les uns des autres sur le plan

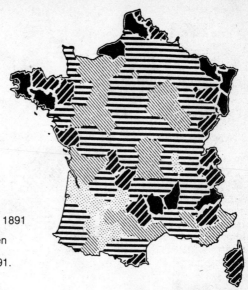

III, 3, 8A

FÉCONDITÉ : 1891

Nombre moyen
d'enfants par
femme en 1891.

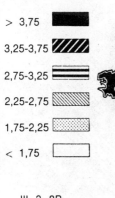

> 3,75

3,25-3,75

2,75-3,25

2,25-2,75

1,75-2,25

< 1,75

III, 3, 8B

FÉCONDITÉ : 1911

Nombre moyen
d'enfants par
femme en 1911.

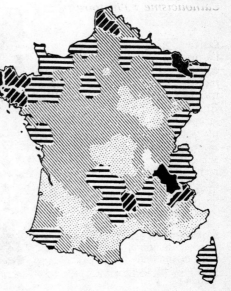

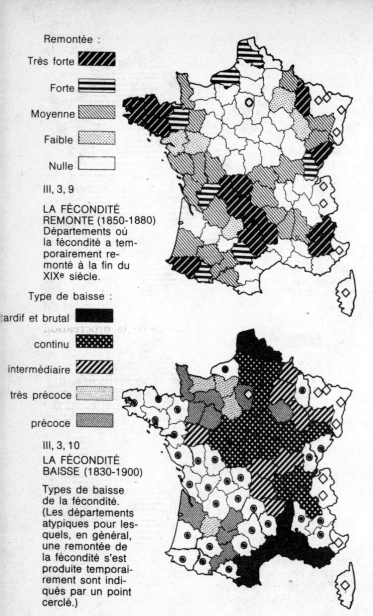

Remontée :

Très forte

Forte

Moyenne

Faible

Nulle

III, 3, 9

LA FÉCONDITÉ
REMONTE (1850-1880)
Départements où
la fécondité a tem-
porairement re-
monté à la fin du
XIXe siècle.

Type de baisse :

tardif et brutal

continu

intermédiaire

très précoce

précoce

III, 3, 10

LA FÉCONDITÉ
BAISSE (1830-1900)

Types de baisse
de la fécondité.
(Les départements
atypiques pour les-
quels, en général,
une remontée de
la fécondité s'est
produite temporai-
rement sont indi-
qués par un point
cerclé.)

démographique. Il y a des rythmes normand, breton, limougeot, aquitain, champenois, savoyard de la fécondité. A partir du milieu du siècle se produisent, simultanément, une coupure en deux de la France et une mise en phase démographique des provinces, à *l'intérieur de chacun des deux blocs*. D'un seul mouvement, la France se divise et s'organise. Avant 1850, la nation est un magma anthropologique, sans conflits d'attitudes violents, mais sans structure globale ; elle est un système anthropologique non polarisé. Paradoxalement, la cassure qui intervient sous le Second Empire donne à l'Hexagone dans son ensemble, pour la première fois de son histoire, une organisation anthropologique claire parce que dualiste. En Bretagne, en Rouergue, en Savoie on se met à appliquer les mêmes préceptes, on développe des habitudes communes. L'idéologie n'est pas toute-puissante. Elle s'adapte à des terrains favorables, proches au départ les uns des autres, mais elle affine et précise leur ressemblance. Les structures familiales bretonnes, basques, savoyardes, rouergates et alsaciennes avaient vers 1800, et vraisemblablement vers 1700, des points communs. Entre 1850 et 1900, on commence d'avoir, dans le domaine de la sexualité et de la procréation des attitudes communes. Des systèmes anthropologiques sans rapports les uns avec les autres, vivant en des lieux éloignés, selon des rythmes différents se rejoignent dans un temps national et historique unique. L'inversion du mouvement historique encouragé par le catholicisme débouche, de façon curieuse, sur un progrès incontestable de l'unité française, ou en tout cas, de l'unité d'une moitié de la France.

Communisme : l'accélération de l'histoire (démographique)

Il est de plus en plus évident que le communisme n'a pas véritablement réussi dans son effort pour transformer les pays sous-développés où il a triomphé en nations modernes, maîtrisant les techniques industrielles de pointe. Cette idéologie ne correspond pas, sur le plan de la performance économique, à une accélération de l'histoire.

Sur le plan de l'anthropologie et des mentalités, les

choses se présentent différemment. Le communisme prolifère sur les systèmes familiaux communautaires en décomposition. Mais ces régions de nécrose anthropologique ont une démographie d'un type particulier : en France, le Limousin et le Centre, la façade méditerranéenne, le Nord, ont une affinité très nette du point de vue de l'évolution de leur fécondité : une *chute tardive mais brutale* s'amorça vers 1880 seulement, faisant réellement l'effet d'une accélération historique, qui n'est pas économique mais mentale. On peut simplement se demander si cette accélération spectaculaire n'a pas finalement débouché sur un dérapage, à l'orée du XXe siècle.

DE GAULLE ET LE RETOUR
À L'ANTHROPOLOGIE DURE

Au contraire de la politique, la fécondité est toujours en mouvement.

A partir de 1880, le jeu des partis se fige en un clivage gauche-droite ; l'indice de fécondité continue, lui, d'évoluer. Il reprend partout son mouvement de baisse dans les régions catholiques, qui cessent finalement de naviguer à contre-courant ; dans les zones de contraception précoce, qui n'évoluent plus que lentement ; dans les provinces attardées, où le déclin s'exaspère et où la désintégration des structures familiales (dont la chute du nombre d'enfants fait partie) mène au communisme.

Au XXᵉ siècle, le changement continue. De nouveau l'image se brouille, les cartes sont redistribuées. La photographie du catholicisme cesse d'apparaître, à l'arrière-plan des cartes de fécondité. Une autre image, connue, plus ancienne, se manifeste après la remontée de natalité qui suit la seconde guerre mondiale.

En 1954 émerge une très simple opposition nord-sud. Au septentrion, les enfants sont nombreux. Au midi, les traditions contraceptives se maintiennent. Mais les bastions catholiques d'Alsace et de Bretagne se dissocient de l'ensemble nordique et se rangent désormais, oh ! surprise — parmis les régions de basse fécondité. Le sud du Massif central, le Pays basque, la Savoie, également catholiques, les accompagnent et se fondent par conséquent dans leur environnement occitan. Une fois n'est pas coutume.

Que s'est-il passé ? La remontée de la natalité des années 1940-1954 (qui se poursuit jusque vers 1965)

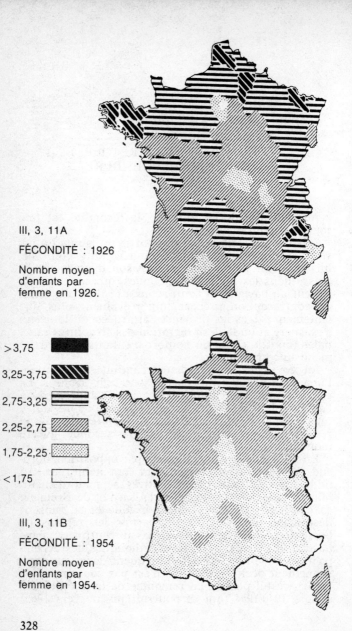

III, 3, 11A

FÉCONDITÉ : 1926

Nombre moyen
d'enfants par
femme en 1926.

> 3,75
3,25-3,75
2,75-3,25
2,25-2,75
1,75-2,25
< 1,75

III, 3, 11B

FÉCONDITÉ : 1954

Nombre moyen
d'enfants par
femme en 1954.

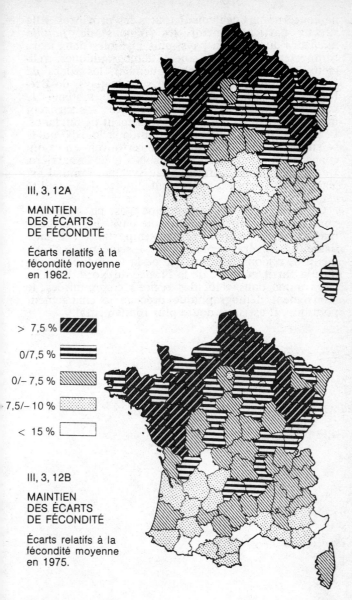

III, 3, 12A

MAINTIEN
DES ÉCARTS
DE FÉCONDITÉ

Écarts relatifs à la
fécondité moyenne
en 1962.

> 7,5 %

0/7,5 %

0/− 7,5 %

−7,5/− 10 %

< 15 %

III, 3, 12B

MAINTIEN
DES ÉCARTS
DE FÉCONDITÉ

Écarts relatifs à la
fécondité moyenne
en 1975.

329

ne concerne pas également toutes les provinces. Elle affecte particulièrement les régions de *famille nucléaire* du nord du pays, plus instables dans leurs comportements, qu'ils soient démographiques, religieux ou politiques. Réciproquement, les zones de famille complexe de la moitié sud du pays, de Bretagne et d'Alsace — qu'il s'agisse de système de parenté communautaire ou autoritaire — s'engagent moins rapidement dans ce renversement de tendance. Lents à réagir, ces systèmes familiaux lourds, qu'ils soient de gauche ou de droite, se retrouvent en ce qui concerne la procréation, du même côté de la barrière. Une exception, le Nord, dont le système familial est légèrement complexe mais dont l'indice de fécondité est élevé.

Cette évolution démographique n'est pas sans rapport avec l'histoire politique du pays. Elle précède une mutation, temporaire mais importante : le gaullisme. Le Général semble avoir fasciné particulièrement les régions de remontée de la fécondité, c'est-à-dire la partie centrale de la France du Nord. Dans ce cas comme dans celui des régions communisées, le mouvement démographique précède le changement politique. Il est sans doute plus fondamental.

QUATRIÈME PARTIE

POLITIQUE

Depuis les origines, le système politique français n'est que superficiellement national. L'affrontement équilibré de la gauche et de la droite n'existe guère que dans l'hémicycle parlementaire, au Palais-Bourbon. La plupart des provinces et des régions sont, en réalité, politiquement homogènes et stables depuis le début du siècle. La droite l'emporte traditionnellement dans l'Ouest, dans une bonne partie de l'Est et dans le sud du Massif central. La gauche domine dans le Midi, le Centre-Limousin et le Nord. Le combat électoral n'est incertain que sur les franges de ces blocs inertes, dans lesquels le vote, qu'il soit puissamment de gauche ou de droite, n'est pas pour les individus un sujet de réflexion mais un élément de la culture locale.

Statistiquement, ce trait du système politique s'exprime par une extrême inégalité des résultats obtenus par chaque parti dans les diverses régions de France. Aux élections de 1919, par exemple, à la veille de la scission de Tours, le vieux parti socialiste, encore uni, recueille 42 p. 100 des suffrages exprimés dans l'Allier, mais seulement 3 p. 100 en Vendée ; 40 p. 100 dans les Bouches-du-Rhône, mais 7 p. 100 dans l'Orne, 22 p. 100 en Corrèze, mais 5 p. 100 dans la Meuse. Un indice statistique usuel, la variance, au nom évocateur, permet de faire la synthèse de ces écarts, pour l'ensemble des départements, de mesurer le degré moyen d'inégalité des résultats obtenus par tel ou tel parti lors d'une élection donnée. La variance — qui résume ici la variabilité géographique des performances électorales — est traditionnellement forte pour tous les partis politiques français. Plus un parti tend à une répartition uniforme de ses électeurs sur l'ensemble du territoire, plus sa variance est faible. Au contraire, plus ses électeurs sont concentrés dans certains bastions, et rares dans d'autres régions, plus sa variance est forte.

De ce point de vue, le parti socialiste et le parti communiste apparaissent encore, en 1973, comme deux partis de type ancien. Ces deux frères, non jumeaux mais également issus du vieux parti socialiste de Jaurès, font apparaître, comme leur ancêtre commun, une variance forte de leurs résultats électoraux : 46 pour le P.S., 46 pour le P.C. Ce système symétrique éclate en 1978 : la variance électorale du P.C. ne bouge pas, celle du P.S. tombe à 23.

Cette chute signifie que le parti socialiste, brusquement, s'étend à l'ensemble du territoire français. Il progresse surtout dans les zones de force traditionnelles de la droite, l'Est et l'Ouest. Il régresse dans les vieilles régions d'implantation de la gauche, dans le Midi particulièrement.

La percée socialiste dans l'Est — qui représente en Alsace un gain de + 8 p. 100 des voix — est, au fond, un phénomène naturel. L'orientation très conservatrice de cette région est récente, effet des traumatismes du XXe siècle, des transferts incessants de souveraineté subis par l'Alsace-Lorraine depuis 1870. Au milieu du XIXe siècle, l'Alsace est considérée comme une région républicaine et de gauche. C'est la politique anticléricale de la IIIe République, entre les deux guerres, qui conduit la province recouvrée à rejeter ces traditions. La poussée socialiste n'y est donc pas une nouveauté, mais une réconciliation.

C'est la conquête de l'Ouest par le P.S., amorcée en 1978, qui est le phénomène spectaculaire et fondamental. Ici, le socialisme pénètre une région qui refusait la gauche, avec un fanatisme certain, depuis 1789. André Siegfried avait bien montré, vers 1913, dans son Tableau politique de la France de l'Ouest, à quel point la Bretagne et surtout l'Anjou, le Maine et la Vendée vivaient encore à l'heure de l'Ancien Régime, comme extérieurs à la France républicaine. L'élection de 1978 clôt donc un cycle historique. Elle signifie que la Révolution française, avec ses conflits idéologiques spécifiques, avec ses amours et ses haines, est terminée.

Le P.S. n'est pas seul à profiter de cet apaisement des passions et de ce mouvement national d'homogénéisation. Valéry Giscard d'Estaing, moins populaire *dans l'ensemble du pays que le général de Gaulle, est cependant beaucoup mieux implanté que lui dans l'Occitanie profonde, s'étendant de Montpellier à Toulouse. En 1974, la droite libérale pénètre le Midi rouge, au moment même où la gauche libérale pénètre l'Ouest réactionnaire. Un processus de fusion est actuellement en cours, qui devrait continuer dans les années à venir. Le système politique français est en train de liquider sa vieille segmentation géographique et anthropologique.*

Face à ces mouvements d'ampleur nationale, le parti communiste français incarne la fidélité aux traditions régionales. Il reste solidement implanté, ou tristement replié, selon le point de vue, dans ses bastions du Nord, du Centre-Limousin, du Midi. Il n'arrive absolument pas à s'étendre dans l'est et l'ouest du pays. Au contraire : en 1978, ses plus graves échecs provinciaux se produisent dans des régions où il était déjà traditionnellement faible. Il perd plus de 4 p. 100 des suffrages exprimés dans le Finistère, le Calvados et le Cantal, départements qui appartiennent tous au bloc des vieilles régions conservatrices. Avec ses trois points forts du Nord, du Centre et du Midi, la carte électorale du P.C.F., violemment contrastée, ressemble toujours un peu à celle du socialisme français en 1919. Le parti communiste n'a pas su, comme le P.S., déborder les cadres et les fidélités définis par notre très ancienne Révolution.

La seule région où il progresse encore de façon notable est, typiquement, le Sud-Ouest (Hautes-Pyrénées, Ariège, Tarn-et-Garonne, Haute-Garonne), où il continue, inlassablement, de grignoter les bastions de la vieille S.F.I.O. et du parti radical. Le communisme français confirme, ainsi, qu'il est moins une force de gauche qu'une nécrose de la gauche, frappé d'impuissance lorsqu'il s'agit de faire reculer l'influence conservatrice.

Il est une région de France, capitale, c'est le cas de le dire, où le parti communiste s'effondre : l'agglomération parisienne, au sens large. Dans l'ensemble des départements de la petite couronne (Paris, Seine-Saint-Denis, Val-d'Oise, Hauts-de-Seine), le P.C.F. tombe, entre 1973 et 1978, de 29,5 à 24,9 p. 100 des suffrages exprimés. Chute de 4,6 p. 100 en cinq ans.

335

Depuis les origines, la puissance du communisme parisien masquait les inégalités d'implantation du Parti dans l'ensemble du territoire français. Dans la grande tradition jacobine, il suffisait au P.C. d'être fort dans la capitale pour être considéré comme un grand parti national. Cet écroulement central, s'il se poursuit, risque de faire apparaître brutalement les caractéristiques régionales, ethnographiques du parti communiste français.

LE VOTE ETHNOGRAPHIQUE EN 1974

Dans bon nombre de régions, l'issue d'un vote politique reste totalement dépourvue de suspense. On sait, d'avance, que la droite ou la gauche l'emportera, avec une écrasante majorité. La carte [1] mêle, fraternellement, les régions d'unaninisme de gauche *et* de droite. Elle indique tous les départements dans lesquels, soit Valéry Giscard d'Estaing, soit François Mitterrand, a obtenu plus de 55 p. 100 des suffrages exprimés en 1974. Dans ces régions, le vote n'est pas affaire d'opinion individuelle mais de coutume sociale. Il a la constance d'une habitude alimentaire ou vestimentaire. Voter pour le candidat localement minoritaire y est moins un acte d'opposition que de déviance. Très souvent, le vote minoritaire est en fait concentré dans quelques villages « originaux ». Ce phénomène a été observé par de nombreux sociologues, en Bretagne par exemple, où le bourg de Plozévet vote à gauche dans un environnement de droite [1]. L'unaninisme est fondamentalement d'échelle villageoise. Il exprime la cohésion des communautés locales.

L'application à un tel système du concept de liberté politique est problématique, dans la mesure où le secret du vote n'empêche nullement l'apparition et la persistance d'un conformisme puissant. Alexis de Tocqueville a donné dans ses *Souvenirs* l'une des premières descriptions concrètes de ce modèle élec-

---

1. *Cf.* Edgar Morin, *Commune en France*.

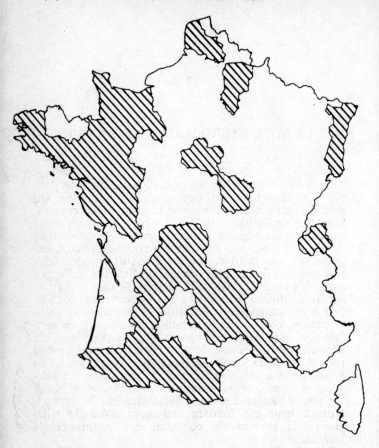

Départements où soit Giscard, soit Mitterrand l'a emporté en 1974 avec plus de 55 p. 100 des suffrages (en hachures).

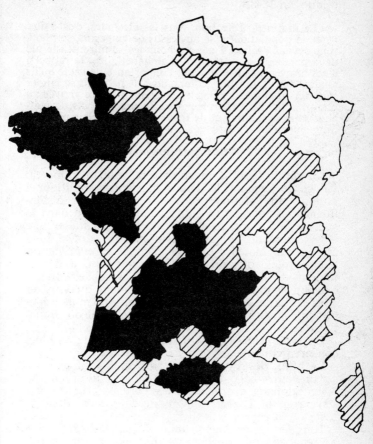

Proportion de population active employée dans le secteur pri-
maire en 1968 (le quart des départements ayant la plus forte
proportion est en noir, le quart ayant la plus faible, en blanc).

toral, qui commence à fonctionner sous la IIe République, en 1848.

« Le matin de l'élection, tous les électeurs, c'est-à-dire toute la population mâle au-dessus de vingt ans, se réunirent devant l'église. Tous ces hommes se mirent à la file deux par deux, suivant l'ordre alphabétique... Je rappelai à ces braves gens la gravité et l'importance de l'acte qu'ils allaient faire ; je leur recommandai de ne point se laisser accoster ni détourner par les gens qui, à notre arrivée au bourg, pourraient chercher à les tromper ; mais de marcher sans se désunir et de rester ensemble, chacun à son rang, jusqu'à ce qu'on eût voté... Tous les votes furent donnés en même temps, et j'ai lieu de penser qu'ils le furent presque tous au même candidat [1]. »

On serait tenté d'interpréter ce vote unanime du village de Tocqueville pour son seigneur traditionnel comme une simple preuve de soumission à l'influence aristocratique, si, au même moment, dans le sud de la France, ne commençait de s'installer une structure analogue, unanimiste mais de gauche, bien étudiée par Maurice Agulhon dans *La République au village* [2]. Les colonnes villageoises qui, dans le département de la Manche défendent le conservatisme, existent également dans le département du Var, où elles se battent, les armes à la main, pour la République, soufflée en 1851 par Louis-Napoléon Bonaparte.

En 1974, l'Ouest apparaît toujours comme un bloc, conservateur.

Le Midi, des Pyrénées au sud du Massif central, est une autre zone d'unanimisme local, qui prend une orientation *de droite* dans les Pyrénées-Atlantiques, l'Aveyron, la Lozère, le Cantal, *de gauche* dans le reste de la région.

Tous les départements touchés par cette tendance à l'homogénéité politique ne sont pas de type rural. L'Alsace (conservatrice) et le groupe Aisne, Pas-de-Calais (de gauche) sont très urbanisés. La plupart de ces régions unanimes sont cependant situées à la périphérie de l'ensemble français. Il n'y a à cette règle qu'une exception, le Loiret. Le vote de la Nièvre,

---

1. *Souvenirs*, p. 114.
2. Pp. 362-368, notamment.

massivement de gauche, est une perturbation acci-
dentelle, due à l'implantation locale de François Mitterrand.

Le vote ethnographique apparaît de préférence
dans les régions dont la culture, au sens anthropologique du terme, n'a pas été détruite par le cyclone
centré sur Paris.

LA GAUCHE ET LE COMMUNISME

1849 : LA GAUCHE DES PROPRIÉTAIRES

En 1849 apparaît, le temps d'un vote, entre deux régimes antidémocratiques, une géographie électorale de la France, qui situe la gauche dans la moitié sud du pays, à laquelle on doit ajouter une bordure est, de Lyon à Strasbourg.

Cette carte correspond assez bien, dans l'ensemble, à celle de la propriété paysanne lors du recensement de 1851. Il existe un instant une correspondance certaine entre structures économiques et système politique. Pas celle qu'aurait souhaitée Karl Marx puisque la possession du sol oriente à gauche plutôt qu'à droite, phénomène observé à l'échelle mondiale par l'anthropologue américain Eric Wolf [1].

Les régions de gauche coïncident imparfaitement, cependant, avec celles de la propriété paysanne. La gauche remonte au nord jusqu'à la Loire, en 1849 comme au XXᵉ siècle : cette limite nord est celle des régions de famille large. La propriété, elle, ne va pas au-delà de la bordure nord du Massif central.

La correspondance entre vote de gauche et famille large en 1849 est d'autant plus frappante qu'il n'y a pas encore dissociation politique entre régions de famille *communautaire* et de famille *autoritaire*.

1. *Peasant wars of the twentieth century.*

plus de 60 %   ████████

40-45 %   ▨▨▨▨

25-30 %   ╱╱╱╱

pas de candidats   ☐☐☐☐

Pourcentages de suffrages exprimés en faveur de la gauche aux élections de 1849.

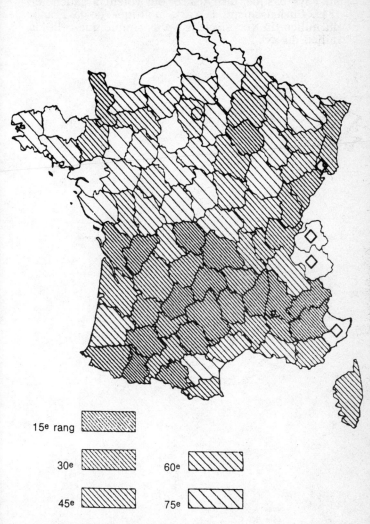

15e rang

30e   60e

45e   75e

Proportion de paysans propriétaires en 1851 ; les départements les plus sombres ont la plus forte proportion (échelle des rangs).

Entre 1850 et 1900, la droite s'emparera du Rouergue, du Pays basque, de l'Alsace, qui votent à gauche en 1849. Curieusement, la carte politique de la France du milieu du XIXe siècle est plus simple que celle du milieu du XXe.

TRAJECTOIRE DE LA GAUCHE RÉPUBLICAINE :
DES DÉMOCRATES-SOCIALISTES
AUX SOCIO-DÉMOCRATES

L'histoire de la gauche libérale ne passe pas par Paris. En 1978 encore, c'est dans la capitale et sa périphérie que le parti socialiste réalise sont plus mauvais score national.

L'idée républicaine entre en France par le centre-est, en provenance de Suisse, ce qui est normal puisque la Confédération est, au XIXe siècle, le seul système libéral et électif fonctionnant normalement en Europe. En 1849, les démocrates-socialistes sont forts dans un groupe de départements centrés sur l'Ain, proche de la frontière suisse. Puis ils se déplacent, vagabondent vers le sud-ouest où ils rencontrent un terrain d'accueil favorable et solide. Entre 1890 et 1970, l'Occitanie profonde adhère et défend l'idée républicaine avec une vigueur particulière. En 1965, le Midi pur et dur, entre Montpellier et Agen, est presque seul en France dans son opposition au régime plébiscitaire du général de Gaulle.

Aujourd'hui, le nouveau parti socialiste s'étend à partir de ce bastion du Sud-Ouest où son influence a d'ailleurs commencé de décliner. Le P.S. part à la reconquête de l'Est et à la conquête de l'Ouest.

Ce mouvement d'ensemble de l'idée de gauche en France, durant un siècle et demi, est totalement excentré et indépendant de tout mécanisme de centralisation administrative ou intellectuelle, au contraire du phénomène communiste, largement défini par son rapport à Paris.

Du point de vue formel, l'histoire géographique de

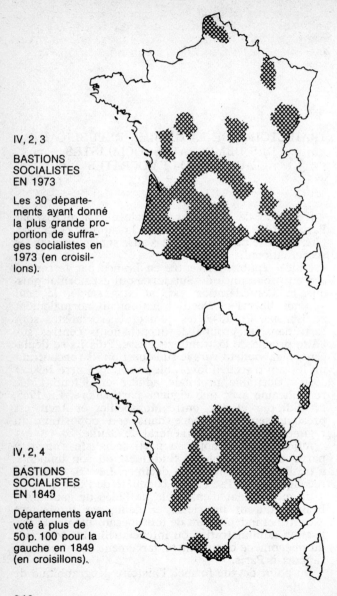

IV, 2, 3

BASTIONS
SOCIALISTES
EN 1973

Les 30 départe-
ments ayant donné
la plus grande pro-
portion de suffra-
ges socialistes en
1973 (en croisil-
lons).

IV, 2, 4

BASTIONS
SOCIALISTES
EN 1849

Départements ayant
voté à plus de
50 p. 100 pour la
gauche en 1849
(en croisillons).

la gauche républicaine est à rapprocher de celle de l'alphabétisation, qui part, elle, du Nord-Est, pour atteindre progressivement l'ensemble du pays, et dans laquelle Paris ne joue aucun rôle particulier.

Le modèle suisse

La trajectoire de l'idéal républicain révèle aussi l'importance, souvent oubliée, du modèle suisse dans l'histoire de la France. A deux reprises, la Confédération helvétique donne à la France l'idée de la République.

Une première fois, sur le plan théorique, avec Rousseau qui se définit lui-même, à l'ouverture du *Contrat social,* comme citoyen de Genève, et dont les théories politiques sont, dans une large mesure, une mise en forme abstraite du fonctionnement ordinaire de la société suisse.

Une deuxième fois, sur le plan pratique, par un processus de diffusion de l'aspiration républicaine sur le territoire français.

On peut toujours haïr la Suisse. Elle est à l'origine de la France moderne.

SUICIDE ET COMMUNISME :
DEUX MODÈLES DE DIFFUSION
À PARTIR DE PARIS

Les trajectoires de la gauche libérale et de l'alphabétisation ne partent pas de Paris. Leur point d'origine est situé sur la frontière est — suisse dans le cas de la gauche, allemande dans le cas de l'alphabétisation. Dans l'histoire de ces phénomènes sociaux modérés, la capitale ne joue qu'un rôle secondaire. Les phénomènes sociaux de type extrémiste, ou même morbide, naissent au contraire à Paris, ville du déracinement et de l'angoisse existentielle. De là, ils s'étendent sur une bonne partie du territoire national, en suivant le réseau des voies de communication. Parfois, ils rencontrent, loin de la capitale, un terrain anthropologique favorable, sur lequel ils se greffent. La diffusion du suicide au XIXe siècle, et celle du communisme au XXe, peuvent être également décrites en ces termes.

La fréquence du suicide en 1876 et l'importance du vote communiste en 1973, si l'on mesure l'un et l'autre phénomènes en indiquant en gris les cinquante départements les plus touchés, dessinent deux flaques s'étendant à partir de Paris.

Le suicide couvre l'ensemble du Bassin parisien et s'étend au sud le long des routes nationales 10 et 6, vers Bordeaux et Lyon-Marseille. Le communisme, lui, n'arrive pas à pénétrer les parties est et ouest du Bassin parisien, où il se heurte à des systèmes anthropologiques réfractaires. Il descend vers le sud par une trajectoire plus centrale, selon un axe Paris-Orléans, puis bifurque, en deux branches, vers Péri-

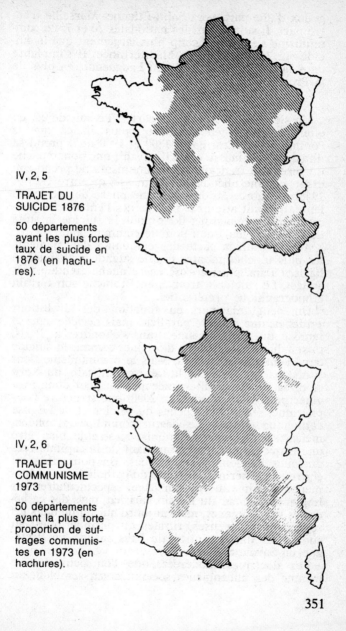

IV, 2, 5

TRAJET DU
SUICIDE 1876

50 départements
ayant les plus forts
taux de suicide en
1876 (en hachu-
res).

IV, 2, 6

TRAJET DU
COMMUNISME
1973

50 départements
ayant la plus forte
proportion de suf-
frages communis-
tes en 1973 (en
hachures).

gueux d'une part, vers Saint-Etienne - Marseille d'autre part. Il suit en fait les nationales 20 et 7. Le communisme s'étale beaucoup plus largement que le suicide sur les bords de la Méditerranée. Il s'implante dans la plus grande partie du Languedoc, en plus de la Provence.

Un siècle sépare ces deux cartes. Le suicide est en effet un phénomène beaucoup plus ancien que le communisme. C'est entre 1800 et 1900 qu'il prend sa dimension de masse et qu'il envahit une bonne partie du territoire français. Le communisme ne prend son essor, comme phénomène de masse, qu'entre 1920 et 1946. Il amorce aujourd'hui une phase de rétraction lente, qu'avait atteint le suicide dès l'entre-deux-guerres. Nous connaissons donc pour le suicide la suite de l'histoire, mais non pour le communisme.

Aujourd'hui, la carte des cinquante départements les plus touchés montre que le suicide a abandonné Paris. La tache grise s'est en revanche étendue vers l'ouest. Le suicide a trouvé, en Bretagne son terrain ethnographique préférentiel.

On peut imaginer, en fonction des évolutions actuelles, une histoire parallèle, mais décalée dans le temps, du communisme, qui s'effondre à Paris, c'est-à-dire en son point d'origine, comme le suicide dans l'entre-deux-guerres. Mais le communisme tient bon dans ses bastions du Centre-Limousin, du Nord et de la façade méditerranéenne. On peut donc imaginer pour le P.C.F. de l'an 2000, une structure périphérique, semblable à celles du suicide et de l'Eglise catholique actuels. Le destin commun des phénomènes sociaux *durs*, extrémistes, semble bien être une trajectoire centrifuge menant de la capitale vers quelques bastions périphériques. On pourrait aussi écrire en ces termes l'histoire du catholicisme, phénomène urbain au Moyen Age, spectaculairement implanté au cœur du Bassin parisien, pays des cathédrales mégalomanes, mais aujourd'hui replié dans les régions montagneuses, rurales ou périphériques, au sud-est du Massif central, du Pays basque, en Bretagne, en Savoie et Alsace.

Les doctrines modérées, que l'on peut décrire comme des phénomènes sociaux *doux*, semblent au

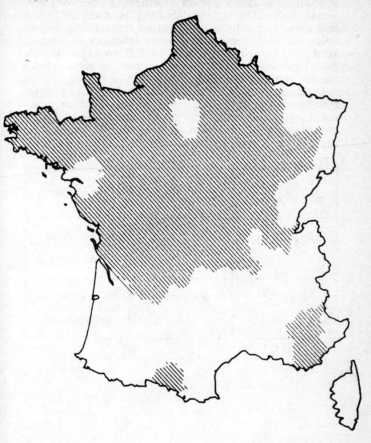

50 départements ayant les plus forts taux de suicide en 1975 (en hachures).

contraire vivre en marge de la capitale. La gauche républicaine entre par la frontière suisse, descend dans le Sud-Ouest ; aujourd'hui le nouveau parti socialiste remonte selon d'autres trajectoires excentrées, du Sud-Ouest vers l'Ouest intérieur et breton, vers l'Est lorrain et alsacien. Le P.S. continue de réaliser ses plus mauvais scores dans la région parisienne, selon une tradition bien établie.

On aboutit donc à une typologie à la fois géographique et dynamique des phénomènes sociaux, associant nature des phénomènes et allure des trajectoires historiques. Un tableau très simple permet de résumer les conclusions principales.

Type de phénomène	Type de mouvement	Exemples
Extrémiste	Centrifuge	Communisme Suicide Catholicisme
Modéré	Excentré	Alphabétisation Gauche républicaine

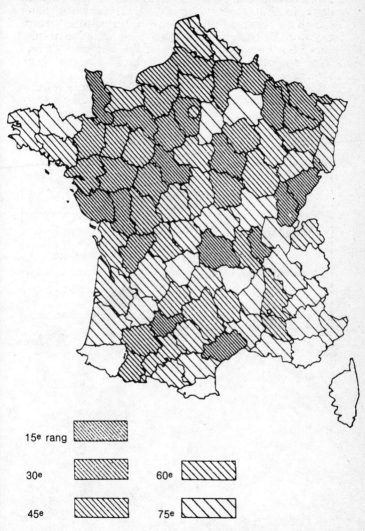

Suffrages de l'extrême-gauche en 1978. Plus les suffrages sont importants plus le département est foncé (échelle des rangs).

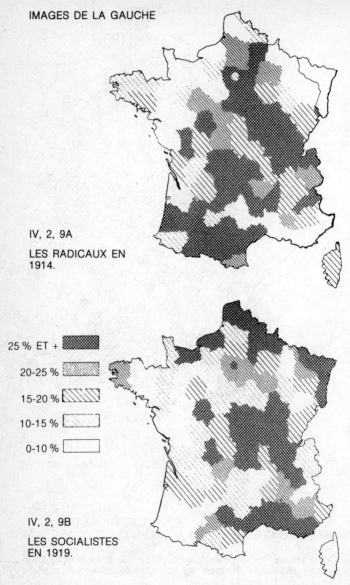

IMAGES DE LA GAUCHE

IV, 2, 9A

LES RADICAUX EN
1914.

25 % ET +
20-25 %
15-20 %
10-15 %
0-10 %

IV, 2, 9B

LES SOCIALISTES
EN 1919.

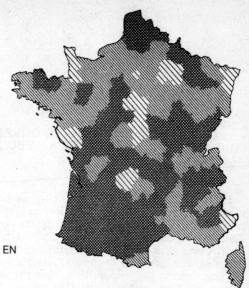

IV, 2, 9C

SOCIALISTES EN 1978.

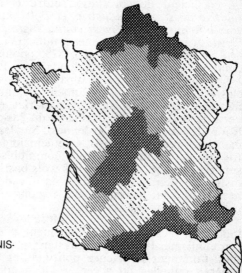

IV, 2, 9D

LES COMMUNIS-TES EN 1978.

COMMUNISME ET CLASSE OUVRIÈRE :
LE SOLEIL A RENDEZ-VOUS AVEC LA LUNE

Le P.C.F. se définit lui-même comme le parti de la classe ouvrière. Cette prétention est très généralement acceptée. On considère, à droite comme à gauche, que le communisme est un phénomène prolétarien. Cette représentation est un véritable fantasme sociologique. Aucun rapport visible n'existe, en France, entre la répartition géographique de la classe ouvrière et l'implantation régionale du P.C.F. Le coefficient de corrélation entre 1) *l'importance relative du secteur industriel* et 2) *le pourcentage de voix obtenues par le parti communiste aux élections législatives* est pratiquement nul, très exactement égal à 0,08 (législatives de 1978, population active employée dans le secteur secondaire en 1968).

Les cartes localisant l'industrie et le « parti de la classe ouvrière » sont absolument disjointes. Le communisme ne rencontre le prolétariat que dans le nord de la France (départements du Pas-de-Calais, du Nord, de l'Aisne et des Ardennes). Sur les 21 départements les plus industriels, 4 seulement font apparaître un pourcentage de voix communistes égal ou supérieur à 25 p. 100. Deux des trois bastions communistes, le Centre-Limousin et la façade méditerranéenne ne sont nullement des régions remarquables pour leur industrialisation.

L'Est, au contraire, de la Moselle à l'Isère, très industriel n'est que très faiblement pénétré par le communisme. Il y a là un mystère, et une mystification. Comment la science politique, et l'opinion en général, ont-elles pu accepter l'idée qu'il existe un

a

b

c

IV, 2, 10A

OUVRIERS

21 départements ayant la plus forte proportion d'ouvriers en 1968.

IV, 2, 10B

COMMUNISME

21 départements ayant la plus forte proportion de votes communistes en 1978.

IV, 2, 10C

LE COMMUNISME DANS LA CLASSE OUVRIÈRE

Départements ayant à la fois un fort vote communiste et beaucoup d'ouvriers (intersection des deux cartes précédentes).

rapport solide et fondamental entre communisme et prolétariat ?

Fonctionnement du fantasme

L'illusion repose sur une inversion du mécanisme de perception de la réalité économique. Sont perçues comme industrielles et ouvrières les régions qui votent communiste. On sait rarement en France que l'Isère, la Haute-Savoie, le Jura, le Doubs, l'Eure, l'Aube, sont des départements très industriels et ouvriers, *parce que ces régions ne votent pas communiste*. Dans la conscience collective, *la perception économique dérive de la perception politique*, et non l'inverse.

L'économie est un domaine de *demi-conscience* sociale. Elle est considérée comme importante et même fondamentale par la plupart des sociologues actuels, qu'ils soient marxistes ou non ; mais ces sociologues n'ont pas une connaissance précise de l'économie concrète. L'économie est une référence mythique. Sur le plan théorique, elle domine le champ des sciences humaines. En pratique, son image est totalement déterminée par les superstructures politiques, par les superstitions idéologiques aujourd'hui dominantes. Seuls les députés conservateurs élus dans des régions massivement prolétariennes savent au fond que le communisme n'est pas un sous-produit de l'industrialisation.

Cette non-coïncidence du communisme et de l'industrie, à l'échelle française, peut être observée sur le plan mondial. La Russie de 1917 ou la Chine de 1949 n'étaient pas des pays industriels : ils sont actuellement communistes. L'Angleterre était très ouvrière : elle n'est toujours pas communiste.

LE DUEL P.C.-P.S.

En 1956, le parti communiste était électoralement plus puissant que la S.F.I.O. sur la presque totalité du territoire national. Le socialisme libéral était repoussé dans quelques bastions périphériques. Les élections législatives de 1973 et 1978 sont les deux étapes principales d'un mouvement de reconquête de la France par le parti socialiste. En 1978, le communisme ne domine plus la gauche que le long d'un curieux axe central Lille-Paris-Limoges... Nîmes-Nice. La seule interruption importante de cette ligne de force communiste est le bloc de départements conservateurs situé au sud du Massif central. Cette carte, étrange pour la politologie classique (qui croit fermement à la rationalité des processus sociaux) ne correspond à aucune structure économique connue. Elle n'est explicable que par l'anthropologie. La structure linéaire de l'implantation communiste correspond à une limite anthropologique, à un front de contact sur lequel se rencontrent les sphères culturelles de l'Est, de l'Ouest et du Sud, c'est-à-dire les mondes celte, germanique et romain. L'indéfinition anthropologique d'une zone semble favoriser l'acceptation d'une idéologie agressivement universaliste comme le communisme. Le socialisme libéral affectionne au contraire les régions anthropologiques bien définies, sûres de leur appartenance culturelle parce que périphériques, comme le Sud-Ouest.

D'un point de vue géographique, l'histoire du parti communiste est un flux, suivi d'un reflux. Entre 1921 et 1936, le P.C.F. n'est une force qu'à Paris et dans sa banlieue. Puis il s'étend, entre 1936 et 1946, sur une zone de diffusion vaste et centrale. Il butte, aux extrémités de la France, sur les bastions catholiques

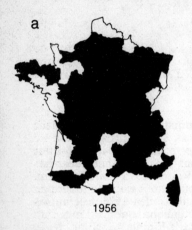

a

1956

b

1973

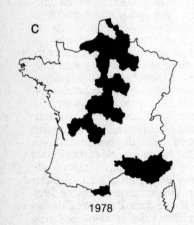

c

1978

Départements où le P.C.
l'emporte sur le P.S.
(en noir).

de la Bretagne et de l'Ouest intérieur, du Pays basque, du sud du Massif central et de l'Est. Cette diffusion ne mène pas partout à l'hégémonie. Elle définit une zone constituée d'une cinquantaine de départements où le P.C.F. recueille, en 1978, au moins 18 p. 100 des voix. Dans vingt et un seulement de ces départements, le communisme recueille plus de 25 p. 100 des voix, parce qu'il y a rencontré une structure anthropologique d'accueil. Trois blocs se dessinent : le Nord, le Centre-Limousin, la façade méditerranéenne.

Cette structure très claire n'a guère varié entre 1873 et 1978. Le P.C.F. se maintient dans ses trois bastions. C'est surtout dans ses zones de faiblesse traditionnelles qu'il régresse et dans la capitale. Dans la région parisienne, dont certains départements comme la Seine-Saint-Denis sont des points forts traditionnels, la régression est un véritable effondrement : plus de 4 p. 100 des suffrages exprimés perdus en cinq ans. Cette évolution générale confirme la validité du modèle anthropologique de la vie politique et électorale. Le communisme régresse surtout dans les zones qui n'avaient pour lui aucune *affinité* anthropologique particulière, mais où le prestige de l'institution parisienne qu'était le P.C.F., entraînait un certain effet de mode et de domination culturelle, un alignement sur les comportements de la capitale. Il s'agissait d'une projection artificielle, imposée par la société globale, et fragile.

Reste à expliquer l'effondrement parisien du communisme. La raison principale est sans doute la normalisation de la vie sociale dans la capitale, qui fut longtemps une ville de déracinés, d'individus isolés, coupés de leur famille et de leur parenté, aspirant à un type ou à un autre d'intégration et de sécurisation. La population parisienne comprend aujourd'hui un fond stable et installé. Les réseaux de parenté, brisés par l'immigration violente des années 1850-1950, se reforment à l'intérieur de cette agglomération de 9 millions d'habitants. Les Parisiens de souche sont de plus en plus nombreux. La présence des familles et des parentés supprime l'une des fonctions essentielles du P.C.F. : la sécurisation des individus isolés, anomiques dirait la sociologie d'inspiration durkheimienne.

MARX ET JÉSUS

La carte idéologique de la France révèle que le négatif doctrinal du communisme n'est pas le libéralisme, ou un quelconque fascisme, mais le catholicisme.

Jamais (à l'exception de trois départements), les zones de forte pratique religieuse et d'implantation communiste moyenne ou forte ne se recouvrent. Il existe même, entre les régions où le P.C.F. a recueilli en 1978 plus de 20 p. 100 des voix et celles où le taux d'assistance à la messe était inférieur à 40 p. 100, vers 1960, un véritable *No man's land* idéologique (zone appelée dans la légende *Ni Marx, ni Jésus*). Il existe entre communisme et catholicisme un rapport de répulsion.

Cette carte est une confirmation empirique de la pensée contre-révolutionnaire française, qui estime, à la suite de Joseph de Maistre, que la Révolution (et sa prolongation idéologique dans le communisme) est moins un phénomène de lutte de classes qu'un conflit de nature métaphysique, entre ceux qui croient au paradis après la mort et ceux qui croient au paradis sur terre, entre les partisans de la cité de Dieu et ceux de la cité du Soleil. Le communisme, c'est avant tout, comme la religion, un rapport à l'au-delà.

Ici encore, on voit jouer, à l'intérieur du territoire français, des régularités idéologiques et sociales, d'ampleur européenne. A l'est du rideau de fer, l'opposition la plus ferme au communisme n'est pas libérale mais religieuse : catholique en Pologne, orthodoxe en Russie. Le monde soviétique semble incapable de sécréter de l'agnosticisme, politique ou religieux.

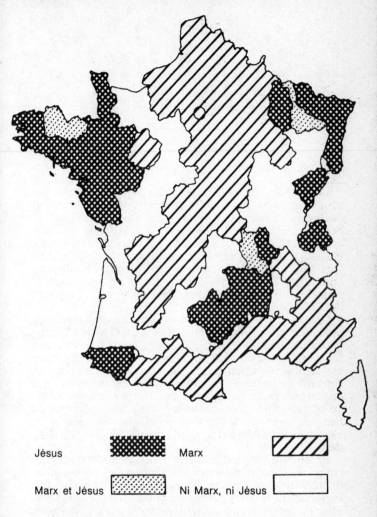

Jésus [■■■]   Marx [////]

Marx et Jésus [▒]   Ni Marx, ni Jésus [ ]

Comparaison entre les régions de forte implantation communiste (plus de 20 p. 100 des voix en 1978) et les régions de
forte pratique religieuse (plus de 40 p. 100 de messalisants).

LA DROITE ET LA RELIGION

GISCARD ET LE CATHOLICISME

La gauche française a un adversaire mythique, le fascisme (il ne passera pas) et un opposant réel, le catholicisme (mais on lui tend la main). On peut s'émerveiller de la constance avec laquelle nos partis de gauche se battent contre une menace fasciste absolument inexistante. Aucun parti de type mussolinien, nazi, ou plus modestement franquiste, n'a jamais eu en France la moindre importance électorale, même en 1936. Aujourd'hui, l'extrême-droite ne recueille qu'un demi p. 100 des voix environ, toutes tendances confondues (1978).

Le noyau dur et sérieux de la droite française, c'est le catholicisme, système idéologique qui peut, dans certaines circonstances, encourager l'antisémitisme, mais qui ne favorise jamais une xénophobie généralisée de type nazi. L'Eglise catholique romaine est après tout, comme le communisme, un phénomène transnational.

La carte du vote Giscard, en 1974, et celle de la pratique religieuse vers 1960 sont remarquablement proches.

Paradoxalement, la Révolution française, en décapitant à Paris et dans le Bassin parisien le catholicisme, a permis son implantation en profondeur dans des sociétés paysannes périphériques. En Rouergue, au Pays basque, en Alsace ou en Léon (dans le Finistère-Nord), le catholicisme s'empare de communautés locales dont le tempérament est démocratique. Il apporte à la droite conservatrice une véritable base de masse.

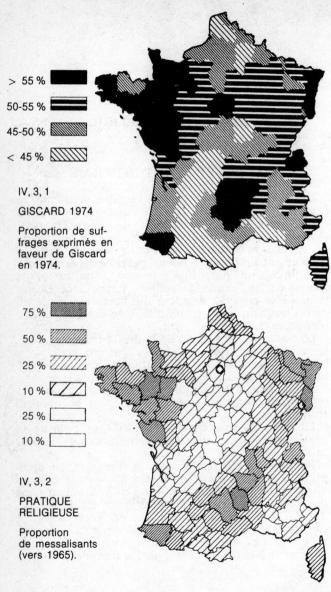

> 55 %

50-55 %

45-50 %

< 45 %

IV, 3, 1

GISCARD 1974

Proportion de suf-
frages exprimés en
faveur de Giscard
en 1974.

75 %

50 %

25 %

10 %

25 %

10 %

IV, 3, 2

PRATIQUE
RELIGIEUSE

Proportion
de messalisants
(vers 1965).

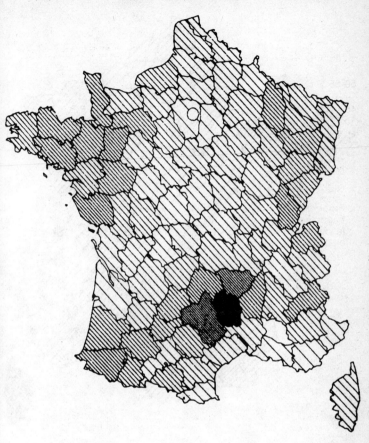

Proportion de prêtres actifs par habitant en 1975.

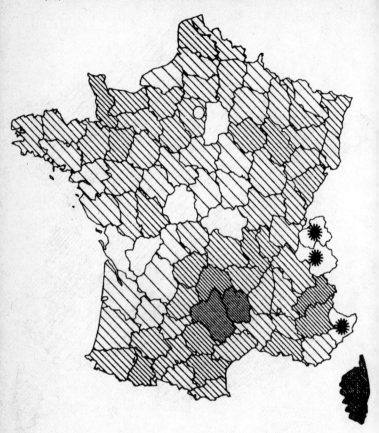

Origine des prêtres en 1975 (échelle des rangs).

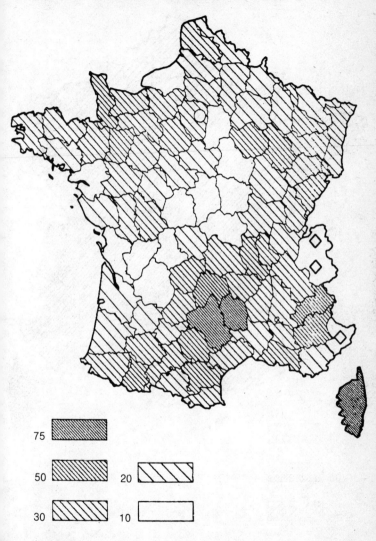

Nombre de curés pour 10 000 recrues entre 1825 et 1835.

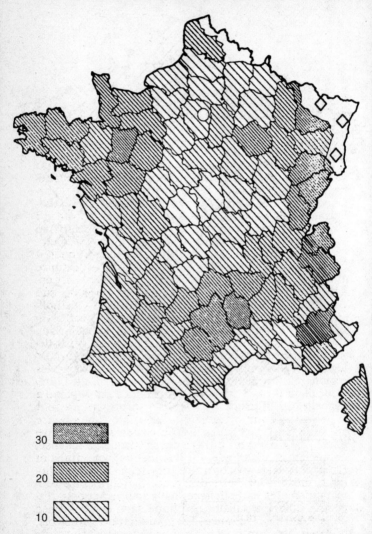

Ordinations en 1876 (pour 10 000 habitants).

LE PARTICULARISME PROTESTANT

L'implantation du protestantisme, à la fin du XIXe siècle, révèle l'existence d'une structure périphérique, assez semblable de ce point de vue à la répartition du catholicisme. Avec une différence : le catholicisme a des bastions dans tous les coins de France : à l'est, à l'ouest, au sud du pays. Le protestantisme est au contraire un phénomène méridional, occitan. La seule exception notable est le Doubs, auquel il faudrait ajouter l'Alsace, alors intégrée à l'Empire allemand. Le protestantisme de l'est relève cependant de la Confession d'Augsbourg et celui du sud de l'Eglise réformée de France. Voisin du catholicisme par sa répartition périphérique, le protestantisme en diffère par son tempérament particulariste. Une Eglise calviniste ou luthérienne n'est généralement l'institution que d'une seule sphère anthropologique. Cette préférence du protestantisme pour les régions culturellement homogènes se vérifie à l'intérieur de la France, mais est également remarquable à l'échelle de l'Europe. Les Eglises protestantes sont le plus souvent nationales. Il existe une Eglise anglaise (anglicane), une Eglise écossaise (la célèbre Kirk), des Eglises luthériennes suédoise, danoise, norvégienne, allemande. En Irlande, Pologne, Italie et Espagne, règne au contraire une seule Eglise catholique, universelle. Cette différence majeure entre protestantisme et catholicisme, dans leurs rapports respectifs à l'universalisme, explique sans doute l'échec de la Réforme en France. Très puissant au XVIe siècle, le calvinisme est rejeté, à coups de persécutions, de guerres et de massacres, par le corps social français.

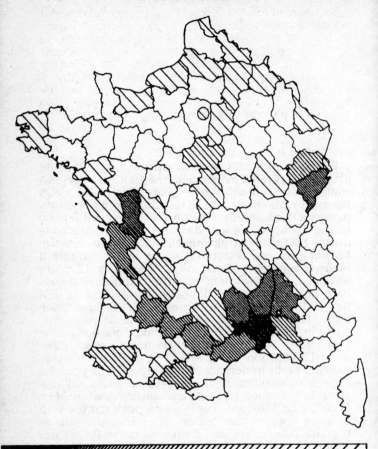

Proportion de pasteurs protestants pour 10 000 habitants en 1876.

Il était vraisemblablement inadapté à un royaume de structure anthropologique pluraliste.

En Angleterre, en Allemagne, le protestantisme est associé à une prise de conscience nationale, s'appuyant sur la traduction en langue vulgaire de la Bible. Successivement, les peuples à majorité protestante sont frappés par le syndrome de l'élection divine, se perçoivent comme les successeurs légitimes d'Israël. Les peuples élus se suivent et ne se ressemblent pas : l'Angleterre au moment de sa révolution entre 1640 et 1650 ; l'Allemagne entre 1870 et 1945.

Le protestantisme ne peut, au contraire, servir de point d'appui au nationalisme français, qui n'est pas particulariste. La simple traduction en langue vulgaire de la Bible pose, de Brest à Marseille et d'Amiens à Toulouse, plus de problèmes qu'elle n'en résoud, dans la mesure où le français du XVIe siècle est à peine moins que le latin, une langue des élites, incompréhensible pour la majorité des sujets du roi. Le catholicisme, religion plus clairement universaliste, forgée dans le creuset universaliste de l'Empire romain, convient mieux à la France. Il est un meilleur agent intégrateur.

UNE FRANCE CONSERVATRICE,
MAIS NON CLÉRICALE

La droite est aujourd'hui majoritaire en France ; le catholicisme, lui, n'est plus qu'un système idéologique marginal. Il n'y a donc plus, comme vers 1900, identité des deux notions. Certaines régions sont désormais conservatrices sans être cléricales. Leur ralliement à la droite a vraisemblablement assuré le passage au conservatisme de l'ensemble français dans le courant du XXe siècle.

On peut dessiner la carte de cette droite non cléricale en faisant le rapport des résultats obtenus par Valéry Giscard d'Estaing, en 1974, à la pratique religieuse, vers 1960. Certains départements ont voté Giscard sans être des fervents de la messe ou de la communion pascale. L'écart entre leur rang au classement politique et leur rang au classement religieux définit l'importance du facteur conservateur mais non clérical. La carte ainsi obtenue est parfaitement simple et cohérente. C'est la France du XVIe siècle qui apparaît, constituée de l'Ile-de-France, de la Champagne, de la Touraine et de l'Orléanais. C'est la France des rois, entre Versailles et Reims, entre Bourges et Chambord. Cet ensemble est aimé des historiens et des touristes pour la beauté de ses monuments, mais considéré comme un peu fade par les politologues, n'étant ni très révolutionnaire, ni très réactionnaire. Pourtant, les choix de cette région, centrale géographiquement et centriste politiquement, ont souvent décidé du destin global de la nation.

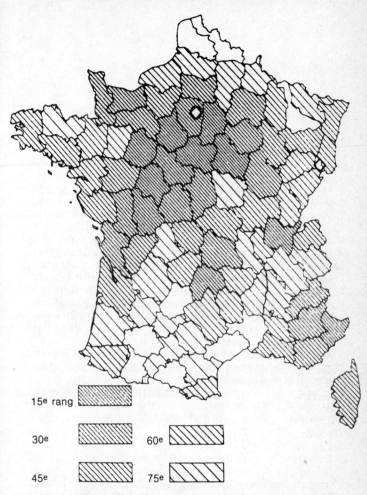

15e rang

30e   60e

45e   75e

Différence entre le classement des départements pour leur vote
en faveur de Giscard en 1974 et pour leur pratique religieuse
(représentation par rangs). Dans les départements les plus
sombres, on a plébiscité Giscard, mais on ne se rend pas à la
messe.

SUICIDE ET DÉCHRISTIANISATION

A la fin du XIXᵉ siècle, les cartes du suicide et de la déchristianisation sont remarquablement proches. Il s'agit ici d'une déchristianisation dure, presque absolue, mesurée par l'absence de clergé séculier plutôt que par l'intensité de la pratique religieuse. Cette déchristianisation est d'autant plus frappante qu'elle ne se produit pas dans un milieu orienté très à gauche du point de vue politique. Vers 1880-1890, le Bassin parisien n'est ni très conservateur, ni très rouge. Aucune structure idéologique n'y remplace le catholicisme moribond, qu'il s'agisse d'un socialisme de variété libérale ou d'un communisme en gestation. La disparition du catholicisme définit un vide idéologique ; dans ce vide, le suicide, signe d'un désarroi moral profond, s'installe.

Région de famille nucléaire, le centre du Bassin parisien ne retient pas les phénomènes sociaux. Aujourd'hui, le suicide s'est retiré de cette zone, centrale mais étrange, pays de cathédrales au Moyen Age, de déchristianisation extrême au XIXᵉ siècle et de conservatisme politique modéré au XXᵉ.

IV, 3, 7

CURES VACANTES

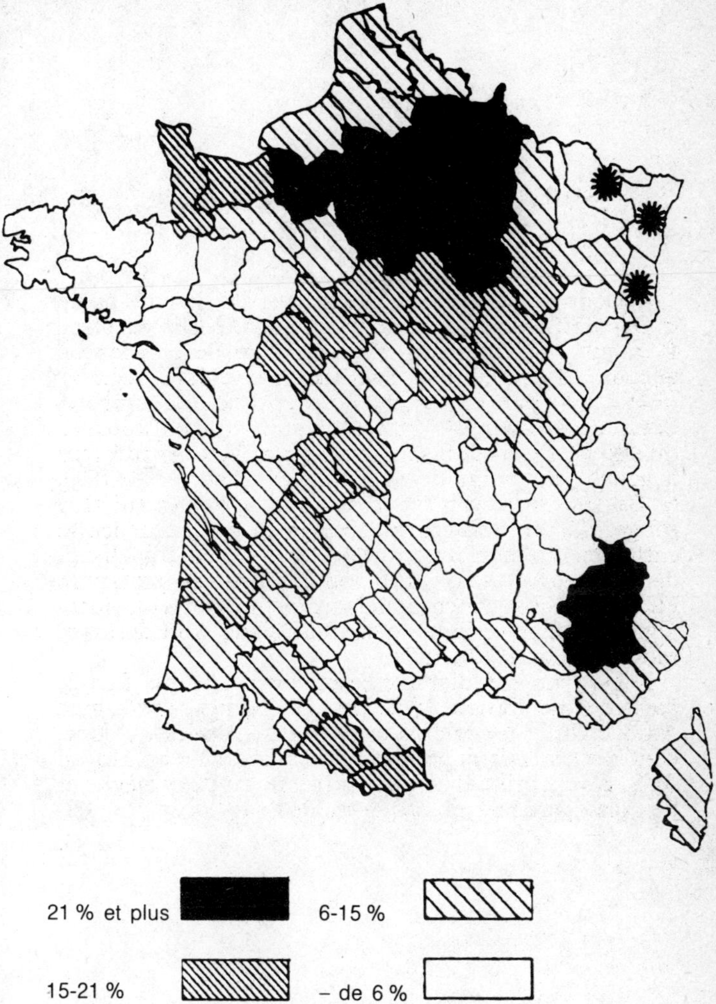
21 % et plus
6-15 %
15-21 %
– de 6 %

Proportion de cures vacantes en 1885.

LA FUSION DES DEUX FRANCE

L'HISTOIRE À L'ENVERS : PROGRÈS DU P.C., PERTES DU P.S.

En 1978, le parti socialiste a progressé, doublant le parti communiste qui, lui, régressait lentement. Il est particulièrement intéressant de repérer les départements dans lesquels les tendances locales furent contraires aux tendances nationales. Dans certaines régions, le P.S. perdit des voix ; dans d'autres, le P.C.F. progressa nettement. Ces mutations aberrantes, contraires au « sens de l'histoire », sont en réalité aussi significatives des transformations en cours du système politique français que les évolutions « normales » observées dans la majorité des départements. Elles sont aussi plus claires, parce que minoritaires.

Le P.S. en perte de vitesse dans le Centre et le Midi méditerranéen

La carte des pertes du parti socialiste en 1978, par rapport à 1973, ressemble assez remarquablement à celle du vote pour Gaston Defferre aux élections présidentielles désastreuses (pour la gauche) de 1969. C'est dans les régions traditionnellement dominées par une gauche un peu sommeilleuse que le P.S. perd du terrain. L'ensemble de ses gains se produit, symétriquement, dans les vieilles régions conservatrices de l'Ouest et de l'Est. Seul le vieux bastion socialiste

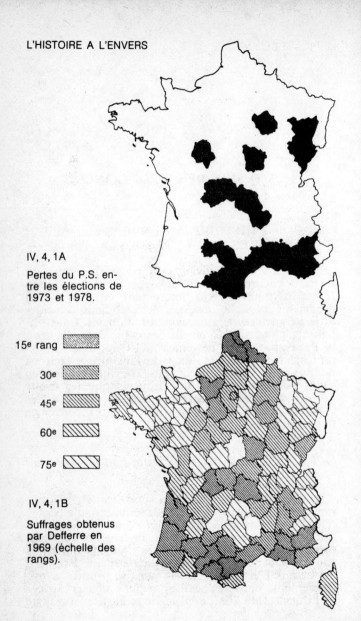

IV, 4, 1A

Pertes du P.S. entre les élections de 1973 et 1978.

15e rang

30e

45e

60e

75e

IV, 4, 1B

Suffrages obtenus par Defferre en 1969 (échelle des rangs).

382

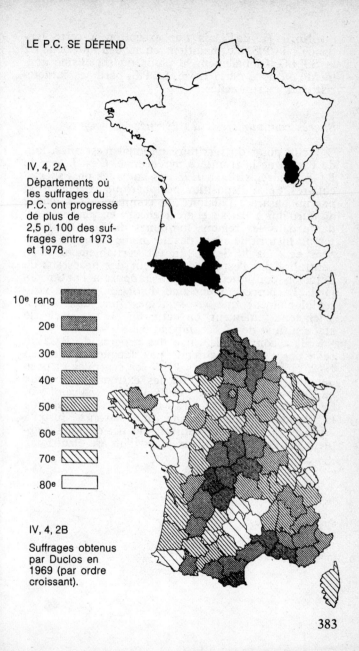

IV, 4, 2A

Départements où les suffrages du P.C. ont progressé de plus de 2,5 p. 100 des suffrages entre 1973 et 1978.

10e rang
20e
30e
40e
50e
60e
70e
80e

IV, 4, 2B

Suffrages obtenus par Duclos en 1969 (par ordre croissant).

383

du Nord-Pas-de-Calais fait exception à cette tendance : le P.S. s'y maintient au niveau antérieur de la S.F.I.O. Globalement le poids du socialisme augmente au nord de la Loire. Le P.S. perd ses caractéristiques méridionales.

Succès communistes : les Pyrénées

Aucun point du territoire national n'est aussi loin de Paris que la frontière pyrénéenne. C'est là que le P.C.F. a enregistré, en 1978, ses gains les plus spectaculaires. Cette disposition périphérique extrême n'est pas un hasard : l'histoire du communisme s'achève aujourd'hui à Paris ; elle est encore en phase ascendante dans les régions lointaines du Sud-Ouest. Le temps historique n'est pas le même dans les Pyrénées et dans la Seine : il est véritablement saisi, neutralisé par l'espace. La lenteur des processus de diffusion politique trahit leur rapport à l'anthropologie. La percée pyrénéenne du P.C.F. signifie vraisemblablement que les systèmes familiaux locaux atteignent seulement, en cette fin de XXᵉ siècle, le stade ultime de la décomposition.

Si l'on compare la carte des progrès du P.C.F. à celle des résultats obtenus par Jacques Duclos en 1969, on constate que les Pyrénées centrales et occidentales sont situées entre les extrémités de deux bastions communistes fondamentaux : celui du Centre qui descend jusqu'au Lot-et-Garonne, celui de la façade méditerranéenne qui s'avance jusqu'à l'Ariège. Les Pyrénées centrales et occidentales semblent prises entre les deux pôles d'un arc électrique.

GISCARD, DE GAULLE ET L'OCCITANIE

Valéry Giscard d'Estaing fut considéré, dès son élection à la présidence de la République, comme un conservateur d'essence plus classique que le général de Gaulle. On souligna alors l'existence d'une base populaire du gaullisme, perdue par le nouveau président. La géographie électorale fait apparaître une autre image, radicalement opposée.

En 1974, Giscard a, dans l'ensemble, réuni beaucoup moins de voix sur son nom que de Gaulle en 1965 : 50,7 p. 100 contre 55 p. 100. Mais s'il a perdu des électeurs dans la plus grande partie du pays, il en a gagné, par rapport aux scores du Général, dans les régions de gauche les plus traditionnelles, dans l'Occitanie profonde. Avec Giscard, la droite dite classique pénètre les bastions les plus solides de la gauche socialiste et radicale. Ce mouvement est à rapprocher de la poussée, symétrique, du nouveau parti socialiste dans l'Est et l'Ouest conservateurs. Valéry Giscard d'Estaing et le P.S. incarnent, simultanément, un processus d'homogénéisation géographique du système politique français. Du point de vue de la sociologie électorale, ils sont complémentaires, et contribuent à la fabrication d'un nouveau système politique.

Cette évolution souligne également à quel point le Midi le plus pur refusait de Gaulle. Rarement dans l'histoire politique du pays, le contraste entre Nord et Sud fut aussi frappant. Sous une apparence d'unité nationale et de dépassement des partis, le Général poussait à sa limite tolérable l'antagonisme Nord-Sud, qui est l'un des éléments constitutifs du vieux

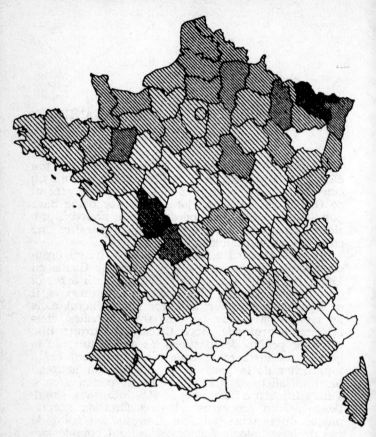

écart :

10 %   5 %   1 %

En blanc, les départements où Giscard a fait un meilleur score
que de Gaulle. En dégradé progressif, les départements où
de Gaulle avait obtenu un meilleur score que Giscard (dégradé
en fonction de l'écart).

système politique français. Il serait intéressant de savoir pourquoi l'Occitanie profonde fut à ce point rebelle aux charmes du système personnel et plébiscitaire. Une chose est certaine : cette région n'aime pas l'image du père en politique. L'Occitanie fut donc, dans la France subjuguée des années 1958-1969, un véritable refuge pour l'idée libérale. Ce rôle de « réduit » politique n'est pas sans rappeler la place tenue par l'Ouest réactionnaire dans la France républicaine et laïque de la IIIe République.

LE PHÉNOMÈNE ROCARD

Candidat aux élections présidentielles de 1969, Michel Rocard n'eut droit qu'à un succès d'estime. Le grand vainqueur, à gauche (c'est-à-dire le moins vaincu) fut alors Jacques Duclos, représentant du parti communiste, qui atteignit 21 p. 100 des voix malgré des prédictions contraires. Rocard dut se contenter de 3,6 p. 100. Il s'agit là de résultats globaux. Une analyse géographique détaillée donne le sens du phénomène Rocard, la raison profonde d'une popularité et d'une fascination nationale sans rapport avec l'assise électorale minoritaire, pour ne pas dire insignifiante, d'un candidat. Rapporté au total des voix de gauche, la force de l'électorat rocardien dessine avec une exactitude diabolique la carte de la pratique religieuse vers 1960. Michel Rocard pèse d'autant plus lourd à gauche qu'on se trouve dans une région catholique. Ce qu'il incarne, c'est, tout simplement, la rupture du vieux clivage clérical/anticlérical, hérité de la Révolution française. Son minuscule électorat représente l'union des deux France, ou plutôt, une troisième France, indifférente aux conflits idéologiques du passé. Mais le P.C.F. n'a pas absolument tort de parler d'un Rocard d'Estaing. Les cartes électorales de l'un et l'autre énarques se ressemblent étrangement. Toutes deux sont fortement déterminées par celle du catholicisme, qui est elle-même un merveilleux négatif de celle du communisme.

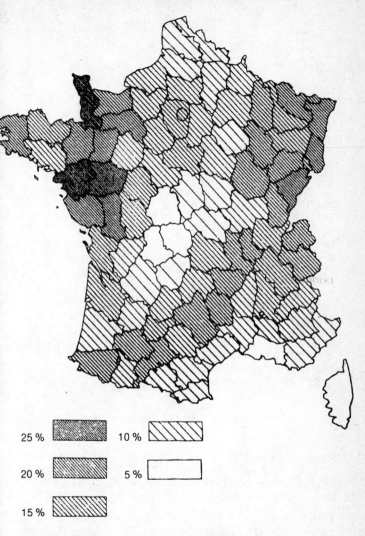

Pourcentage des voix obtenues par Rocard parmi les voix de gauche en 1969.

CINQUIÈME PARTIE

PRÉSENCE DE LA MORT

LA MORTALITÉ,
ENTRE LA NATURE ET LA CULTURE

Les progrès de la médecine, l'amélioration des conditions sanitaires et alimentaires, ont à peine réduit les différences de mortalité existant entre régions françaises. La mort est plus que jamais un paramètre anthropologique significatif. Elle est de moins en moins naturelle, mais de plus en plus culturelle. Autrefois, la qualité de la nourriture et de l'approvisionnement en eau déterminaient largement les écarts entre le taux de mortalité des provinces de France. Aujourd'hui, des phénomènes sociaux comme le suicide et surtout l'alcoolisme, sont responsables de la « diversité française », pour ce qui concerne l'espérance de vie.

Trois pôles de surmortalité apparaissent, aujourd'hui, au nord, à l'est et à l'ouest. Deux d'entre eux (nord et est) sont des régions industrielles, le troisième (ouest) est l'un des refuges de la ruralité française. Encore une fois, l'économie est impuissante à expliquer un phénomène social fondamental.

Réciproquement, deux pôles de sous-mortalité apparaissent, entre la Seine et l'Océan, entre l'Océan et la Méditerranée. Ces deux régions ont par ailleurs une caractéristique idéologique commune, qui suggère l'existence d'un lien caché entre politique et mortalité.

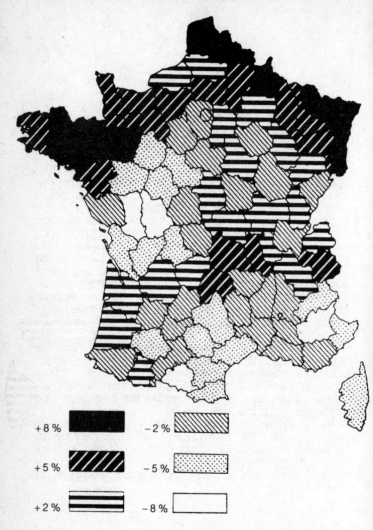

+8 %	−2 %
+5 %	−5 %
+2 %	−8 %

Écarts relatifs au quotient moyen de mortalité des hommes entre 50 et 80 ans.

ESPÉRANCE DE VIE EN 1891

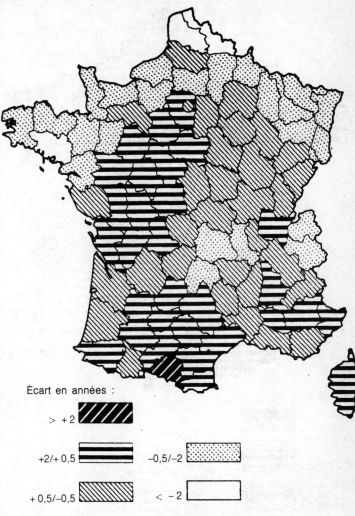

Écart en années :

> +2

+2/+0,5   −0,5/−2

+0,5/−0,5   < −2

Écarts d'espérance de vie après 50 ans en 1891 (hommes de 50 ans) par rapport à la moyenne nationale.

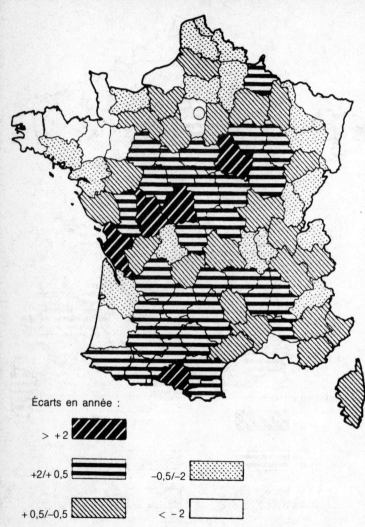

Écarts en année :

> +2

+2/+ 0,5   −0,5/−2

+ 0,5/−0,5   < − 2

Écarts d'espérance de vie après 50 ans en 1975 (hommes de 50 ans) par rapport à la moyenne nationale.

AGNOSTICISME POLITIQUE
ET ESPÉRANCE DE VIE

Les deux grandes idéologies qui structurent les conflits politiques nationaux traditionnels — l'idéal révolutionnaire et le catholicisme — sont des systèmes métaphysiques. La religion croit au paradis après la mort. L'idéal révolutionnaire croit au paradis sur terre. Le communisme, représentant actuel de l'athéisme révolutionnaire et du matérialisme du XVIIIᵉ siècle, affirme de plus que l'esprit meurt en même temps que le corps.

Communisme et catholicisme ont en commun l'idée qu'un rapport doit nécessairement exister entre vision de la mort et conception de la politique. Le bonheur vrai, pour l'une et l'autre doctrine, ne peut être situé que dans le futur de l'individu, sur la terre ou dans le ciel.

La plupart des régions de France ont accepté cette coïncidence des idéaux politiques et des conceptions métaphysiques. On est de gauche et athée, de droite et croyant. Quelques provinces seulement ont refusé cet alignement de la foi et du vote. Elles sont alors de droite sans être particulièrement chrétiennes, ou de gauche sans être parfaitement déchristianisées. Deux blocs principaux et opposés sont particulièrement remarquables [1].

---

1. Le groupe Nord - Pas-de-Calais apparaît sur cette carte correspondant aux élections de 1974 et à la pratique religieuse vers 1960. Mais son alignement à gauche est, en longue période, beaucoup moins ferme que celui du Midi occitan.

Droite peu chrétienne

Gauche non
déchristianisée

L'un s'étend de la Seine à l'Océan : elle est de droite sans croire beaucoup en Dieu.

L'autre s'étend de l'Océan à la Méditerranée : elle est viscéralement de gauche, sans être très hostile à la religion.

Curieusement, ces deux blocs compacts apparaissent aussi clairement sur les cartes de l'espérance de vie.

La mort frappe particulièrement tard dans ces régions d'agnosticisme politique, où la métaphysique ne s'est pas emparé des conflits terrestres. On vit longtemps dans les régions où l'on ne croit ni au paradis sur terre, ni au paradis après la mort.

SIXIÈME PARTIE

ANNEXES

POUR UNE STATISTIQUE DE L'ESPACE

L'utilisation de données numériques entraîne d'habitude presque inéluctablement des calculs statistiques. Moyennes, variances dans les cas les plus simples, corrélations et analyses multivariées — factorielles ou typologiques — plus souvent. Dans la mesure du possible, ce genre de sport a été évité ici. Se servir d'ordinateurs et appliquer des modèles raffinés n'est, après tout, qu'un moyen qui doit s'effacer derrière les résultats qu'il permet d'atteindre. Les pénibles descriptions d'analyses factorielles ou les lancinantes énumérations des coefficients de régression n'ajoutent rien aux conclusions. Leur accumulation trahirait plutôt un manque de confiance et l'absence de résultat convaincant : on imagine mal un peintre exposant ses pinceaux à côté de ses tableaux.

Ici, la discrétion statistique a cependant d'autres causes. Les méthodes traditionnelles sont assez mal adaptées aux traitements de l'espace. Il existe une statistique du temps, particulièrement raffinée, celle des séries temporelles, mais il n'y a pas à proprement parler de statistique de l'espace. On aurait pu tirer parti de cette absence pour récuser tout usage statistique. On se serait exposé alors au risque même que la statistique veut réduire, celui des généralisations hâtives. Entre ces périls, il existait une voie médiane, étendre certains résultats classiques des séries temporelles aux découpages spatiaux. Les quelques indications qui suivent montrent comment on a procédé

403

et quels étaient les inconvénients des procédures traditionnelles.

Relativité

On oublie souvent que les indices classiques comme la moyenne ne constituent qu'une *représentation* des données. En fait la situation est identique à celle qui a été décrite à propos de la cartographie. Il n'y a pas d'indice universel, supérieur à tout autre, il y a divers indices plus ou moins adaptés en fonction de l'idée que l'on se fait des données et des problèmes abordés. Dans certains cas, il peut être utile d'utiliser une médiane, dans d'autres une moyenne et même dans certaines circonstances (maximum de vraisemblance par exemple) un mode (c'est la valeur la plus fréquemment rencontrée). De même lorsqu'il s'agit de juger la dispersion des valeurs observées autour d'une valeur de référence, il n'est pas obligatoire de privilégier la variance et l'écart-type et il peut être plus judicieux d'utiliser un « écart moyen ». L'objectivité des mesures statistiques les plus traditionnelles a en réalité servi de faire-valoir à une prétendue objectivité des données elles-mêmes. Il ne faut pas non plus basculer aussitôt dans l'excès inverse et croire que tout est possible. On doit seulement admettre que chaque indice a certaines propriétés et n'a pas certaines autres, tout comme chaque test statistique (le genre si connu du « significatif à 5 p. 100 ») oppose certaines hypothèses à certaines autres. Il existe dans la statistique classique un mélange de prétentions souvent injustifiées comme l'hypothèse de normalité ou celle d'indépendance des résidus et d'ignorance délibérée du contexte dans lequel se situent les données. Le cas de l'association de deux variables qui est au centre des commentaires des cartes de France est un bon exemple de cette situation embrouillée.

Corrélation

Pour mesurer l'association de deux variables et éventuellement pour la prouver, il est habituel d'utiliser un coefficient de corrélation. Au début de la Statistique, plusieurs coefficients de ce genre ont coexisté (tetrachorique entre autres), mais le coefficient de Bravais-Pearson s'est progressivement imposé. Ce coefficient peut être calculé dès que l'on possède une série de couples d'observations numériques. On récuse ainsi toute information supplémentaire sur les observations (les voisinages des départements par exemple). De telles omissions de l'information sur la structure des données sont graves et elles se sont traduites au plan théorique par la crainte de la « tromperie écologique » (Ecological fallacy, pour reprendre la dénomination exacte de Robinson qui le premier s'est occupé de la question). Robinson avait calculé la corrélation entre le taux d'alphabétisation et la proportion de population noire aux Etats-Unis. Lorsqu'il utilisait comme unité d'observation les Etats, il obtenait une corrélation très élevée, plus faible sur la base des Comtés et presque insignifiante quand on passait au niveau des individus. Le calcul de Robinson a intrigué car il mêlait plusieurs problèmes. Le passage des caractéristiques d'un groupe (taux d'alphabétisation par exemple) à celles d'un individu (il sait lire et écrire ou non) tout d'abord : il n'est pas nécessaire de conserver une cohérence car il s'agit de deux ordres de faits différents. En mesurant les caractéristiques d'un groupe on ne s'intéresse pas à prédire ou deviner le comportement de ses membres mais le comportement du groupe dans d'autres domaines. Assimiler les deux points de vue revient à nier la société comme entité supérieure aux individus, c'est aussi le comportement des idéologies racistes qui attribuent à l'individu les caractères du groupe auquel il appartient. Le problème de la « tromperie écologique » n'est pas un problème de corrélation dans l'espace mais tout simplement un problème de variabilité interne aux groupes étudiés. Si cette variabilité est grande on peut trouver des corrélations très différentes à l'intérieur de sous groupes, si elle est faible, les corrélations se conserveront. Dans le cas général où le phénomène se traduit au niveau de l'individu par la présence ou l'absence d'une caractéristique donnée, le risque de « tromperie » est donc assez élevé. C'est un risque négatif : ne pas découvrir au

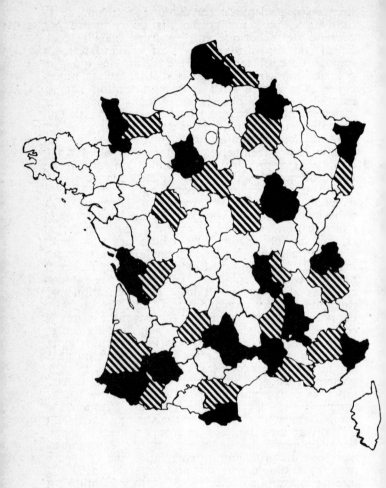

Un exemple de « tromperie écologique ».

niveau des individus une relation existant au niveau des groupes ; les analyses d'enquêtes par sondages sont particulièrement exposées à cet avatar. Or les caractères du groupe peuvent être aussi sinon plus intéressants que ceux de ses individus : le cas de la fécondité est peut-être plus clair que celui de l'alphabétisation utilisé par Robinson. Les familles sont de tailles très variables d'un couple à l'autre, cependant à l'échelle d'une région ou d'une classe sociale, les différences moyennes présentent beaucoup d'intérêt, ne serait-ce que pour la reproduction du groupe lui-même et de son équilibre avec ses voisins. On doit alors retourner l'argumentation : par des regroupements judicieux, on élimine une variabilité individuelle, sorte de bruit de fonds, pour analyser les différences entre groupes ; c'est l'effet « cage » si souvent utilisé dans les expériences de statistique médicale. Il paraît donc nécessaire d'écarter de la discussion le niveau individuel considéré par Robinson. Reste alors le problème du choix du découpage : ce qui peut être homogène à un certain niveau peut au contraire se dissocier à un niveau plus fin.

Ici aussi, il faut retourner l'argumentation statistique : la variation du coefficient de corrélation selon la finesse du découpage n'écarte pas ce genre de mesure numérique mais au contraire évalue la pertinence des découpages. Quelques exemples vont faire entrevoir l'étendue du problème. Sur la première carte, on a représenté deux phénomènes différents : les départements sont blancs en leur absence, sinon ils sont à la tonalité du phénomène qui s'y déroule. On peut facilement calculer la corrélation au niveau départemental : 0,08 dans le cas présent. Maintenant si l'on regroupe les départements en régions, la corrélation s'élève à 0,85. Cette différence n'est pas une « tromperie » mais exprime un caractère tout à fait particulier de la répartition, en l'occurrence le voisinage des deux phénomènes. Autrement dit, l'association de deux variables ne dépend pas seulement de leurs scores pour un ensemble d' « individus » (départements ici), mais de la répartition spatiale de chacun des deux phénomènes et surtout de leur disposition relative. Les deux cartes suivantes présentent deux situations un peu différentes pour lesquelles la corrélation départementale demeure la même que dans

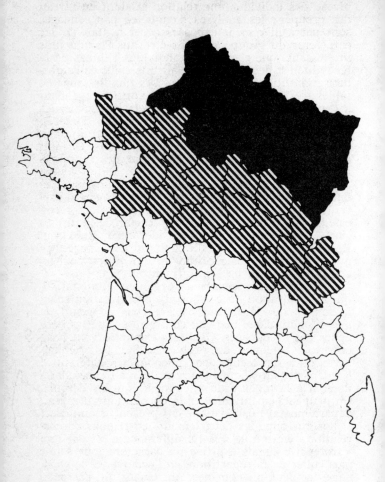

Deux distributions équivalentes du point de vue des corrélations.

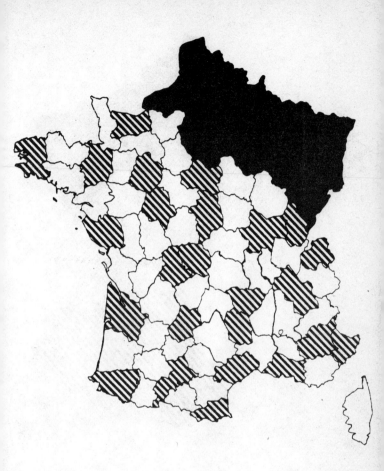

Variables à signification multiple.

le premier cas. Or il ne viendrait à l'esprit de personne d'assimiler les trois situations. Dans la première, il faut parler de complémentarité, dans la seconde, le phénomène central est un phénomène intermédiaire, et il se peut simplement que la mesure ait créé deux phénomènes là où il n'en existait qu'un seul avec plusieurs intensités ou modalités. Dans le dernier cas, il est plus tentant de parler d'absence de relations car ni la disposition ni la répartition relative ne coïncident. Un coefficient de corrélation classique est incapable de distinguer ces trois situations car il ignore la répartition spatiale des variables. Il existe enfin une dernière situation, illustrée par la quatrième carte et qui est un peu l'inverse de la seconde situation. Les deux variables représentées par des hachures en sens opposés, coïncideraient, si il n'y avait pas la zone occupée en bas de la carte par l'une seule d'entre elles. On a rencontré une situation semblable dans le cas des naissances naturelles et de leurs reconnaissances. La difficulté provenait du fait qu'une seule mesure — l'illégitimité — recouvrait deux phénomènes différents que seules des variables supplémentaires pouvaient départager. La tendance naturelle de la statistique est à la simplification ; elle recherche à résumer plusieurs variables par une seule, sans se préoccuper du cas inverse où une seule mesure représente plusieurs variables. Mauvaise mesure dira-t-on. Seule la carte a permis de l'affirmer, c'est-à-dire seule la netteté des zones qui s'y dégageaient. Dans tous ces exemples, la configuration de la carte paraît aussi, sinon plus importante que la corrélation. Or, il n'existe guère de traitement satisfaisant du phénomène de contiguïté en même temps que celui de l'association des variables. La contiguïté d'une variable seule a cependant été mesurée de plusieurs manières.

Autocorrélation spatiale

Cliff et Ord ont repris les mesures proposées par deux précurseurs, Geary et Moran et ont construit deux mesures de l'homogénéité spatiale, les indices I et c :

$$I = \frac{n \sum_{i,j} w_{ij} z_i z_j}{W \sum_i z_i^2} \qquad W = \sum_{ij} w_{ij}$$

$$c = \frac{n-1}{2W} \frac{\sum_{i,j} w_{ij} (z_i - z_j)^2}{\sum_i z_i^2}$$

Dans ces formules, les scores de chaque zone i sont désignés par z_i et leur moyenne est ramenée à zéro. Les coefficients w_{ij} expriment l'intensité du voisinage ou de la contiguïté entre la zone i et la zone j. Il ne paraît pas utile de conserver toute leur généralité à ces coefficients w_{ij} et il suffit de les restreindre aux voisinages au sens strict : w si les départements i et j sont voisins, w_{ij} sinon. La distribution des valeurs de I et c est connue pour quelques hypothèses aléatoires : lorsque les scores sont des rangs notamment. Ceci permet de décider si une répartition spatiale peut être considérée comme le fruit du hasard ou non. Nous n'avons cependant pas retenu directement les coefficients I et c car leur signification demeurait trop abstraite. Il était notamment impossible de les comparer à des coefficients de corrélation classique. Cela devient possible en effectuant une modification.

Coefficient de contiguïté

Comparons la corrélation spatiale et la corrélation entre deux variables à l'aide du critère suivant : Si une et une seule observation manque, comment la reconstituer au mieux ? Dans le cas de deux variables, on calcule la régression de la variable x pour laquelle une observation manque sur la variable y pour laquelle toutes les observations sont disponibles. On obtient une relation $x = ay + b$; pour estimer l'observation manquante, on applique cette relation (puisque on connaît la valeur de y). Supposons maintenant qu'à tour de rôle chaque observation x soit considérée comme manquante, et cherchons les valeurs de a et b telles qu'en moyenne on commette la plus petite erreur quadratique. On trouve alors que a et b sont les coefficients classiques de régression linéaire de x sur y, et que l'erreur quadratique moyenne est égale à l'unité diminuée du carré de la corrélation entre x et y (erreur relative). Il est possible d'appliquer la même ligne de raisonnement aux répartitions spatiales : supposons que l'un des scores manque et estimons comme combinaison linéaire de ses voisins :

$$y_j = \sum_i w_{ji} \, x_i \qquad\qquad \sum_j w_{ji} = 1$$

répétons l'opération pour chaque observation (département) et estimons a et b de telle sorte que l'erreur quadratique soit minimale. En comparant cette erreur (relative) et celle obtenue dans le cas de deux variables, nous pouvons comparer directement ce que nous apprend un découpage géographique et ce que nous apprend la connaissance d'une seconde variable. Dans ces conditions, on peut parler de coefficient n de corrélation spatiale dont la formule est exactement celle du coefficient de corrélation entre les scores et la moyenne simple des scores de leurs voisins. Soit :

$$P = \frac{\sum_j (x_j - \bar{x})(y_j - \bar{y})}{\sqrt{\sum_j (x_j - \bar{x})^2 \cdot \sum_j (y_j - \bar{y})^2}}$$

Cette procédure a un autre avantage, celui de suggérer une méthode de lissage des scores. Le problème est identique à celui des lissages temporels et il a été traité de la même manière : on a remplacé le score départemental par la moyenne des scores des départements voisins et de lui-même. Les quelques cartes lissées montrent la puissance du procédé, très supérieure à celle des lissages temporels. On dégage de cette manière des zones homogènes à partir de cartes peu structurées. Voici encore un exemple du retournement d'un procédé statistique : au départ, on voulait mesurer l'homogénéité d'une carte, à l'arrivée, on fabrique cette homogénéité. Les coefficients de contiguïté définis comme nous venons de l'indiquer ont été calculés pour chaque indice publié en annexe ainsi que quelques indicateurs des distributions et nous les fournissons dans l'annexe suivante. Le problème de la corrélation de deux variables dans l'espace n'en est pas pour autant réglé. A l'extrême, on peut imaginer une séparation entre l'effet de la contiguïté et celui du score et calculer à la manière des coefficients de corrélation partielle, mais on fait disparaître ainsi toute corrélation ou presque : c'est une question d'a priori ; ou bien on considère que l'homogénéité spatiale est un phénomène parasite et, à la manière des « tirages en grappes », il faut en tenir compte, par exemple par cette procédure de corrélation partielle, ou bien on estime que la contiguïté et la cohérence spatiale des phénomènes sont importantes et on les mesure par le coefficient qui a été proposé. L'importance des corrélations spatiales de l'annexe suivante indique alors l'importance du phénomène anthropologique lui-même.

Liste
des tableaux statistiques

TABLEAU NO 1 : MENAGES 1975

COLONNE NO 1	% MENAGES MULTIPLES (AGRICOLE)	I,1,5A
COLONNE NO 2	% MENAGES MULTIPLES (RURAL)	I,1,5B
COLONNE NO 3	% MENAGES MULTIPLES (URBAIN)	I,1,5C
COLONNE NO 4	% MENAGES AVEC ASCENDANT	I,1,8
COLONNE NO 5	% MENAGES AVEC AMI	I,1,11
COLONNE NO 6	% ISOLES DE PLUS DE 65 ANS	I,1,10

TABLEAU NO 2 : MENAGES ET MARIAGES

COLONNE NO 1	% AVEUGLES CHEZ APPARENTES 1911	I,1,13
COLONNE NO 2	AGE AU MARIAGE HOMMES VERS 1955	I,1,25
COLONNE NO 3	AGE AU MARIAGE FEMMES VERS 1955	I,1,26
COLONNE NO 4	% MARIAGES AVEC CONTRAT EN 1858	I,1,14
COLONNE NO 5	" " " " " 1912	I,1,15
COLONNE NO 6	" " " " " 1946	I,1,16

TABLEAU NO 3 : ANTHROPOLOGIE PHYSIQUE OU MORALE?

COLONNE NO 1	NAISS. DE JUMEAUX 1912 (P.1000)	I,1,22
COLONNE NO 2	DEFAUTS DE TAILLE 1860 " " "	I,1,23
COLONNE NO 3	TAILLE MOYENNE CONSCRITS 1948(MM)	I,1,24
COLONNE NO 4	MARIAGES COUSINS 1911-13 (P.1000)	II,1,3
COLONNE NO 5		
COLONNE NO 6		

TABLEAU NO 4 : LES EGLISES

COLONNE NO 1	% MESSALISANTS 1960-70	I,1,19
COLONNE NO 2	PRETRES SUR 1000 RECRUES 1825	IV,3,4A
COLONNE NO 3	ORDINATIONS 1876 (P.100000 H.)	IV,3,4B
COLONNE NO 4	PRETRES ACTIFS 1975 (P.10000H.)	IV,3,3A
COLONNE NO 5	ORIGINE PRETRES 1975 " " "	IV,3,3B
COLONNE NO 6	PASTEURS PROTEST.1876 "100000H.)	IV,3,5

TABLEAU NO 5 : DIVORCES

COLONNE NO 1	1896:DIVORCES POUR 100000 COUPLES	I,2,1A
COLONNE NO 2	1920-24 " " " "	I,2,1B
COLONNE NO 3	1946 " " 1000 MARIAGES	I,2,2A
COLONNE NO 4	1975 DEMANDES EN DIVORCE(P.10000H)	I,2,2B
COLONNE NO 5		
COLONNE NO 6		

TABLEAU NO 6 : ENFANTS NATURELS

COLONNE NO 1	% NAISSANCES NATURELLES 1820	I,2,3A
COLONNE NO 2	" " " " 1862	I,2,3B
COLONNE NO 3	" " " " 1911	I,2,4A
COLONNE NO 4	" " " " 1975	I,2,4B
COLONNE NO 5	% NAISS. NAT. RURALES 1853	I,2,8
COLONNE NO 6	% CONCEPTIONS PRENUPTIALES	I,2,6

TABLEAU NO 7 : RECONNAISSANCES,LEGITIMATIONS

COLONNE NO 1	% MARIAGES LEGITIMANT 1858	I,2,5A
COLONNE NO 2	% MARIAGES LEGITIMANT 1911-13	I,2,5B
COLONNE NO 3	NB MOYEN D'ENFANTS LEGITIMES	I,2,11
COLONNE NO 4	% RECONN. PATERNELLES, 1853	I,2,10A
COLONNE NO 5	% " " " 1911-13	I,2,10B
COLONNE NO 6	%RECONNUS AVANT LEGITIM. 1911-13	I,2,12

TABLEAU NO 8 : NAISSANCES DIFFICILES

COLONNE NO 1	% NAISS. LEG. A DOMICILE 1911-13	I,2,9
COLONNE NO 2	% NAISS. ILLEG. " " "	I,2,9
COLONNE NO 3	MORTALITE DES ABANDONNES DE 1825 A 1833	
COLONNE NO 4	(POUR 100 SAUVES)	I,2,14
COLONNE NO 5	MORTALITE DES ENF NATURELS 1885	I,2,14
COLONNE NO 6	AVORTEMENTS "REDUITS" 1975	I,2,21A

TABLEAU NO 9 : HOMMES/FEMMES

COLONNE NO 1	% FEM. TENANT DEBIT BOISSON 1896	I,2,16A
COLONNE NO 2	% FEM. AGRICULT.(SUR H.+F.) 1901	I,2,16B
COLONNE NO 3	SAGES FEMMES (P.100000HAB.) 1970	I,2,17
COLONNE NO 4	FILLES PUBLIQUES " " " 1856	I,2,20
COLONNE NO 5	ECART AGE MARIAGE H ET F 1861-65	I,1,28
COLONNE NO 6	% DECES A DOMICILE 1975	I,1,9

TABLEAU NO 10 : VIOLENCE

COLONNE NO 1	HOMICIDE 1875-85 (P.100000)	I,3,1
COLONNE NO 2	COUPS ET BLESS. 1875-85(P.100000)	I,3,2A
COLONNE NO 3	COUPS ET BLESS. 1975 (P.100000)	I,3,2B
COLONNE NO 4	IVRESSE PUBLIQUE 1885 (P.100000)	I,3,3
COLONNE NO 5	VIOLS 1875-85(P.100000)	I,3,4
COLONNE NO 6	ALIENES 1885 (P.100000)	I,3,7

```
TABLEAU NO 11 : MOUVEMENT ET REPARTITION DE LA POPULATION


COLONNE NO   1   % POPULATION EPARSE 1876              I,3,9A
COLONNE NO   2   % POPULATION EPARSE 1975              I,3,9B
COLONNE NO   3   % RESIDENTS   NES HORS DEPT 1872      II,1,1A
COLONNE NO   4   % RESIDENTS NES HORS DEPT 1901        II,1,1B
COLONNE NO   5      "      "      "      "    " 1936   II,1,1C
COLONNE NO   6      "      "      "      "    " 1975   II,1,1D



          TABLEAU NO 12 :      EMIGRATIONS


COLONNE NO   1   ATTRACTIONS HTE SAONE 1975            II,1,4A
COLONNE NO   2   ATTRACTIONS  SARTHE    1975           II,1,4B
COLONNE NO   3   ATTRACTIONS  AVEYRON   1891           II,1,5A
COLONNE NO   4   ATTRACTIONS   CREUSE   1891           II,1,5C
COLONNE NO   5   ATTRACTIONS  NIEVRE    1891           II,1,5D
COLONNE NO   6   ATTRACTIONS SAONE ET L. 1891          II,1,5B



      TABLEAU NO 13 : IMMIGRATIONS


COLONNE NO   1   ATTRACTIONS BOUCHE DU RHONE 1975 II,1,7C
COLONNE NO   2   ATTRACTIONS HAUTE GARONNE    1975 II,1,7B
COLONNE NO   3   ATTRACTIONS   GIRONDE        1975 II,1,7A
COLONNE NO   4   ATTRACTIONS    RHONE         1975 II,1,7D
COLONNE NO   5   ATTRACTIONS PARIS + COURONNE   "  II,2,3D
COLONNE NO   6



      TABLEAU NO 14 :   PARIS


COLONNE NO   1   ATTRACTIONS (P.10000) POPINCOURT II,2,1A
COLONNE NO   2      "       "      "      " FEDERES  II,2,1B
COLONNE NO   3      "       "      "      " ENGAGES  II,2,1C
COLONNE NO   4   ATTRACTIONS (P. 10000)DECES 1833 II,2,2
COLONNE NO   5      "       "      "      " PARIS 1891 II,2,3A
COLONNE NO   6      "       "      "      " SEINE 1911 II,2,3B



      TABLEAU NO 15 : ALPHABETISATION


COLONNE NO   1   % SIGNATURES HOMMES 1686-90    III,1,1
COLONNE NO   2      "      "      "    " 1786-90  III,1,2
COLONNE NO   3      "      "      "    " 1854     III,1,3A
COLONNE NO   4   % SIGNATURES HOMMES 1869        III,1,3B
COLONNE NO   5      "      "      "    " 1885     III,1,3C
COLONNE NO   6      "      "      "    " 1901     III,1,3D
```

```
        TABLEAU NO 16 : ALPHABETISATION FEMMES


COLONNE NO  1   % ECOLES MIXTES 1837            III,1,8
COLONNE NO  2   % LISANT SEULEMENT 1872         III,1,11
COLONNE NO  3   % SIGNATURES FEMMES 1854        III,1,9A
COLONNE NO  4   % SIGNATURES FEMMES 1869        III,1,9B
COLONNE NO  5     "        "       "    "  1885 III,1,9C
COLONNE NO  6     "        "       "    "  1901 III,1,9D
```

```
       TABLEAU NO 17 :  ELITE ET DIVERS


COLONNE NO  1   % BACHELIERS H. 25-34 ANS 1975 III,1,12
COLONNE NO  2   % BACHELIERS F. 25-34 ANS 1975 III,1,13
COLONNE NO  3   ELITE 1816-25 (POUR 1000 RECR.)III,1,7
COLONNE NO  4   DIMENSION MOY.MENAGES 1886      III,2,1
COLONNE NO  5     "        "      "       " 1975 III,2,5
COLONNE NO  6   TAUX DE SUICIDE (P.100000)1830 III,2,6A
```

```
       TABLEAU NO 18 :    SUICIDES


COLONNE NO  1   SUICIDES (P.100000) 1856-60    III,2,6B
COLONNE NO  2     "       "       "    " 1875-85 III,2,6C
COLONNE NO  3     "       "       "    " 1901-02 III,2,6D
COLONNE NO  4   SUICIDES (P.100000)  1934       III,2,6E
COLONNE NO  5     "       "       "    "  1954   III,2,6F
COLONNE NO  6     "       "       "    "  1975   III,2,6G
```

```
       TABLEAU NO 19 :  FECONDITE


COLONNE NO  1   INDICE DE FECONDITE IF 1831-35  III,3,5
COLONNE NO  2   NOMBRE MOYEN D ENFANTS 1860-62  III,3,6
COLONNE NO  3     "      "      "   "   1890-92  III,3,8
COLONNE NO  4   NOMBRE MOYEN D ENFANTS 1910-12  III,3,8
COLONNE NO  5     "      "      "   "      1926  III,3,11
COLONNE NO  6     "      "      "   "      1954  III,3,11
```

```
       TABLEAU NO 20 : FECONDITE,FAMILLE


COLONNE NO  1   NOMBRE MOYEN DE NAISSANCES 1962 III,3,11
COLONNE NO  2     "      "      "       "    " 1975 III,3,12
COLONNE NO  3   FAMILLES DE 9 ENFANTS ET + 1906 III,3,7A
COLONNE NO  4   FAMILLES SANS ENFANTS        1906 III,3,7B
COLONNE NO  5   INDICE MARIAGE IM            1831 III,3,4
COLONNE NO  6
```

```
TABLEAU NO 21 :  POLITIQUE:LA GAUCHE


COLONNE NO   1   % SUFFRAGES EXP. RADICAUX 1914 IV,2,8A
COLONNE NO   2     "      "      "   SOCIALISTES 1919 IV,2,8B
COLONNE NO   3     "      "      "       "       "    1973 IV,2,3
COLONNE NO   4   % SUFFRAGES EXP.SOCIALISTES1978 IV,2,11C
COLONNE NO   5     "      "      "   COMMUNISTES 1973  IV,2,6
COLONNE NO   6     "      "      "       "       "     1978 IV,2,8D



        TABLEAU NO 22 :  PRESIDENTIELLES


COLONNE NO   1   SUFFRAGES EXP.DE GAULLE 1965    IV,3,1
COLONNE NO   2     "      "      "    DUCLOS   1969   IV,4,2B
COLONNE NO   3     "      "      "    DEFERRE  1969   IV,4,1
COLONNE NO   4   SUFFRAGES EXP. ROCARD   1969   IV,4,4
COLONNE NO   5     "      "      "    GISCARD  1974   IV,3,1
COLONNE NO   6     "      "      "    EXT. GAUCHE 1978 IV,2,9



        TABLEAU NO 23 :  DIVERS


COLONNE NO   1   % PROPRIETAIRES AGRICOLES 1851  IV,2,2
COLONNE NO   2   % OUVRIERS (S.SECONDAIRE) 1968  IV,2,10
COLONNE NO   3   % PAYSANS (S. PRIMAIRE ) 1968   IV,1,2
COLONNE NO   4   % SUFFR.EXPR.       RPR      1978
COLONNE NO   5     "      "      "      UDF    1978
COLONNE NO   6



        TABLEAU NO 24 :   MORTALITE


COLONNE NO   1   % DECES A DOMICILE 1975          I,1,9
COLONNE NO   2   DECES PAR CIRRHOSE(P.100000)1975 I,1,12
COLONNE NO   3   MORTALITE INFANTILE(P.1000) 1861 III,1,5
COLONNE NO   4   MORTALITE H. DE 50 A 80 ANS 1975 V,1
COLONNE NO   5   ESPERANCE DE VIE H. A 50 ANS 1975 V,3
COLONNE NO   6     "       "      "      "      "    1891 V,2
```

Tableaux statistiques

TABLEAU NO 1 :MENAGES 1975

AIN	1,80	0,90	0,60	7,80	0,40	18,90
AISNE	1,10	1,00	0,80	4,30	0,90	11,50
ALLIER	6,70	1,60	1,10	12,20	1,20	14,10
BASSES-ALPES	2,70	1,10	0,80	8,00	1,60	14,90
HAUTES-ALPES	5,00	2,00	1,00	11,80	1,30	15,10
A. MARITIMES	2,20	1,60	0,90	6,20	3,70	20,70
ARDECHE	2,90	1,00	0,80	9,40	1,10	13,50
ARDENNES	1,40	0,70	0,70	4,30	0,30	13,00
ARIEGE	9,30	3,30	3,20	13,40	1,20	16,60
AUBE	1,30	0,90	0,50	5,20	1,40	14,40
AUDE	6,60	3,60	2,80	13,10	1,80	10,10
AVEYRON	12,90	2,80	1,40	20,60	0,90	6,80
B. DU RHONE	2,60	1,50	1,10	6,40	11,50	8,80
CALVADOS	1,20	0,90	0,70	4,80	1,20	16,10
CANTAL	7,20	2,20	1,60	11,50	0,80	10,80
CHARENTES	6,30	2,40	1,60	11,40	1,20	14,40
CHARENTE MTME	3,80	1,60	1,10	9,20	0,80	13,60
CHER	3,30	1,20	0,80	8,30	1,20	14,30
CORREZE	11,40	2,80	1,60	16,60	0,80	14,20
CORSE	MANQUE	MANQUE	MANQUE	MANQUE	MANQUE	MANQUE
COTE D'OR	1,40	0,60	0,40	5,10	0,80	15,50
COTE DU NORD	2,60	1,00	0,80	8,10	0,50	15,80
CREUSE	10,10	2,40	1,10	16,20	1,10	15,30
DORDOGNE	10,40	3,30	2,10	14,70	1,30	12,80
DOUBS	1,50	0,80	0,50	5,40	0,20	14,40
DROME	4,80	1,80	0,80	12,30	1,50	9,80
EURE	1,50	1,10	0,60	5,20	1,90	13,90
EURE ET LOIR	1,10	0,90	0,60	3,90	0,50	13,50
FINISTERE	5,90	2,10	1,20	11,10	0,20	13,60
GARD	3,50	1,60	1,30	9,10	4,60	8,50
HAUTE GARONNE	11,80	3,80	1,70	15,90	2,30	10,70
GERS	13,70	4,10	3,30	19,10	2,10	8,00
GIRONDE	4,90	2,80	1,40	10,00	2,00	14,50
HERAULT	4,20	2,10	0,10	10,70	2,00	10,20
ILLE VILAINE	0,80	0,60	0,40	4,90	0,40	17,90
INDRE	6,40	1,90	1,00	11,00	0,80	12,90
INDRE ET LOIRE	2,20	0,90	0,70	6,40	0,90	16,50
ISERE	4,80	1,40	0,60	11,00	0,80	14,80
JURA	2,10	0,70	0,50	7,70	0,80	18,60
LANDES	16,80	5,10	3,10	22,90	1,10	9,40
LOIR ET CHER	1,90	0,80	0,60	5,10	0,90	16,60
LOIRE	2,30	0,70	0,50	7,80	0,90	13,30
HAUTE LOIRE	3,60	1,00	0,60	9,20	0,30	14,70
L. ATLANTIQUE	1,60	0,70	0,50	9,30	0,40	15,10
LOIRET	1,40	0,70	0,60	3,40	0,60	17,40

```
COLONNE 1   % MENAGES MULTIPLES (AGRICOLE)   I,1,5A
COLONNE 2   % MENAGES MULTIPLES (RURAL)      I,1,5B
COLONNE 3   % MENAGES MULTIPLES (URBAIN)     I,1,5C
```

LOT	12,90	2,30	1,90	19,70	1,70	10,80
LOT ET GARONNE	8,70	2,90	2,50	14,90	1,80	10,60
LOZERE	4,40	1,10	1,20	12,10	0,70	11,10
MAINE ET LOIRE	1,40	0,80	0,70	5,80	0,60	12,90
MANCHE	0,60	0,80	0,40	4,50	0,60	17,60
MARNE	1,00	0,80	0,50	4,00	1,50	12,80
HAUTE MARNE	2,00	0,90	0,60	4,70	0,50	15,60
MAYENNE	0,60	0,70	0,30	3,50	0,40	15,80
MEURTHE ET MSL	1,80	0,90	0,70	6,00	1,00	14,70
MEUSE	1,30	0,90	0,80	4,00	0,30	14,80
MORBIHAN	1,60	1,10	0,80	6,00	0,50	16,40
MOSELLE	7,20	3,00	1,20	12,20	0,80	10,00
NIEVRE	3,40	1,00	0,80	7,80	0,90	13,60
NORD	2,30	1,40	0,90	5,70	0,80	12,10
OISE	1,50	1,20	0,80	3,60	1,40	13,70
ORNE	0,70	0,70	0,60	4,40	1,00	16,90
PAS DE CALAIS	3,40	1,50	1,30	7,50	0,50	11,20
PUY DE DOME	6,40	2,00	0,90	11,50	1,40	15,60
P. ATLANTIQUES	15,00	3,90	2,00	20,70	1,50	5,90
HTES PYRENEES	13,00	4,10	2,00	15,30	1,50	11,40
P. ORIENTALES	4,70	2,00	1,70	9,20	0,60	8,90
BAS RHIN	11,30	4,20	1,20	17,10	0,40	8,70
HAUT RHIN	5,80	2,20	0,80	11,90	0,90	11,00
RHONE	1,00	0,50	0,50	MANQUE	MANQUE	13,60
HAUTE SAONE	1,70	0,90	0,70	6,20	0,80	16,90
SAONE ET LOIRE	2,20	0,90	0,70	7,30	0,60	18,90
SARTHE	0,50	0,20	0,30	3,00	0,70	20,30
SAVOIE	3,00	1,40	0,70	7,60	0,50	20,20
HAUTE SAVOIE	3,60	1,20	0,70	8,00	1,00	14,00
SEINE	MANQUE	MANQUE	1,20	MANQUE	MANQUE	MANQUE
SEINE MARITIME	1,00	0,90	0,60	3,40	0,50	11,90
SEINE ET MARNE	1,50	1,20	0,90	3,80	1,10	13,40
SEINE ET OISE	2,00	1,50	1,10	3,70	1,30	13,50
DEUX SEVRES	5,00	1,80	1,20	9,90	0,40	11,10
SOMME	2,00	1,20	0,70	6,20	0,90	12,70
TARN	15,20	4,90	2,60	21,30	1,80	8,50
TARN GARONNE	14,30	3,30	2,60	19,40	4,30	8,80
VAR	2,30	1,10	1,10	6,10	2,60	14,30
VAUCLUSE	3,10	2,10	1,30	6,50	3,50	9,80
VENDEE	4,40	1,20	0,90	10,20	0,30	12,80
VIENNE	4,50	1,40	1,20	8,40	0,60	13,40
HAUTE VIENNE	7,60	2,90	1,30	12,00	1,20	16,20
VOSGES	1,40	0,90	0,70	6,00	0,50	18,30
YONNE	2,20	0,70	0,60	6,00	2,50	16,40
T. DE BELFORT	5,10	1,20	0,50	8,50	1,70	17,50

```
COLONNE 4   % MENAGES AVEC ASCENDANT        I,1,8
COLONNE 5   % MENAGES AVEC AMI              I,1,11
COLONNE 6   % ISOLES DE PLUS DE 65 ANS      I,1,10
```

TABLEAU NO 2 : MENAGES ET MARIAGES

	1	2	3	4	5	6
AIN	36,56	27,20	23,10	75,50	48,61	29,33
AISNE	27,82	25,90	22,60	42,42	24,18	23,62
ALLIER	30,94	26,50	22,30	41,08	27,19	16,16
BASSES-ALPES	45,68	28,20	23,20	62,23	30,08	15,62
HAUTES-ALPES	41,94	28,00	23,80	56,04	39,73	17,55
A. MARITIMES	32,20	27,70	23,60	MANQUE	7,74	14,97
ARDECHE	32,19	27,40	23,90	56,38	35,82	15,93
ARDENNES	27,19	25,90	22,80	21,74	16,24	18,01
ARIEGE	41,61	27,00	22,50	48,54	32,62	14,79
AUBE	20,60	26,00	22,60	24,35	18,21	21,27
AUDE	49,70	26,20	22,40	40,57	13,73	11,08
AVEYRON	38,60	28,20	23,20	49,06	41,57	30,87
B. DU RHONE	46,81	26,90	23,00	20,17	7,75	6,43
CALVADOS	33,90	26,30	23,10	67,32	29,34	25,71
CANTAL	32,00	27,60	23,20	64,38	44,15	25,57
CHARENTES	41,28	25,40	21,80	59,37	26,10	21,77
CHARENTE MTME	38,20	25,80	22,20	55,40	20,23	14,63
CHER	29,61	26,80	22,90	35,43	15,17	12,58
CORREZE	33,14	26,60	22,50	61,76	50,06	34,33
CORSE	39,29	29,10	24,20	17,70	7,14	3,90
COTE D'OR	34,06	26,90	23,20	58,60	24,42	16,74
COTE DU NORD	35,38	27,50	23,90	2,85	2,71	5,09
CREUSE	46,67	26,80	22,50	64,66	40,18	19,12
DORDOGNE	39,66	26,00	21,80	62,22	45,28	30,67
DOUBS	34,21	27,30	23,90	30,49	13,38	8,60
DROME	40,38	27,10	23,40	88,50	52,08	29,21
EURE	39,58	26,20	22,70	64,59	31,20	28,38
EURE ET LOIR	31,48	26,40	22,60	46,81	34,73	33,13
FINISTERE	43,54	27,10	23,60	13,63	9,75	4,46
GARD	42,23	26,80	23,20	63,75	19,47	12,54
HAUTE GARONNE	50,69	26,60	23,00	55,81	36,83	16,80
GERS	46,45	27,60	22,90	52,08	56,55	42,02
GIRONDE	42,18	26,30	22,60	55,23	33,67	23,20
HERAULT	46,57	26,40	23,10	39,84	13,55	10,23
ILLE VILAINE	25,40	27,50	24,10	6,67	4,03	8,54
INDRE	31,88	26,60	22,50	17,56	16,62	13,37
INDRE ET LOIRE	30,87	25,80	22,50	37,57	19,90	22,80
ISERE	34,44	27,10	23,50	68,64	55,12	29,00
JURA	32,95	27,60	23,40	49,06	24,95	14,14
LANDES	40,98	27,10	22,30	41,78	30,13	18,15
LOIR ET CHER	34,09	26,00	22,70	45,34	30,88	30,66
LOIRE	32,13	26,50	23,60	95,81	41,38	27,68
HAUTE LOIRE	34,48	27,60	24,10	80,29	58,44	33,27
L. ATLANTIQUE	37,26	26,60	23,50	7,99	3,81	5,36
LOIRET	38,54	26,00	22,70	58,18	34,23	29,48

COLONNE 1   % AVEUGLES CHEZ APPARENTES 1911   I,1,13
COLONNE 2   AGE AU MARIAGE HOMMES VERS 1955   I,1,25
COLONNE 3   AGE AU MARIAGE FEMMES VERS 1955   I,1,26

LOT	39,23	26,90	22,70	56,09	63,67	46,57
LOT ET GARONNE	45,42	26,00	21,60	50,20	57,94	33,37
LOZERE	37,96	28,00	24,60	50,73	39,87	19,06
MAINE ET LOIRE	42,29	26,40	23,00	16,20	7,38	9,41
MANCHE	30,53	26,70	23,50	63,22	34,11	23,51
MARNE	41,35	26,10	22,60	32,00	20,13	20,01
HAUTE MARNE	29,41	27,00	23,20	12,23	9,48	9,00
MAYENNE	27,66	27,20	23,50	9,41	5,77	8,35
MEURTHE ET MSL	19,72	26,40	23,10	13,79	9,52	9,13
MEUSE	36,93	26,80	22,90	12,81	13,13	10,89
MORBIHAN	38,67	27,70	24,10	2,17	2,20	3,48
MOSELLE	MANQUE	27,40	23,60	15,18	MANQUE	11,29
NIEVRE	38,76	26,80	22,60	32,28	14,87	11,79
NORD	26,29	25,50	22,90	27,90	24,38	34,64
OISE	39,43	25,80	22,50	26,24	21,84	22,10
ORNE	29,08	26,90	23,00	49,61	28,35	28,58
PAS DE CALAIS	38,71	25,60	22,60	38,22	27,95	29,50
PUY DE DOME	33,33	26,60	23,00	82,26	45,86	19,44
P. ATLANTIQUES	41,69	28,20	24,30	33,75	32,35	25,85
HTES PYRENEES	42,99	27,80	23,50	54,07	36,87	22,74
P. ORIENTALES	34,51	26,50	23,10	19,81	5,67	6,73
BAS RHIN	MANQUE	27,70	24,40	35,80	MANQUE	25,96
HAUT RHIN	MANQUE	27,50	24,10	16,66	MANQUE	36,71
RHONE	28,25	26,60	23,50	60,84	30,74	25,63
HAUTE SAONE	24,32	27,00	23,70	15,40	9,12	8,38
SAONE ET LOIRE	30,66	26,30	22,60	58,80	27,36	15,57
SARTHE	33,33	25,90	22,70	37,06	28,29	32,84
SAVOIE	36,53	27,90	24,00	MANQUE	16,56	11,64
HAUTE SAVOIE	38,64	27,90	23,90	MANQUE	9,23	10,95
SEINE	27,85	26,80	23,50	20,14	12,96	30,03
SEINE MARITIME	33,05	25,80	22,90	30,48	16,12	15,62
SEINE ET MARNE	44,44	26,30	22,90	27,77	24,02	21,65
SEINE ET OISE	32,94	26,00	23,00	33,43	17,86	17,89
DEUX SEVRES	35,03	26,00	22,60	32,41	11,12	9,39
SOMME	36,70	25,40	22,40	38,66	29,27	31,05
TARN	42,19	26,80	22,70	64,66	35,12	20,91
TARN GARONNE	49,76	26,70	22,10	66,53	57,77	35,42
VAR	34,78	26,40	22,70	32,02	5,79	10,35
VAUCLUSE	36,81	26,50	22,70	42,88	17,75	13,84
VENDEE	27,78	25,90	22,70	10,79	5,31	6,04
VIENNE	28,33	26,30	22,50	18,30	10,18	12,31
HAUTE VIENNE	32,12	26,10	22,10	46,41	32,60	15,52
VOSGES	36,88	26,80	23,80	8,08	6,52	7,57
YONNE	37,50	26,90	23,00	53,26	33,34	26,90
T. DE BELFORT	44,26	27,20	23,80	15,40	7,56	7,79

```
COLONNE 4  % MARIAGES AVEC CONTRAT EN 1858  I,1,14
COLONNE 5  "      "      "      "       " 1912  I,1,15
COLONNE 6  "      "      "      "       " 1946  I,1,16
```

AIN	12,72	488,	1683,	2,85
AISNE	11,61	400,	1689,	4,12
ALLIER	10,16	1130,	1684,	5,76
BASSES-ALPES	13,20	1015,	1682,	7,05
HAUTES-ALPES	11,56	985,	1686,	7,65
A. MARITIMES	11,73	MANQUE	1694,	3,28
ARDECHE	12,49	1050,	1677,	12,02
ARDENNES	10,25	371,	1686,	2,84
ARIEGE	10,62	1014,	1686,	6,75
AUBE	10,64	445,	1679,	3,30
AUDE	10,90	752,	1679,	4,76
AVEYRON	13,39	940,	1684,	6,79
B. DU RHONE	11,40	450,	1685,	0,71
CALVADOS	12,70	498,	1670,	2,82
CANTAL	12,84	989,	1670,	8,04
CHARENTES	10,24	1145,	1676,	4,10
CHARENTE MTME	10,76	559,	1672,	3,82
CHER	10,14	1037,	1680,	4,54
CORREZE	10,65	1890,	1679,	6,68
CORSE	10,53	870,	1663,	6,08
COTE D'OR	11,81	335,	1686,	2,50
COTE DU NORD	16,03	1250,	1657,	8,02
CREUSE	10,89	779,	1686,	6,59
DORDOGNE	10,42	1310,	1673,	3,59
DOUBS	13,22	230,	1689,	2,84
DROME	10,65	542,	1681,	5,57
EURE	11,11	536,	1675,	4,13
EURE ET LOIR	11,58	520,	1666,	4,26
FINISTERE	14,88	1146,	1678,	2,95
GARD	12,84	582,	1684,	4,48
HAUTE GARONNE	9,82	637,	1683,	3,83
GERS	11,21	720,	1678,	1,99
GIRONDE	8,82	670,	1677,	1,63
HERAULT	11,30	634,	1681,	2,10
ILLE VILAINE	13,99	1005,	1646,	5,89
INDRE	11,14	970,	1675,	3,60
INDRE ET LOIRE	9,41	1170,	1666,	4,30
ISERE	12,46	493,	1686,	5,21
JURA	12,83	310,	1691,	4,68
LANDES	11,11	793,	1683,	2,79
LOIR ET CHER	10,61	950,	1665,	6,38
LOIRE	11,55	792,	1676,	5,33
HAUTE LOIRE	15,12	800,	1674,	8,65
L. ATLANTIQUE	12,43	792,	1669,	7,57
LOIRET	10,39	750,	1669,	3,08

COLONNE 1   NAISS, DE JUMEAUX 1912 (P.1000) I,1,22
COLONNE 2   DEFAUTS DE TAILLE 1860 "   "   "   I,1,23
COLONNE 3   TAILLE MOYENNE CONSCRITS 1948(MM)I,1,24

LOT	13,75	1120,	1679,	6,93
LOT ET GARONNE	9,73	640,	1681,	2,11
LOZERE	14,95	1100,	1682,	11,06
MAINE ET LOIRE	11,74	560,	1670,	5,62
MANCHE	14,60	588,	1660,	4,01
MARNE	10,18	410,	1685,	2,70
HAUTE MARNE	10,94	376,	1688,	3,91
MAYENNE	13,03	910,	1656,	5,09
MEURTHE ET MSL	12,04	545,	1686,	2,80
MEUSE	11,77	1000,	1684,	4,01
MORBIHAN	14,42	986,	1657,	5,15
MOSELLE	MANQUE	435,	1692,	MANQUE
NIEVRE	10,48	500,	1681,	4,19
NORD	12,75	338,	1695,	2,30
OISE	10,06	431,	1685,	4,06
ORNE	12,41	589,	1663,	3,58
PAS DE CALAIS	12,92	378,	1685,	2,91
PUY DE DOME	13,65	1490,	1686,	7,63
P. ATLANTIQUES	10,93	829,	1682,	3,35
HTES PYRENEES	10,73	542,	1685,	4,86
P. ORIENTALES	13,40	824,	1687,	3,55
BAS RHIN	MANQUE	391,	1694,	MANQUE
HAUT RHIN	MANQUE	555,	1696,	MANQUE
RHONE	10,21	460,	1688,	2,19
HAUTE SAONE	12,41	377,	1686,	2,82
SAONE ET LOIRE	12,92	777,	1684,	3,95
SARTHE	10,56	760,	1686,	3,26
SAVOIE	15,03	MANQUE	1689,	7,55
HAUTE SAVOIE	15,78	MANQUE	1691,	3,22
SEINE	9,63	850,	1697,	3,22
SEINE MARITIME	12,88	638,	1674,	3,20
SEINE ET MARNE	8,41	390,	1686,	4,58
SEINE ET OISE	11,41	485,	1692,	3,94
DEUX SEVRES	12,68	470,	1670,	5,76
SOMME	11,02	340,	1687,	3,66
TARN	10,65	1038,	1684,	7,36
TARN GARONNE	8,79	810,	1678,	2,39
VAR	11,19	561,	1684,	1,81
VAUCLUSE	10,08	538,	1684,	4,23
VENDEE	13,53	600,	1669,	4,97
VIENNE	10,21	779,	1673,	5,38
HAUTE VIENNE	10,18	1760,	1679,	4,84
VOSGES	13,90	443,	1674,	3,87
YONNE	11,48	558,	1678,	4,64
T. DE BELFORT	13,02	377,	1691,	2,86

COLONNE 4   MARIAGES COUSINS 1911-13 (P.1000)II,1,3

TABLEAU NO 4 :   LES EGLISES

AIN	22,00	26,00	14,20	7,10	8,42	0,00
AISNE	15,00	26,00	8,90	5,30	4,81	2,88
ALLIER	13,00	11,00	10,40	4,90	4,76	0,00
BASSES-ALPES	11,00	52,00	25,00	6,40	7,06	0,00
HAUTES-ALPES	25,00	60,00	10,10	10,70	11,25	4,13
A. MARITIMES	18,00	MANQUE	6,40	3,70	3,29	0,00
ARDECHE	46,00	31,00	16,40	10,90	13,31	34,57
ARDENNES	23,00	19,00	8,40	5,20	6,53	3,60
ARIEGE	21,00	26,00	7,80	8,40	8,58	20,42
AUBE	15,00	39,00	20,80	5,40	4,94	0,00
AUDE	25,00	44,00	14,00	6,40	6,46	0,00
AVEYRON	57,00	75,00	23,00	18,60	22,87	5,30
B. DU RHONE	10,00	40,00	7,90	3,15	2,72	3,40
CALVADOS	29,00	35,00	17,10	6,10	8,71	4,10
CANTAL	31,00	59,00	20,30	12,50	11,21	0,00
CHARENTES	13,00	7,00	12,00	5,00	5,34	4,32
CHARENTE MTME	15,00	11,00	8,80	4,20	2,84	13,30
CHER	10,00	13,00	6,00	4,40	4,72	3,42
CORREZE	12,00	39,00	8,70	6,60	5,57	0,00
CORSE	34,00	87,00	17,10	5,30	3,23	0,00
COTE D'OR	21,00	25,00	10,90	5,60	8,02	1,31
COTE DU NORD	41,00	28,00	18,50	10,80	13,31	0,00
CREUSE	6,00	23,00	8,60	4,40	1,89	0,00
DORDOGNE	15,20	11,00	14,10	5,30	4,56	4,44
DOUBS	42,00	36,00	22,00	8,90	21,05	44,19
DROME	28,00	28,00	15,90	7,40	7,72	47,60
EURE	24,60	31,00	8,60	5,40	5,25	0,00
EURE ET LOIR	14,00	32,00	9,20	6,40	5,48	0,00
FINISTERE	53,00	27,00	19,70	8,90	14,87	0,44
GARD	34,00	24,00	10,90	5,40	6,76	70,36
HAUTE GARONNE	25,80	34,00	16,70	4,50	5,15	1,67
GERS	28,00	34,00	10,60	10,10	7,31	0,00
GIRONDE	13,00	16,00	13,10	3,50	4,02	2,67
HERAULT	35,00	31,00	9,00	5,10	6,47	11,79
ILLE VILAINE	65,00	31,00	13,30	11,00	19,43	0,00
INDRE	10,00	9,00	6,00	4,40	3,47	0,00
INDRE ET LOIRE	15,00	18,00	8,90	4,70	5,31	0,00
ISERE	26,00	31,00	14,50	4,90	7,05	2,59
JURA	35,00	29,00	19,70	12,20	16,23	0,00
LANDES	32,00	22,00	13,20	10,00	12,63	0,00
LOIR ET CHER	14,00	22,00	9,20	4,80	6,00	0,00
LOIRE	54,00	43,00	15,10	5,90	10,48	0,83
HAUTE LOIRE	58,00	37,00	19,80	16,60	17,76	6,01
L. ATLANTIQUE	51,00	15,00	17,80	8,70	16,16	1,60
LOIRET	13,00	21,00	11,10	5,30	8,37	5,98

COLONNE 1   % MESSALISANTS 1960-70   I,1,19
COLONNE 2   PRETRES SUR 1000 RECRUES 1825   IV,3,4A
COLONNE 3   ORDINATIONS 1876 (P.100000 H.) IV,3,4B

LOT	39,00	34,00	17,40	9,70	9,51	0,00
LOT ET GARONNE	26,00	17,00	16,40	6,20	4,44	19,23
LOZERE	69,00	81,00	28,90	27,90	43,47	131,47
MAINE ET LOIRE	48,00	27,00	18,60	11,10	18,72	0,00
MANCHE	51,00	44,00	19,60	10,80	14,02	0,00
MARNE	19,00	23,00	8,40	6,15	7,88	0,00
HAUTE MARNE	30,00	41,00	15,80	6,50	8,19	0,00
MAYENNE	59,00	39,00	24,70	12,40	15,62	0,00
MEURTHE ET MSL	44,40	33,00	24,00	7,30	11,18	3,58
MEUSE	42,00	24,00	16,00	10,40	9,07	0,00
MORBIHAN	55,00	19,00	17,20	11,40	16,33	0,00
MOSELLE	52,20	19,00	MANQUE	6,40	10,68	MANQUE
NIEVRE	15,00	15,00	9,20	5,50	5,70	0,00
NORD	35,10	23,00	4,70	5,50	9,60	0,37
OISE	14,00	26,00	8,00	4,60	3,93	0,00
ORNE	38,00	30,00	16,30	10,30	13,72	0,00
PAS DE CALAIS	31,00	32,00	14,00	5,80	7,79	0,00
PUY DE DOME	24,00	33,00	11,60	6,10	7,61	0,00
P. ATLANTIQUES	57,00	31,00	13,00	11,70	19,59	4,84
HTES PYRENEES	40,00	45,00	10,00	9,60	10,21	0,00
P. ORIENTALES	14,00	32,00	9,10	3,80	3,95	0,00
BAS RHIN	62,00	30,00	MANQUE	6,20	8,66	MANQUE
HAUT RHIN	68,00	24,00	MANQUE	6,20	11,32	MANQUE
RHONE	44,00	37,00	15,10	5,90	6,57	1,35
HAUTE SAONE	28,00	27,00	22,00	8,90	10,94	15,59
SAONE ET LOIRE	23,10	28,00	8,80	6,80	8,02	0,00
SARTHE	13,00	27,00	17,90	5,60	6,98	0,00
SAVOIE	32,40	MANQUE	22,00	6,20	15,36	0,00
HAUTE SAVOIE	48,00	MANQUE	23,40	10,10	20,69	0,00
SEINE	MANQUE	6,00	2,50	2,30	3,54	0,43
SEINE MARITIME	22,00	14,00	9,10	7,70	6,00	2,21
SEINE ET MARNE	11,00	9,00	12,40	3,20	3,67	5,75
SEINE ET OISE	12,00	29,00	8,90	2,70	2,69	0,00
DEUX SEVRES	32,00	24,00	14,20	7,00	13,02	30,57
SOMME	19,00	22,00	7,40	4,90	4,60	1,64
TARN	36,00	45,00	21,20	8,40	11,14	23,40
TARN GARONNE	36,00	24,00	12,60	9,20	8,41	41,47
VAR	17,00	20,00	14,50	3,20	2,56	0,00
VAUCLUSE	16,00	28,00	8,60	3,90	4,45	14,34
VENDEE	58,00	19,00	11,70	12,80	23,21	2,85
VIENNE	15,00	32,00	14,20	7,00	4,41	5,29
HAUTE VIENNE	14,30	13,00	8,60	4,40	5,26	0,00
VOSGES	36,00	29,00	13,30	9,40	12,85	0,00
YONNE	11,00	14,00	11,40	5,30	4,17	0,00
T. DE BELFORT	MANQUE	27,00	22,00	8,90	9,80	39,19

```
COLONNE 4   PRETRES ACTIFS 1975 (P.10000H.)   IV,3,3A
COLONNE 5   ORIGINE PRETRES 1975  "     "     "   IV,3,3B
COLONNE 6   PASTEURS PROTEST.1876 "100000H.)  IV,3,5
```

TABLEAU NO 5 : DIVORCES

	Col 1	Col 2	Col 3	Col 4
AIN	6,30	19,85	9,31	10,27
AISNE	16,10	57,28	19,37	16,38
ALLIER	3,80	18,35	12,55	11,90
BASSES-ALPES	4,60	18,33	9,75	15,00
HAUTES-ALPES	4,90	15,63	5,18	9,90
A. MARITIMES	8,10	31,83	16,30	17,58
ARDECHE	3,20	15,25	4,90	7,39
ARDENNES	10,90	47,22	20,12	14,47
ARIEGE	2,00	12,82	7,93	7,54
AUBE	11,70	46,54	25,06	15,96
AUDE	6,10	16,77	8,96	10,48
AVEYRON	3,00	12,35	4,21	6,33
B. DU RHONE	11,90	37,51	19,54	22,66
CALVADOS	11,30	34,68	18,02	16,17
CANTAL	4,80	21,05	5,25	6,53
CHARENTES	7,90	25,00	12,22	12,70
CHARENTE MTME	7,00	24,80	18,09	15,04
CHER	3,40	18,87	9,72	11,81
CORREZE	3,20	14,00	5,34	8,38
CORSE	3,40	19,07	4,85	MANQUE
COTE D'OR	7,60	32,40	13,63	13,64
COTE DU NORD	1,50	10,00	3,64	6,40
CREUSE	2,00	13,14	5,85	3,84
DORDOGNE	3,70	17,58	7,89	7,34
DOUBS	8,30	33,33	14,46	17,64
DROME	6,80	21,21	8,42	11,57
EURE	17,10	52,12	23,18	14,35
EURE ET LOIR	8,30	33,28	13,37	10,21
FINISTERE	2,10	10,00	2,80	6,35
GARD	6,60	17,73	8,51	12,85
HAUTE GARONNE	6,20	23,10	12,31	22,28
GERS	5,60	17,87	6,60	8,86
GIRONDE	10,80	29,34	16,05	19,55
HERAULT	5,60	19,19	10,02	14,58
ILLE VILAINE	3,40	13,21	5,66	7,30
INDRE	3,20	13,28	8,85	11,24
INDRE ET LOIRE	6,90	24,37	13,25	12,86
ISERE	7,80	25,86	9,23	13,67
JURA	6,70	22,61	9,77	9,87
LANDES	1,90	8,83	3,73	12,21
LOIR ET CHER	4,80	23,39	9,71	9,15
LOIRE	7,90	28,33	10,96	11,71
HAUTE LOIRE	2,60	11,11	3,94	4,63
L. ATLANTIQUE	5,20	20,14	10,16	10,48
LOIRET	4,60	25,46	14,65	11,23

COLONNE 1   1896:DIVORCES POUR 100000 COUPLES I,2,1A
COLONNE 2   1920-24 "   "   "   "   I,2,1B
COLONNE 3   1946   "   "   1000 MARIAGES   I,2,2A

LOT	2,70	11,90	5,13	8,08
LOT ET GARONNE	7,20	23,02	11,70	12,26
LOZERE	0,50	7,37	2,16	4,40
MAINE ET LOIRE	5,20	21,04	8,37	8,98
MANCHE	5,10	19,27	9,42	8,54
MARNE	15,10	46,96	21,79	14,82
HAUTE MARNE	5,70	26,75	12,36	12,74
MAYENNE	3,30	16,35	5,72	7,05
MEURTHE ET MSL	7,60	45,50	17,36	15,50
MEUSE	7,70	36,05	12,68	11,18
MORBIHAN	3,50	10,21	3,28	6,66
MOSELLE	MANQUE	13,14	7,87	16,99
NIEVRE	4,60	20,81	9,92	11,11
NORD	8,10	48,73	17,11	16,96
OISE	12,00	51,63	16,90	15,18
ORNE	7,00	29,49	12,62	11,77
PAS DE CALAIS	9,40	39,19	14,16	9,47
PUY DE DOME	4,90	17,43	12,91	14,21
P. ATLANTIQUES	2,40	10,26	5,85	11,25
HTES PYRENEES	3,60	13,68	6,40	9,25
P. ORIENTALES	6,60	17,35	10,13	17,79
BAS RHIN	MANQUE	15,24	7,34	10,96
HAUT RHIN	MANQUE	22,70	6,39	18,21
RHONE	16,10	42,73	15,47	16,41
HAUTE SAONE	7,50	28,73	11,63	10,14
SAONE ET LOIRE	6,40	20,32	9,66	10,60
SARTHE	9,00	33,14	10,87	12,76
SAVOIE	2,80	14,42	5,81	10,72
HAUTE SAVOIE	3,50	16,51	6,51	16,72
SEINE	28,90	66,38	20,39	19,88
SEINE MARITIME	14,90	49,44	21,08	14,91
SEINE ET MARNE	12,10	36,84	13,81	14,83
SEINE ET OISE	14,70	37,71	12,65	22,70
DEUX SEVRES	3,00	13,61	6,89	7,62
SOMME	11,50	47,10	24,29	24,54
TARN	2,90	14,00	7,49	8,82
TARN GARONNE	4,30	14,00	8,93	13,28
VAR	9,30	30,54	15,00	14,90
VAUCLUSE	8,90	36,00	19,44	18,44
VENDEE	1,80	8,59	4,09	4,71
VIENNE	3,40	13,52	7,74	9,69
HAUTE VIENNE	4,00	17,72	8,33	11,08
VOSGES	7,80	34,08	13,82	10,43
YONNE	8,10	32,00	12,94	10,57
T. DE BELFORT	8,20	45,56	14,30	16,33

COLONNE 4   1975 DEMANDES EN DIVORCE(P.10000H)I,2,2B

TABLEAU NO 6 : ENFANTS NATURELS

AIN	3,02	4,85	6,41	4,90	3,03	14,60
AISNE	6,85	10,02	10,65	9,88	6,28	18,10
ALLIER	5,88	4,60	5,02	8,07	4,41	12,30
BASSES-ALPES	4,33	1,73	3,28	6,57	1,88	13,10
HAUTES-ALPES	4,35	2,57	2,85	5,89	2,56	17,70
A. MARITIMES	MANQUE	4,42	13,61	10,65	MANQUE	9,90
ARDECHE	2,38	2,71	2,07	4,74	2,13	15,60
ARDENNES	6,21	6,16	7,85	9,22	4,14	18,60
ARIEGE	4,37	4,73	3,97	7,19	5,53	14,90
AUBE	5,38	6,54	10,61	11,33	4,82	15,40
AUDE	4,95	4,06	4,04	6,56	2,57	13,40
AVEYRON	4,55	3,63	2,51	3,18	2,78	7,40
B. DU RHONE	10,53	9,45	14,34	9,31	1,82	11,50
CALVADOS	11,11	9,92	11,02	9,77	7,97	18,40
CANTAL	6,49	6,02	5,53	6,57	3,94	15,80
CHARENTES	5,13	3,68	4,21	7,08	2,19	13,50
CHARENTE MTME	4,17	3,50	5,36	8,49	2,18	16,30
CHER	4,24	6,23	7,99	8,14	5,34	17,60
CORREZE	5,18	5,23	3,96	6,12	3,60	13,80
CORSE	4,05	7,72	8,39	8,12	4,92	15,20
COTE D'OR	6,41	6,34	7,21	8,43	4,11	14,80
COTE DU NORD	2,77	3,64	2,93	4,67	2,34	12,40
CREUSE	6,94	6,59	4,92	7,65	5,10	16,00
DORDOGNE	4,67	3,88	3,78	7,03	3,96	12,30
DOUBS	8,00	9,52	8,19	7,37	7,16	20,40
DROME	6,13	5,64	4,68	6,57	2,85	12,30
EURE	6,25	8,79	9,01	11,82	6,50	15,40
EURE ET LOIR	6,90	5,11	6,78	8,92	4,51	12,50
FINISTERE	3,52	3,06	2,47	4,14	1,93	9,10
GARD	3,48	2,71	3,91	6,65	1,18	11,80
HAUTE GARONNE	6,49	7,17	8,90	7,53	2,50	15,60
GERS	6,54	4,72	3,98	6,64	3,93	15,10
GIRONDE	9,35	10,79	11,31	9,37	3,98	12,40
HERAULT	4,69	4,16	5,25	7,56	1,45	12,10
ILLE VILAINE	2,46	3,15	4,26	4,99	1,57	9,70
INDRE	5,00	5,61	5,02	8,73	4,37	19,00
INDRE ET LOIRE	6,02	5,76	7,55	8,54	2,93	19,10
ISERE	8,20	3,36	5,55	6,10	3,42	14,80
JURA	4,90	4,99	5,13	5,52	4,20	15,80
LANDES	6,54	8,84	4,85	5,71	8,27	14,60
LOIR ET CHER	7,19	5,64	7,28	8,89	4,15	19,60
LOIRE	3,38	4,44	5,25	4,73	1,80	14,00
HAUTE LOIRE	3,23	3,67	2,90	4,79	2,67	10,70
L. ATLANTIQUE	7,09	4,45	4,54	6,29	1,27	12,60
LOIRET	10,00	7,41	6,88	8,00	5,13	15,60

COLONNE 1	% NAISSANCES NATURELLES	1820	I,2,3A
COLONNE 2	" " " "	1862	I,2,3B
COLONNE 3	" " " "	1911	I,2,4A

LOT	4,90	3,27	2,29	5,60	2,11	13,10
LOT ET GARONNE	5,65	3,16	4,28	7,09	2,86	13,10
LOZERE	3,97	4,33	3,58	3,98	2,05	12,20
MAINE ET LOIRE	10,00	4,56	5,27	6,96	2,53	14,00
MANCHE	6,99	6,37	6,38	5,92	4,71	17,10
MARNE	5,35	9,57	9,65	9,93	4,40	18,10
HAUTE MARNE	5,71	4,43	6,12	8,95	2,38	16,90
MAYENNE	5,41	4,48	3,95	4,50	3,34	9,10
MEURTHE ET MSL	8,06	8,62	11,74	8,43	8,79	17,60
MEUSE	5,78	4,98	6,18	8,02	3,21	14,80
MORBIHAN	3,14	3,26	4,18	4,44	1,96	11,00
MOSELLE	7,19	6,21	MANQUE	7,04	4,64	19,90
NIEVRE	5,08	4,73	4,17	9,73	4,31	12,50
NORD	11,24	9,49	10,49	8,79	6,55	19,80
OISE	5,56	7,06	9,38	10,45	5,37	18,60
ORNE	4,78	4,77	5,66	8,70	3,68	11,10
PAS DE CALAIS	9,43	9,62	10,03	8,73	7,95	23,30
PUY DE DOME	4,35	2,83	4,58	6,96	1,82	16,40
P. ATLANTIQUES	8,06	8,19	5,82	5,97	5,90	14,50
HTES PYRENEES	8,26	7,92	7,06	8,19	4,85	18,00
P. ORIENTALES	6,58	5,22	4,33	8,32	3,05	11,40
BAS RHIN	6,94	10,69	MANQUE	8,24	6,10	27,50
HAUT RHIN	6,76	10,28	MANQUE	7,96	6,66	23,50
RHONE	16,95	14,02	13,73	7,12	2,06	13,00
HAUTE SAONE	8,40	7,69	8,45	7,47	7,32	18,00
SAONE ET LOIRE	4,90	4,56	4,25	4,84	4,22	14,60
SARTHE	9,26	6,99	7,76	7,71	5,43	19,80
SAVOIE	MANQUE	3,84	5,62	5,80	MANQUE	12,90
HAUTE SAVOIE	MANQUE	5,92	5,93	7,70	MANQUE	17,10
SEINE	37,04	26,31	22,32	13,60	7,08	12,40
SEINE MARITIME	13,33	12,15	12,09	11,00	8,12	17,00
SEINE ET MARNE	6,13	5,73	6,61	9,04	3,59	14,10
SEINE ET OISE	6,13	7,38	9,10	8,74	4,90	14,90
DEUX SEVRES	3,92	4,95	4,05	4,45	2,82	16,60
SOMME	8,00	10,26	14,88	11,92	6,81	24,70
TARN	3,41	2,81	2,76	4,34	1,96	11,00
TARN GARONNE	4,20	2,77	3,36	7,50	2,24	13,00
VAR	6,76	4,80	8,85	8,47	1,35	13,30
VAUCLUSE	5,81	4,25	6,74	7,32	1,94	12,80
VENDEE	1,60	3,64	3,01	3,52	1,40	15,30
VIENNE	2,84	4,85	4,18	6,15	2,61	20,60
HAUTE VIENNE	5,03	6,01	4,98	6,08	3,60	10,30
VOSGES	6,67	9,37	9,25	8,00	8,31	22,00
YONNE	6,02	4,53	6,21	11,02	3,96	14,30
T. DE BELFORT	8,40	7,69	14,71	9,75	7,32	16,80

```
COLONNE 4    "    "    "    "    1975    I,2,4B
COLONNE 5  % NAISS. NAT. RURALES    1853    I,2,8
COLONNE 6  % CONCEPTIONS PRENUPTIALES    I,2,6
```

TABLEAU NO 7 : RECONNAISSANCES,LEGITIMATIONS

AIN	1,63	4,94	1,11	14,06	11,81	13,62
AISNE	6,97	9,55	1,44	47,29	30,33	41,09
ALLIER	2,48	3,62	1,13	24,10	9,52	18,46
BASSES-ALPES	0,87	1,82	1,24	17,81	26,67	43,48
HAUTES-ALPES	1,17	3,05	1,28	15,38	6,67	29,87
A. MARITIMES	MANQUE	6,30	1,40	MANQUE	32,82	50,41
ARDECHE	0,84	1,82	1,07	21,16	13,43	19,18
ARDENNES	4,39	8,13	1,20	55,77	34,45	38,37
ARIEGE	2,96	2,66	1,11	15,79	10,92	15,45
AUBE	3,67	7,18	1,18	36,76	19,44	29,40
AUDE	1,25	2,68	1,28	26,89	16,06	42,20
AVEYRON	1,33	1,07	1,18	9,13	8,89	27,00
B. DU RHONE	5,16	4,96	1,41	37,80	31,93	59,73
CALVADOS	3,20	6,76	1,29	45,75	15,36	23,65
CANTAL	1,64	3,78	1,10	9,60	4,50	16,22
CHARENTES	1,11	2,28	1,22	20,48	5,33	25,13
CHARENTE MTME	1,31	4,04	1,21	25,00	16,25	26,65
CHER	2,04	6,37	1,17	10,09	5,75	8,54
CORREZE	0,72	2,08	1,11	10,66	6,36	12,58
CORSE	3,93	9,27	1,73	49,59	50,41	69,15
COTE D'OR	2,77	5,64	1,37	18,08	12,63	38,73
COTE DU NORD	0,94	2,32	1,22	10,48	4,42	14,44
CREUSE	1,45	2,36	1,21	3,37	7,18	21,77
DORDOGNE	0,98	2,18	1,17	5,30	10,42	23,05
DOUBS	6,31	7,68	1,26	29,53	22,57	25,38
DROME	2,06	3,26	1,16	20,00	4,55	16,59
EURE	3,81	7,01	1,24	44,64	24,02	29,40
EURE ET LOIR	3,81	6,31	1,16	41,18	13,41	19,91
FINISTERE	1,11	1,83	1,14	15,94	4,45	23,29
GARD	1,88	2,11	1,27	15,35	18,32	45,49
HAUTE GARONNE	2,10	4,46	1,18	18,59	8,96	35,34
GERS	0,67	1,95	1,13	8,75	13,39	11,36
GIRONDE	2,20	4,94	1,29	40,16	10,30	22,19
HERAULT	1,74	2,90	1,28	41,62	16,94	43,50
ILLE VILAINE	1,40	2,74	1,17	23,30	5,83	16,99
INDRE	1,29	4,85	1,17	18,72	4,90	15,27
INDRE ET LOIRE	1,36	6,37	1,20	15,08	4,65	14,48
ISERE	1,24	4,67	1,19	20,83	14,92	21,47
JURA	3,50	5,88	1,16	18,81	16,88	25,48
LANDES	1,41	2,75	1,16	9,82	3,97	15,50
LOIR ET CHER	2,20	6,68	1,13	16,94	5,75	5,25
LOIRE	2,06	4,79	1,16	24,14	13,22	17,83
HAUTE LOIRE	1,41	2,51	1,12	5,03	3,55	18,23
L. ATLANTIQUE	1,92	3,15	1,21	4,49	13,66	21,92
LOIRET	3,51	7,31	1,19	23,58	9,89	16,20

COLONNE 1   % MARIAGES LEGITIMANT 1858   I,2,5A
COLONNE 2   % MARIAGES LEGITIMANT 1911-13   I,2,5B
COLONNE 3   NB MOYEN D'ENFANTS LEGITIMES   I,2,11

LOT	0,65	1,33	1,07	12,93	10,61	27,59
LOT ET GARONNE	1,12	2,26	1,30	13,66	8,39	18,99
LOZERE	0,97	1,83	1,02	17,65	12,09	5,77
MAINE ET LOIRE	1,02	4,84	1,21	24,24	10,20	17,05
MANCHE	2,20	5,49	1,17	27,27	11,61	19,51
MARNE	4,30	8,43	1,29	45,58	17,31	27,78
HAUTE MARNE	4,13	6,20	1,29	20,00	22,27	39,03
MAYENNE	2,48	3,35	1,09	30,29	4,47	8,54
MEURTHE ET MSL	6,84	9,99	1,28	57,69	33,24	44,39
MEUSE	2,92	6,49	1,33	33,52	21,75	33,62
MORBIHAN	1,02	3,34	1,09	5,76	3,72	12,07
MOSELLE	6,52	MANQUE	MANQUE	48,58	MANQUE	MANQUE
NIEVRE	2,08	2,93	1,20	12,19	9,39	28,04
NORD	11,04	11,68	1,19	51,92	17,32	21,85
OISE	5,00	7,74	1,34	48,75	41,71	43,76
ORNE	1,11	4,23	1,17	17,68	15,21	15,62
PAS DE CALAIS	10,67	15,57	1,20	47,74	22,82	30,32
PUY DE DOME	0,62	2,62	1,15	11,31	14,40	23,79
P. ATLANTIQUES	2,71	3,61	1,26	10,93	5,79	23,72
HTES PYRENEES	3,57	4,38	1,11	11,28	8,86	27,96
P. ORIENTALES	2,69	2,95	1,31	17,80	16,48	43,78
BAS RHIN	9,40	MANQUE	MANQUE	44,93	MANQUE	MANQUE
HAUT RHIN	8,64	MANQUE	MANQUE	40,78	MANQUE	MANQUE
RHONE	4,66	5,08	1,30	64,08	5,29	15,89
HAUTE SAONE	6,41	7,74	1,17	27,46	23,12	26,43
SAONE ET LOIRE	2,43	3,92	1,15	11,22	10,48	12,96
SARTHE	2,57	6,57	1,19	21,11	8,04	16,30
SAVOIE	MANQUE	4,82	1,06	MANQUE	13,55	21,31
HAUTE SAVOIE	MANQUE	4,24	1,15	MANQUE	19,08	34,19
SEINE	10,41	9,67	1,31	MANQUE	17,19	41,37
SEINE MARITIME	14,05	9,94	1,28	50,07	13,82	28,71
SEINE ET MARNE	2,43	5,81	1,21	30,19	26,28	27,56
SEINE ET OISE	3,52	6,77	1,31	46,17	37,21	37,19
DEUX SEVRES	2,64	3,98	1,22	16,05	6,30	11,52
SOMME	7,84	14,01	1,29	44,01	22,34	29,13
TARN	0,42	1,52	1,04	8,73	11,35	22,12
TARN GARONNE	0,98	1,44	1,29	17,95	7,06	27,27
VAR	1,60	2,75	1,56	39,13	32,44	47,49
VAUCLUSE	2,04	3,59	1,32	42,34	19,06	43,67
VENDEE	0,89	3,04	1,08	30,28	9,06	11,68
VIENNE	1,15	3,72	1,21	22,08	8,76	19,15
HAUTE VIENNE	1,15	2,76	1,19	15,49	7,12	23,18
VOSGES	6,23	10,30	1,25	29,95	18,32	23,65
YONNE	3,13	5,22	1,24	36,49	17,29	23,85
T. DE BELFORT	6,41	12,26	1,24	27,56	40,33	48,71

```
COLONNE 4   % RECONN. PATERNELLES. 1853        I,2,10A
COLONNE 5   %      "         "       "    1911-13 I,2,10B
COLONNE 6   %RECONNUS AVANT LEGITIM. 1911-13 I,2,12
```

TABLEAU NO 8 : NAISSANCES DIFFICILES

AIN	97,02	66,93	190,00	13,90	0,39
AISNE	94,38	73,31	94,00	17,00	0,32
ALLIER	98,02	62,42	301,00	11,60	0,33
BASSES-ALPES	99,42	72,57	170,00	20,50	0,49
HAUTES-ALPES	99,80	87,68	74,00	19,50	1,35
A. MARITIMES	93,34	53,72	MANQUE	17,30	0,19
ARDECHE	99,46	71,39	71,00	22,80	1,08
ARDENNES	99,19	88,55	86,00	14,00	0,26
ARIEGE	99,59	89,11	56,00	11,90	0,29
AUBE	94,16	57,45	295,00	20,50	0,41
AUDE	98,05	63,94	173,00	14,80	0,29
AVEYRON	99,26	47,06	125,00	17,20	0,39
B. DU RHONE	96,02	55,45	269,00	19,50	0,23
CALVADOS	98,28	69,35	161,00	15,00	0,22
CANTAL	99,61	82,49	89,00	16,60	0,28
CHARENTES	98,58	61,03	126,00	10,60	0,23
CHARENTE MTME	98,44	61,78	82,00	12,50	0,31
CHER	98,55	78,59	180,00	11,80	0,38
CORREZE	99,43	72,84	66,00	14,10	0,37
CORSE	99,08	91,38	126,00	17,20	0,29
COTE D'OR	96,41	48,02	157,00	15,00	0,35
COTE DU NORD	99,79	83,56	91,00	15,40	0,28
CREUSE	99,71	86,41	72,00	9,50	0,15
DORDOGNE	99,66	79,80	71,00	12,70	0,46
DOUBS	98,38	73,66	136,00	16,00	0,28
DROME	99,27	62,38	89,00	10,80	0,54
EURE	97,80	77,93	165,00	18,90	0,33
EURE ET LOIR	97,77	73,12	238,00	23,70	0,83
FINISTERE	99,31	70,52	108,00	15,60	0,39
GARD	98,88	51,35	189,00	20,30	0,29
HAUTE GARONNE	97,29	45,28	175,00	12,60	0,22
GERS	99,56	84,35	187,00	11,80	0,29
GIRONDE	95,53	34,22	273,00	11,60	0,50
HERAULT	97,45	47,67	309,00	16,80	0,23
ILLE VILAINE	98,72	57,83	118,00	17,60	0,41
INDRE	99,43	77,05	140,00	10,70	0,22
INDRE ET LOIRE	98,18	51,99	340,00	12,10	0,32
ISERE	96,03	48,92	229,00	17,40	0,32
JURA	99,11	71,94	106,00	12,80	0,33
LANDES	99,33	81,03	112,00	5,60	0,14
LOIR ET CHER	99,29	69,04	259,00	16,60	0,68
LOIRE	97,22	54,48	103,00	16,10	0,30
HAUTE LOIRE	99,58	75,44	69,00	17,70	0,41
L. ATLANTIQUE	97,98	59,95	183,00	12,80	0,32
LOIRET	96,94	69,89	286,00	18,20	0,54

COLONNE 1   % NAISS. LEG. A DOMICILE 1911-13 I,2,9
COLONNE 2   % NAISS. ILLEG.   "   "   "   I,2,9
COLONNE 3   MORTALITE DES ABANDONNEES   DE 1825 A 1833
             (POUR 100 SAUVES)   I,2,14

LOT	99,58	68,04	74,00	17,20	0,51
LOT ET GARONNE	99,07	69,77	137,00	15,60	0,32
LOZERE	99,72	75,62	76,00	16,90	0,37
MAINE ET LOIRE	97,97	59,17	114,00	11,80	0,30
MANCHE	99,39	80,03	90,00	12,80	0,29
MARNE	94,64	52,49	144,00	20,70	0,38
HAUTE MARNE	99,16	82,17	88,00	16,10	0,20
MAYENNE	99,33	65,73	98,00	14,10	0,31
MEURTHE ET MSL	96,48	65,52	82,00	16,80	0,34
MEUSE	98,82	74,43	137,00	17,40	0,29
MORBIHAN	99,42	79,79	94,00	14,30	0,25
MOSELLE	MANQUE	MANQUE	33,00	MANQUE	MANQUE
NIEVRE	98,97	58,54	159,00	12,20	0,68
NORD	95,91	72,93	120,00	10,90	0,29
OISE	97,53	87,62	112,00	18,50	0,31
ORNE	98,75	71,10	87,00	17,10	0,79
PAS DE CALAIS	98,91	87,80	155,00	14,10	0,29
PUY DE DOME	98,56	57,11	86,00	13,70	0,37
P. ATLANTIQUES	97,09	58,76	98,00	12,20	0,24
HTES PYRENEES	99,38	66,98	154,00	12,20	0,21
P. ORIENTALES	98,85	73,93	256,00	17,80	0,32
BAS RHIN	MANQUE	MANQUE	32,00	MANQUE	MANQUE
HAUT RHIN	MANQUE	MANQUE	27,00	MANQUE	MANQUE
RHONE	75,21	21,29	263,00	15,40	0,17
HAUTE SAONE	99,13	90,98	53,00	14,60	0,25
SAONE ET LOIRE	97,17	61,26	92,00	12,40	0,30
SARTHE	98,12	60,75	161,00	18,60	0,61
SAVOIE	99,22	78,13	MANQUE	17,40	0,43
HAUTE SAVOIE	99,40	63,30	MANQUE	14,90	0,44
SEINE	67,31	21,14	340,00	16,10	0,20
SEINE MARITIME	94,34	59,16	212,00	22,10	0,36
SEINE ET MARNE	95,87	70,25	75,00	20,40	0,41
SEINE ET OISE	96,47	73,65	271,00	18,80	0,35
DEUX SEVRES	99,38	75,34	73,00	11,40	0,21
SOMME	97,36	82,42	76,00	20,00	0,35
TARN	99,69	71,36	152,00	14,50	0,30
TARN GARONNE	99,39	64,00	181,00	16,00	0,25
VAR	98,11	63,72	103,00	16,90	0,25
VAUCLUSE	98,37	54,90	238,00	24,30	0,33
VENDEE	99,90	78,80	108,00	11,40	0,30
VIENNE	99,65	68,59	131,00	7,70	0,20
HAUTE VIENNE	98,24	57,79	272,00	13,40	0,21
VOSGES	99,48	88,62	14,00	19,80	0,29
YONNE	95,95	64,25	103,00	17,30	0,66
T. DE BELFORT	99,21	81,51	53,00	16,50	0,26

COLONNE 4   MORTALITE DES ENF NATURELS 1885   I,2,14
COLONNE 5   AVORTEMENTS "REDUITS"   1975   I,2,21A

TABLEAU NO 9 : HOMMES/FEMMES

	1	2	3		
AIN	47,59	41,86	26,90	2,43	4,70	50,00
AISNE	50,16	30,77	10,80	33,09	3,30	52,00
ALLIER	36,60	22,55	17,30	22,44	4,00	64,00
BASSES-ALPES	33,47	13,33	30,90	0,00	4,60	63,00
HAUTES-ALPES	37,65	33,33	16,50	0,00	3,70	45,00
A. MARITIMES	33,36	35,42	23,90	MANQUE	4,60	36,00
ARDECHE	27,91	21,98	10,80	6,99	4,20	67,00
ARDENNES	55,11	25,00	21,10	17,70	2,90	72,00
ARIEGE	45,09	32,84	13,90	0,00	3,80	84,00
AUBE	34,49	25,00	14,10	24,43	3,80	38,00
AUDE	28,08	18,99	13,80	17,77	3,90	80,00
AVEYRON	37,65	23,71	10,90	6,60	4,10	81,00
B. DU RHONE	28,40	10,64	26,00	219,87	4,10	49,00
CALVADOS	53,39	33,70	12,80	26,99	3,60	43,00
CANTAL	51,81	32,26	10,10	7,26	3,10	85,00
CHARENTES	43,40	38,98	12,90	31,40	2,10	78,00
CHARENTE MTME	43,52	25,22	13,90	24,84	3,20	66,00
CHER	35,97	29,41	9,70	19,05	4,30	61,00
CORREZE	37,57	35,58	13,50	12,38	3,30	82,00
CORSE	48,53	28,81	14,80	32,50	4,50	53,00
COTE D'OR	39,57	30,12	23,80	22,08	4,40	30,00
COTE DU NORD	67,02	40,21	5,30	18,01	3,10	77,00
CREUSE	55,44	38,20	14,30	6,81	2,10	77,00
DORDOGNE	49,36	41,11	15,40	9,90	3,80	77,00
DOUBS	45,99	42,03	22,60	28,22	2,90	56,00
DROME	43,77	22,37	14,80	32,31	4,60	61,00
EURE	43,99	33,77	11,90	11,85	3,70	38,00
EURE ET LOIR	44,64	33,80	12,70	13,40	3,40	34,00
FINISTERE	73,16	43,20	12,30	37,07	3,00	77,00
GARD	27,25	10,00	15,90	26,19	4,30	67,00
HAUTE GARONNE	38,30	32,43	22,50	73,80	3,10	74,00
GERS	48,18	35,05	14,00	14,47	5,10	76,00
GIRONDE	40,37	36,53	17,10	80,66	5,00	57,00
HERAULT	33,94	15,62	18,40	51,75	3,50	71,00
ILLE VILAINE	70,21	44,72	10,70	55,08	2,10	61,00
INDRE	34,80	20,27	14,30	9,52	3,50	73,00
INDRE ET LOIRE	43,84	31,46	13,10	37,11	3,30	41,00
ISERE	44,60	27,78	16,80	26,52	4,90	43,00
JURA	50,63	43,68	21,20	16,84	4,30	62,00
LANDES	53,95	43,97	14,20	62,26	5,40	77,00
LOIR ET CHER	44,83	37,63	14,50	10,23	3,20	59,00
LOIRE	45,90	19,28	21,40	24,95	3,80	52,00
HAUTE LOIRE	43,37	22,37	16,90	11,96	3,50	66,00
L. ATLANTIQUE	67,36	40,68	15,20	52,88	2,90	62,00
LOIRET	41,96	38,38	12,80	14,78	3,60	41,00

COLONNE 1   % FEM. TENANT DEBIT BOISSON 1896 I,2,16A
COLONNE 2   % FEM. AGRICULT.(SUR H.+F.) 1901 I,2,16B
COLONNE 3   SAGES FEMMES (P.100000HAB.) 1970 I,2,17

LOT	43,95	25,00	12,60	6,12	5,10	80,00
LOT ET GARONNE	42,09	38,68	14,70	37,06	4,70	77,00
LOZERE	33,24	28,12	8,20	0,00	5,20	78,00
MAINE ET LOIRE	58,89	38,06	17,20	28,00	3,20	70,00
MANCHE	60,17	36,03	11,30	29,08	3,80	72,00
MARNE	46,17	35,71	18,90	48,92	3,90	40,00
HAUTE MARNE	37,74	29,55	21,70	47,86	3,80	56,00
MAYENNE	62,46	37,37	9,40	22,99	3,40	68,00
MEURTHE ET MSL	32,33	29,09	23,60	59,91	3,30	37,00
MEUSE	40,09	30,61	21,40	31,37	3,50	56,00
MORBIHAN	72,05	46,33	11,40	48,52	2,50	68,00
MOSELLE	MANQUE	MANQUE	17,10	52,99	3,70	35,00
NIEVRE	37,97	15,38	12,90	18,40	4,60	65,00
NORD	68,73	29,77	17,20	35,31	2,80	60,00
OISE	49,79	30,30	13,20	10,10	3,10	44,00
ORNE	54,17	35,56	11,60	14,65	3,80	62,00
PAS DE CALAIS	67,29	30,89	13,70	36,89	2,10	73,00
PUY DE DOME	39,33	19,42	19,20	15,08	3,70	63,00
P. ATLANTIQUES	45,00	32,14	14,40	41,97	4,00	68,00
HTES PYRENEES	50,55	37,31	15,80	79,27	4,10	77,00
P. ORIENTALES	23,57	20,00	9,80	54,64	3,30	81,00
BAS RHIN	MANQUE	MANQUE	14,10	37,41	2,40	31,00
HAUT RHIN	MANQUE	MANQUE	14,50	38,68	2,40	26,00
RHONE	45,92	28,75	21,20	199,68	3,90	32,00
HAUTE SAONE	42,69	38,67	15,30	18,59	2,90	56,00
SAONE ET LOIRE	43,02	36,26	24,90	9,91	4,00	52,00
SARTHE	50,77	45,00	9,30	34,90	2,90	64,00
SAVOIE	45,97	41,30	22,40	MANQUE	3,90	37,00
HAUTE SAVOIE	48,26	30,49	23,10	MANQUE	4,10	44,00
SEINE	37,98	35,71	19,90	109,90	4,20	27,00
SEINE MARITIME	49,80	34,29	13,40	21,70	3,20	35,00
SEINE ET MARNE	43,69	28,17	12,00	25,00	4,30	33,00
SEINE ET OISE	50,85	35,00	15,60	71,52	4,20	30,00
DEUX SEVRES	34,97	23,71	14,60	6,40	2,80	61,00
SOMME	56,99	31,40	9,70	14,81	3,00	66,00
TARN	25,95	26,58	9,00	18,59	4,60	84,00
TARN GARONNE	31,67	29,51	10,90	11,49	4,00	82,00
VAR	34,89	25,00	16,30	120,43	4,80	52,00
VAUCLUSE	35,46	14,29	23,20	34,94	4,30	68,00
VENDEE	56,90	34,93	14,50	16,15	2,80	72,00
VIENNE	44,49	22,09	16,80	92,81	3,50	70,00
HAUTE VIENNE	42,76	34,34	14,70	35,62	3,60	79,00
VOSGES	38,33	32,39	28,70	9,36	2,70	56,00
YONNE	33,15	27,91	13,80	7,59	3,30	47,00
T. DE BELFORT	45,92	38,67	31,60	MANQUE	2,90	47,00

```
COLONNE 4   FILLES PUBLIQUES "    "    "  1856 I,2,20
COLONNE 5   ECART AGE MARIAGE H ET F 1861-65 I,1,28
COLONNE 6   % DECES A DOMICILE 1975          I,1,9
```

TABLEAU NO 10 : VIOLENCE

AIN	0,73	45,70	40,25	111,	0,67	106,90
AISNE	1,21	121,50	47,98	198,	1,61	107,60
ALLIER	0,48	46,60	29,68	126,	0,63	95,40
BASSES-ALPES	1,60	52,90	30,42	89,	0,38	119,00
HAUTES-ALPES	1,20	42,00	38,02	65,	0,39	78,10
A. MARITIMES	4,26	86,00	38,72	102,	0,82	109,50
ARDECHE	1,16	35,60	15,21	56,	0,82	108,70
ARDENNES	1,20	73,70	56,33	162,	0,54	91,80
ARIEGE	0,53	73,90	32,49	39,	0,30	79,20
AUBE	1,75	85,00	84,78	151,	0,83	84,60
AUDE	2,17	54,00	26,28	25,	0,65	91,50
AVEYRON	1,14	68,10	25,10	65,	1,00	173,50
B. DU RHONE	3,16	72,40	22,96	75,	1,85	149,70
CALVADOS	1,12	87,10	44,93	227,	2,00	151,10
CANTAL	0,46	55,80	29,92	214,	0,31	104,30
CHARENTES	1,30	41,20	18,06	78,	1,06	67,10
CHARENTE MTME	0,92	49,20	32,65	58,	1,31	85,00
CHER	0,73	31,80	27,39	122,	0,37	68,60
CORREZE	0,80	36,60	26,54	102,	0,43	105,60
CORSE	18,05	309,10	64,36	96,	0,17	79,90
COTE D'OR	0,83	39,70	27,71	163,	0,85	122,30
COTE DU NORD	0,59	38,80	29,19	265,	1,45	108,10
CREUSE	0,52	34,80	27,82	109,	0,36	66,10
DORDOGNE	0,99	32,50	25,97	45,	0,87	89,80
DOUBS	1,29	109,60	57,43	208,	1,07	85,60
DROME	1,34	35,10	29,18	100,	0,91	106,30
EURE	2,00	79,80	28,57	239,	1,76	158,40
EURE ET LOIR	0,75	137,10	20,86	240,	0,70	112,30
FINISTERE	0,69	61,40	26,20	622,	2,01	88,00
GARD	1,14	30,90	31,56	74,	1,12	110,40
HAUTE GARONNE	0,57	54,20	28,68	56,	0,85	93,60
GERS	1,33	20,10	13,14	24,	0,69	98,40
GIRONDE	1,23	56,70	18,93	94,	2,48	97,40
HERAULT	2,06	53,50	17,75	45,	1,05	110,30
ILLE VILAINE	0,69	73,50	25,61	219,	2,01	118,40
INDRE	0,54	51,20	31,20	94,	0,27	64,00
INDRE ET LOIRE	0,97	32,90	31,60	161,	1,24	150,80
ISERE	0,82	31,80	31,59	92,	1,44	125,60
JURA	0,89	48,80	39,49	115,	0,84	335,90
LANDES	0,91	25,70	12,90	75,	0,56	53,70
LOIR ET CHER	0,86	45,50	33,27	140,	1,13	105,60
LOIRE	0,85	68,90	42,85	239,	1,62	143,60
HAUTE LOIRE	1,04	42,70	26,77	124,	0,30	96,30
L. ATLANTIQUE	0,52	79,60	37,79	180,	1,93	105,90
LOIRET	0,89	65,90	33,62	138,	1,24	121,90

COLONNE 1   HOMICIDE 1875-85 (P.100000)   I,3,1
COLONNE 2   COUPS ET BLESS. 1875-85(P.100000)I,3,2A
COLONNE 3   COUPS ET BLESS.   1975 (P.100000)I,3,2B

LOT	1,20	30,40	20,04	46,	0,41	111,00
LOT ET GARONNE	1,08	26,20	31,54	45,	0,57	79,20
LOZERE	1,53	136,60	18,61	108,	0,34	115,70
MAINE ET LOIRE	0,70	74,40	21,29	278,	1,31	126,00
MANCHE	0,66	32,60	28,18	91,	0,88	132,40
MARNE	1,10	93,40	43,06	206,	1,54	118,90
HAUTE MARNE	1,11	58,20	49,26	118,	0,95	110,50
MAYENNE	0,53	91,50	25,61	140,	0,86	160,50
MEURTHE ET MSL	0,78	133,50	39,98	25,	0,95	131,50
MEUSE	1,26	104,70	75,13	203,	0,63	120,70
MORBIHAN	0,79	39,30	35,17	155,	1,21	96,10
MOSELLE	MANQUE	MANQUE	56,08	MANQUE	MANQUE	MANQUE
NIEVRE	0,55	41,20	25,73	96,	0,49	84,80
NORD	0,76	110,20	56,92	221,	4,06	93,90
OISE	1,55	84,70	43,26	242,	1,28	104,60
ORNE	0,99	85,30	26,82	568,	0,98	142,20
PAS DE CALAIS	0,69	130,50	43,64	173,	1,94	80,70
PUY DE DOME	0,64	3,70	35,50	181,	0,83	104,00
P. ATLANTIQUES	1,11	75,10	22,26	97,	0,64	90,10
HTES PYRENEES	1,00	45,80	21,51	55,	0,19	64,70
P. ORIENTALES	1,75	4,50	35,21	26,	0,52	95,00
BAS RHIN	MANQUE	MANQUE	37,48	MANQUE	MANQUE	MANQUE
HAUT RHIN	MANQUE	MANQUE	45,25	MANQUE	MANQUE	MANQUE
RHONE	0,91	38,90	39,63	246,	1,93	107,50
HAUTE SAONE	1,26	97,10	37,18	120,	0,77	89,40
SAONE ET LOIRE	0,74	41,80	30,32	100,	1,47	88,40
SARTHE	0,31	51,80	29,23	211,	0,90	117,00
SAVOIE	0,72	70,40	37,84	107,	0,40	281,30
HAUTE SAVOIE	1,39	184,40	41,74	160,	0,53	126,40
SEINE	1,37	63,50	38,00	517,	11,06	273,00
SEINE MARITIME	1,25	64,10	35,40	709,	3,34	212,20
SEINE ET MARNE	1,38	84,40	26,95	202,	1,17	92,70
SEINE ET OISE	1,67	9,10	35,10	408,	2,54	96,60
DEUX SEVRES	0,55	14,30	15,75	83,	0,51	81,70
SOMME	0,86	101,30	36,90	227,	1,36	118,60
TARN	0,53	53,70	21,27	36,	0,84	96,00
TARN GARONNE	0,54	47,30	29,41	50,	0,43	103,90
VAR	2,90	59,20	24,60	47,	0,90	108,50
VAUCLUSE	1,01	2,70	40,26	54,	0,74	157,60
VENDEE	0,80	38,10	22,06	142,	0,88	102,50
VIENNE	0,59	39,90	17,10	69,	0,56	96,70
HAUTE VIENNE	0,44	39,30	26,35	193,	0,45	87,20
VOSGES	1,05	103,70	47,27	211,	0,96	82,30
YONNE	1,04	69,60	30,58	124,	0,75	120,00
T. DE BELFORT	MANQUE	97,10	60,18	120,	MANQUE	89,40

```
COLONNE 4   IVRESSE PUBLIQUE 1885    (P.100000)I,3,3
COLONNE 5   VIOLS            1875-85(P.100000)I,3,4
COLONNE 6   ALIENES          1885    (P.100000)I,3,7
```

443

TABLEAU NO 11 : REPARTITION DE LA POPULATION

	1	2	3			
AIN	43,66	26,54	12,00	15,00	20,60	31,82
AISNE	15,54	8,29	11,40	16,40	24,80	21,21
ALLIER	53,25	28,65	10,90	13,40	20,00	25,72
BASSES-ALPES	41,04	26,13	9,00	11,30	16,90	37,48
HAUTES-ALPES	45,22	29,17	8,40	13,10	16,70	27,84
A. MARITIMES	20,92	12,16	6,10	22,00	36,90	34,47
ARDECHE	54,88	30,47	6,00	8,70	12,30	28,60
ARDENNES	12,50	7,12	15,40	12,60	19,70	19,56
ARIEGE	44,03	27,01	3,90	6,90	11,20	23,68
AUBE	10,44	6,36	13,30	21,70	29,40	24,99
AUDE	19,73	13,65	8,80	17,10	18,30	20,54
AVEYRON	62,99	40,43	4,50	7,00	10,20	16,43
B. DU RHONE	30,08	10,78	29,70	30,10	31,10	35,58
CALVADOS	43,61	22,22	13,20	20,90	26,90	29,60
CANTAL	67,84	44,58	6,00	11,80	14,60	18,08
CHARENTES	63,66	39,40	10,10	16,20	23,20	27,45
CHARENTE MTME	49,23	30,10	8,10	15,70	22,10	29,57
CHER	50,89	23,25	9,70	13,80	20,90	33,54
CORREZE	69,81	38,91	3,30	7,60	12,40	23,60
CORSE	10,89	24,74	5,30	2,50	4,90	94,00
COTE D'OR	15,49	7,49	12,80	20,60	29,50	30,64
COTE DU NORD	74,40	47,60	2,30	5,00	8,50	18,59
CREUSE	71,27	54,79	5,30	10,20	14,50	23,82
DORDOGNE	38,92	49,87	4,10	9,40	15,00	24,45
DOUBS	18,71	6,40	11,60	15,50	20,50	24,59
DROME	48,09	26,32	11,90	19,60	26,50	34,34
EURE	40,27	23,52	15,30	24,30	31,90	38,21
EURE ET LOIR	40,07	20,12	12,70	20,40	27,60	34,64
FINISTERE	68,95	32,62	6,80	4,80	6,00	26,63
GARD	25,48	20,12	16,90	18,50	20,60	29,32
HAUTE GARONNE	14,50	14,47	10,50	19,50	27,90	33,63
GERS	60,79	52,30	8,90	12,90	17,40	25,76
GIRONDE	39,30	22,63	22,60	26,40	30,10	28,11
HERAULT	14,22	9,30	13,30	27,30	26,00	26,51
ILLE VILAINE	67,46	32,05	7,90	10,30	14,30	23,25
INDRE	55,76	32,39	8,10	11,30	15,50	26,60
INDRE ET LOIRE	50,00	21,22	14,20	23,00	31,10	35,11
ISERE	46,83	21,79	7,10	12,70	21,90	30,93
JURA	18,51	11,76	9,80	14,70	18,70	24,92
LANDES	71,91	40,07	4,00	6,40	9,60	27,48
LOIR ET CHER	50,38	24,47	13,70	17,00	21,30	33,82
LOIRE	40,59	16,87	14,20	18,30	19,20	18,85
HAUTE LOIRE	60,91	36,27	5,20	6,90	9,90	20,62
L. ATLANTIQUE	55,91	29,78	9,50	13,70	18,70	25,82
LOIRET	42,49	19,51	14,10	18,40	26,50	34,48

COLONNE 1 % POPULATION EPARSE 1876   I,3,9A
COLONNE 2 % POPULATION EPARSE 1975   I,3,9B
COLONNE 3 % RESIDENTS NES HORS DEPT 1872 II,1,1A

LOT	61,76	44,00	4,20	7,60	14,50	27,07
LOT ET GARONNE	57,69	42,61	10,30	17,00	25,80	27,39
LOZERE	50,00	39,19	3,60	6,40	11,10	22,27
MAINE ET LOIRE	49,20	27,59	10,60	17,20	21,80	24,73
MANCHE	60,34	44,77	9,70	9,70	12,40	16,37
MARNE	8,61	4,55	8,90	25,60	31,70	28,81
HAUTE MARNE	7,76	11,85	12,60	17,30	24,10	25,66
MAYENNE	61,27	36,40	8,90	12,80	13,80	20,34
MEURTHE ET MSL	7,49	3,62	19,70	27,90	33,10	20,70
MEUSE	4,95	8,91	10,90	21,90	29,10	28,25
MORBIHAN	71,43	43,04	5,70	7,60	10,30	18,95
MOSELLE	MANQUE	2,81	MANQUE	MANQUE	MANQUE	17,92
NIEVRE	52,79	30,33	9,90	16,60	25,90	32,80
NORD	27,93	6,60	6,60	7,50	14,30	13,61
OISE	19,49	7,99	17,00	25,30	32,80	35,43
ORNE	68,13	38,91	9,80	18,90	27,50	35,24
PAS DE CALAIS	20,36	9,07	8,80	11,20	13,10	13,91
PUY DE DOME	54,20	21,49	3,80	8,80	18,10	26,20
P. ATLANTIQUES	46,08	22,41	8,80	8,60	12,60	23,87
HTES PYRENEES	19,74	15,04	6,10	11,30	18,30	26,16
P. ORIENTALES	13,02	9,73	8,90	7,00	11,40	21,37
BAS RHIN	MANQUE	3,31	MANQUE	MANQUE	MANQUE	14,68
HAUT RHIN	MANQUE	4,11	MANQUE	MANQUE	MANQUE	15,24
RHONE	27,04	7,52	30,40	38,30	38,10	30,49
HAUTE SAONE	16,05	11,87	7,90	12,90	19,90	26,71
SAONE ET LOIRE	52,55	24,96	8,70	11,80	15,10	21,43
SARTHE	55,94	26,84	9,00	17,10	21,40	24,49
SAVOIE	41,76	31,68	7,20	10,30	15,90	25,96
HAUTE SAVOIE	63,57	30,49	5,90	6,00	13,20	27,65
SEINE	1,29	0,04	64,00	57,40	53,30	35,26
SEINE MARITIME	24,77	11,04	14,20	15,70	19,00	18,93
SEINE ET MARNE	28,36	13,96	20,50	29,70	45,20	51,06
SEINE ET OISE	16,70	5,86	36,50	48,50	65,10	58,58
DEUX SEVRES	52,27	38,81	7,60	11,10	14,50	21,08
SOMME	7,52	6,16	8,10	13,50	21,10	23,32
TARN	53,41	32,74	4,00	9,10	14,30	21,70
TARN GARONNE	56,48	46,99	8,00	14,30	20,10	27,38
VAR	25,09	13,20	21,80	26,60	36,80	35,69
VAUCLUSE	39,52	28,42	12,60	19,40	29,50	33,16
VENDEE	59,75	36,43	4,90	6,20	7,60	19,77
VIENNE	51,70	32,30	9,80	12,70	17,60	27,16
HAUTE VIENNE	64,33	30,57	7,70	11,50	13,30	24,97
VOSGES	32,75	15,66	8,30	14,10	16,90	17,16
YONNE	31,44	17,79	10,40	18,20	30,10	36,90
T. DE BELFORT	75,40	3,12	5,10	33,60	41,90	33,50

COLONNE 4   % RESIDENTS NES HORS DEPT 1901   II,1,1B
COLONNE 5   "   "   "   "   "   1936   II,1,1C
COLONNE 6   "   "   "   "   "   1975   II,1,1D

AIN	72,88	16,78	5,81	111,08	10,13	218,24
AISNE	23,66	22,97	4,30	11,91	32,86	9,88
ALLIER	25,03	31,31	8,82	398,54	262,52	158,63
BASSES-ALPES	44,24	23,69	5,79	14,04	4,42	13,16
HAUTES-ALPES	23,22	14,73	5,85	7,02	5,31	9,40
A. MARITIMES	69,38	35,43	20,99	22,08	13,13	10,90
ARDECHE	24,54	3,97	10,62	4,63	2,51	5,17
ARDENNES	64,14	17,17	1,85	13,97	10,41	5,28
ARIEGE	13,06	11,83	16,37	3,56	3,59	1,78
AUBE	152,24	28,44	5,46	88,68	82,78	32,51
AUDE	14,90	9,00	101,80	5,20	4,03	3,21
AVEYRON	6,48	7,34	0,00	12,69	2,61	2,45
B. DU RHONE	41,93	16,87	161,96	4,06	2,35	9,28
CALVADOS	20,04	132,91	2,68	11,15	7,27	4,15
CANTAL	16,18	7,33	280,24	45,03	8,12	4,84
CHARENTES	16,04	35,12	9,91	142,11	23,74	3,36
CHARENTE MTME	24,42	46,31	11,70	22,93	10,71	5,20
CHER	35,75	54,42	8,82	164,59	462,77	79,70
CORREZE	22,52	23,81	45,77	148,91	4,52	2,41
CORSE	MANQUE	MANQUE	11,65	0,36	1,71	1,23
COTE D'OR	621,35	20,14	6,88	88,70	297,95	699,41
COTE DU NORD	12,87	41,59	0,77	1,98	2,63	1,17
CREUSE	18,51	51,72	8,14	0,00	20,09	6,68
DORDOGNE	25,43	29,08	33,23	27,23	4,20	2,60
DOUBS	2065,76	10,40	3,46	60,22	18,42	45,78
DROME	56,00	12,97	8,88	6,54	6,17	16,81
EURE	31,80	106,60	7,57	20,81	21,66	9,20
EURE ET LOIR	24,20	417,91	8,31	20,07	12,34	8,55
FINISTERE	9,51	28,14	1,85	6,03	4,48	1,46
GARD	41,94	16,94	132,60	11,05	8,05	7,24
HAUTE GARONNE	27,83	21,54	173,77	25,35	5,73	2,12
GERS	23,17	10,50	12,52	4,97	2,67	1,67
GIRONDE	25,50	27,53	69,32	46,40	13,66	8,71
HERAULT	37,54	18,90	981,91	18,61	10,32	5,97
ILLE VILAINE	10,28	87,92	1,87	3,36	4,64	5,20
INDRE	25,33	59,83	4,51	329,68	28,18	4,95
INDRE ET LOIRE	23,51	374,93	12,58	27,68	38,23	12,68
ISERE	38,76	17,32	11,03	16,32	12,40	38,32
JURA	420,29	11,95	5,85	26,99	12,56	370,32
LANDES	34,29	21,89	0,25	0,24	0,20	0,00
LOIR ET CHER	23,88	439,89	5,68	24,85	25,76	10,79
LOIRE	27,32	11,83	18,70	153,45	35,77	186,53
HAUTE LOIRE	21,97	4,98	11,84	36,75	12,33	7,35
L. ATLANTIQUE	11,55	103,79	4,76	4,41	10,28	2,93
LOIRET	45,14	119,78	9,59	121,64	286,53	15,83

COLONNE 1	EMIGRATIONS	HTE SAONE	1975	II,1,4A
COLONNE 2	EMIGRATIONS	SARTHE	1975	II,1,4B
COLONNE 3	EMIGRATIONS	AVEYRON	1891	II,1,5A

LOT	29,83	21,62	189,19	10,50	3,09	0,95
LOT ET GARONNE	15,43	20,97	26,54	8,09	3,35	1,53
LOZERE	6,01	16,33	216,00	6,97	2,35	0,71
MAINE ET LOIRE	15,04	328,67	4,71	20,89	15,85	4,16
MANCHE	14,95	46,05	2,38	8,06	5,49	3,83
MARNE	102,18	30,86	7,05	82,52	29,80	19,84
HAUTE MARNE	801,04	18,29	6,75	36,09	33,60	58,70
MAYENNE	8,63	530,14	2,10	3,28	4,55	1,70
MEURTHE ET MSL	238,33	13,85	9,83	26,08	25,67	24,41
MEUSE	144,23	19,10	5,81	49,27	24,59	11,32
MORBIHAN	11,20	47,49	4,72	5,74	3,74	2,67
MOSELLE	63,07	12,57	MANQUE	MANQUE	MANQUE	MANQUE
NIEVRE	48,00	25,09	8,92	72,62	0,00	206,82
NORD	11,47	10,31	1,85	4,37	3,67	3,05
OISE	40,88	42,10	13,03	33,43	71,08	15,65
ORNE	10,73	890,60	4,02	8,92	10,02	8,75
PAS DE CALAIS	7,38	8,15	1,74	3,53	5,06	2,64
PUY DE DOME	32,62	21,82	10,92	141,04	22,88	9,98
P. ATLANTIQUES	20,21	23,65	7,39	2,81	3,83	2,16
HTES PYRENEES	15,87	17,98	8,83	6,99	0,90	0,50
P. ORIENTALES	22,60	18,43	60,44	6,85	0,83	2,30
BAS RHIN	75,16	12,28	MANQUE	MANQUE	MANQUE	MANQUE
HAUT RHIN	216,73	8,02	MANQUE	MANQUE	MANQUE	MANQUE
RHONE	58,00	15,71	32,23	318,53	46,61	341,49
HAUTE SAONE	0,00	11,95	4,26	26,60	13,24	24,85
SAONE ET LOIRE	73,88	9,00	7,36	66,04	296,32	0,00
SARTHE	20,22	0,00	4,00	6,20	10,75	3,64
SAVOIE	45,63	16,67	4,36	5,47	8,18	18,52
HAUTE SAVOIE	57,31	28,70	2,70	4,45	3,36	19,44
SEINE	84,30	120,73	212,20	314,08	363,26	144,37
SEINE MARITIME	19,17	54,19	1,69	6,43	15,43	9,22
SEINE ET MARNE	93,67	83,25	17,53	89,64	278,24	54,31
SEINE ET OISE	63,62	140,75	38,38	152,62	243,47	57,87
DEUX SEVRES	8,04	35,84	4,51	18,73	6,16	2,92
SOMME	15,91	14,79	2,56	4,11	9,37	4,37
TARN	18,66	15,70	331,09	11,22	7,96	1,63
TARN GARONNE	14,77	17,84	177,21	6,95	3,51	3,97
VAR	65,48	36,51	35,85	8,89	9,59	24,08
VAUCLUSE	65,84	26,16	33,11	4,33	11,63	13,73
VENDEE	10,01	50,79	1,30	9,29	2,10	0,95
VIENNE	22,71	63,45	8,12	37,64	8,20	3,09
HAUTE VIENNE	15,36	32,47	11,90	721,98	8,81	3,37
VOSGES	695,43	10,23	2,86	16,86	45,02	20,81
YONNE	81,63	63,01	7,16	84,31	662,03	30,11
T. DE BELFORT	2906,81	11,16	72,44	90,64	29,07	43,01

COLONNE 4   EMIGRATIONS   CREUSE 1891   II,1,5C
COLONNE 5   EMIGRATIONS   NIEVRE 1891   II,1,5D
COLONNE 6   EMIGRATIONS   SAONE ET L. 1891   II,1,5B

TABLEAU NO 13 : IMMIGRATIONS

AIN	44,02	14,68	10,26	750,46	30,81
AISNE	30,56	23,42	33,10	24,95	142,99
ALLIER	42,61	31,32	30,45	103,12	93,28
BASSES-ALPES	623,31	29,88	11,79	57,48	28,35
HAUTES-ALPES	5743,65	19,90	18,48	173,87	42,27
A. MARITIMES	608,40	27,38	13,26	32,51	30,66
ARDECHE	170,13	23,04	12,85	504,01	31,97
ARDENNES	34,28	33,74	36,33	28,76	91,23
ARIEGE	81,21	2164,59	95,71	38,54	63,12
AUBE	35,42	26,01	24,32	29,02	94,39
AUDE	124,28	807,21	56,53	83,61	59,24
AVEYRON	74,45	504,15	54,64	43,30	146,86
B. DU RHONE	0,00	27,58	16,29	33,43	25,87
CALVADOS	22,66	16,03	23,00	14,94	115,91
CANTAL	48,77	106,35	50,28	58,25	217,34
CHARENTES	29,62	59,19	419,91	31,15	94,21
CHARENTE MTME	33,57	54,53	440,06	17,28	76,12
CHER	29,55	33,50	34,14	32,21	130,52
CORREZE	33,43	106,71	125,39	43,15	173,97
CORSE	MANQUE	MANQUE	MANQUE	MANQUE	MANQUE
COTE D'OR	44,05	23,71	19,65	94,69	70,78
COTE DU NORD	20,30	14,95	26,06	12,93	171,79
CREUSE	35,23	46,72	62,68	91,07	210,90
DORDOGNE	31,11	107,60	779,82	26,15	101,99
DOUBS	31,46	21,59	17,03	66,71	44,20
DROME	129,58	18,84	13,55	252,27	27,32
EURE	20,32	18,47	25,75	11,36	111,79
EURE ET LOIR	17,00	21,51	26,47	14,83	148,02
FINISTERE	27,39	25,10	34,57	15,65	113,28
GARD	300,73	44,81	19,67	81,59	31,97
HAUTE GARONNE	45,24	0,00	71,76	39,18	36,38
GERS	38,84	1123,74	211,32	20,39	54,33
GIRONDE	41,65	92,76	0,00	18,75	52,50
HERAULT	142,32	157,10	33,78	64,46	44,44
ILLE VILAINE	19,39	18,36	23,95	13,08	95,36
INDRE	29,27	41,87	48,87	32,04	148,26
INDRE ET LOIRE	24,80	29,56	53,18	20,60	93,09
ISERE	50,56	15,41	12,62	344,36	22,30
JURA	40,74	23,69	18,95	297,78	70,96
LANDES	29,24	106,43	718,81	14,04	53,93
LOIR ET CHER	22,94	23,65	37,00	20,03	139,53
LOIRE	54,72	21,51	15,26	489,29	33,13
HAUTE LOIRE	76,17	22,60	16,11	377,55	50,90
L. ATLANTIQUE	19,37	19,25	34,67	15,55	55,40
LOIRET	23,79	35,53	31,06	25,90	124,66

```
COLONNE 1   ATTRACTIONS BOUCHE DU RHONE 1975 II,1,7C
COLONNE 2   ATTRACTIONS HAUTE GARONNE   1975 II,1,7B
COLONNE 3   ATTRACTIONS    GIRONDE      1975 II,1,7A
```

LOT	36,09	542,93	131,20	29,66	110,73
LOT ET GARONNE	41,94	303,24	609,98	23,73	53,76
LOZERE	209,02	116,69	40,25	156,75	176,77
MAINE ET LOIRE	20,15	22,92	35,55	15,80	70,61
MANCHE	25,61	21,64	25,46	14,40	141,65
MARNE	38,20	38,68	33,53	26,99	99,13
HAUTE MARNE	49,68	37,03	41,38	63,71	105,06
MAYENNE	13,37	17,26	27,83	12,07	124,27
MEURTHE ET MSL	62,00	39,57	50,31	39,35	67,09
MEUSE	53,09	46,92	45,54	46,54	100,36
MORBIHAN	19,47	20,12	32,17	14,29	140,58
MOSELLE	0,73	23,77	18,83	22,24	26,66
NIEVRE	33,38	26,90	26,29	65,96	191,32
NORD	27,40	22,12	21,65	17,59	51,54
OISE	17,99	18,48	19,46	15,13	119,52
ORNE	18,75	19,26	22,46	29,51	155,47
PAS DE CALAIS	24,22	19,36	18,42	14,91	72,80
PUY DE DOME	34,21	27,07	26,84	76,49	52,43
P. ATLANTIQUES	31,36	146,98	347,03	17,40	79,83
HTES PYRENEES	38,31	533,51	172,06	28,36	57,49
P. ORIENTALES	98,72	200,15	39,12	56,17	47,60
BAS RHIN	21,55	18,70	15,96	19,94	32,85
HAUT RHIN	23,40	18,62	14,39	34,00	26,31
RHONE	56,22	22,88	12,61	0,00	32,83
HAUTE SAONE	41,93	27,83	25,50	58,00	84,30
SAONE ET LOIRE	43,96	19,29	15,31	417,90	71,98
SARTHE	16,87	21,54	27,53	15,71	120,73
SAVOIE	67,64	15,14	13,26	233,03	50,26
HAUTE SAVOIE	30,48	14,65	9,27	131,05	32,80
SEINE	39,40	39,83	41,50	28,56	0,00
SEINE MARITIME	33,09	23,22	25,77	17,09	81,45
SEINE ET MARNE	20,84	19,26	21,49	12,42	141,14
SEINE ET OISE	16,07	19,58	16,38	12,20	95,26
DEUX SEVRES	19,14	33,71	110,06	16,25	82,14
SOMME	22,42	22,01	22,45	18,21	106,84
TARN	55,08	906,99	58,33	24,84	43,14
TARN GARONNE	40,49	1149,16	125,27	29,44	53,53
VAR	243,77	27,34	26,22	37,45	36,95
VAUCLUSE	495,08	24,75	13,79	60,47	24,30
VENDEE	15,24	21,74	80,71	11,66	60,70
VIENNE	23,67	38,57	97,25	18,82	110,25
HAUTE VIENNE	26,10	56,31	120,07	35,78	124,41
VOSGES	48,34	27,42	24,83	49,46	64,78
YONNE	35,96	27,64	23,43	33,58	162,65
T. DE BELFORT	48,32	32,18	25,80	57,40	63,57

```
COLONNE 4   ATTRACTIONS   RHONE           1975 II,1,7D
COLONNE 5   ATTRACTIONS PARIS + COURONNE    "   II,2,3D
```

AIN	2,86	1,56	2,22	5,08	2,17	2,33
AISNE	23,00	10,93	11,74	34,04	7,04	7,49
ALLIER	6,43	3,94	3,21	17,27	3,42	6,25
BASSES-ALPES	0,75	0,00	0,00	5,97	1,33	1,25
HAUTES-ALPES	4,42	1,08	1,77	3,54	1,78	2,05
A. MARITIMES	MANQUE	MANQUE	MANQUE	MANQUE	0,79	1,74
ARDECHE	1,50	0,92	1,50	3,75	2,22	2,20
ARDENNES	12,31	10,37	15,38	23,46	5,52	5,98
ARIEGE	1,53	0,62	2,55	2,55	1,53	2,01
AUBE	13,42	16,97	10,82	36,80	5,54	7,04
AUDE	0,89	2,18	0,44	4,00	0,97	1,71
AVEYRON	1,84	0,75	0,61	6,44	6,67	9,30
B. DU RHONE	1,05	2,58	3,16	5,96	1,16	2,00
CALVADOS	11,95	13,01	10,62	24,56	4,72	7,15
CANTAL	32,27	30,07	13,64	40,45	11,64	14,55
CHARENTES	3,01	1,64	2,68	6,35	2,43	4,28
CHARENTE MTME	1,25	0,61	2,76	8,02	1,88	3,11
CHER	3,67	3,37	3,67	9,17	6,37	10,61
CORREZE	2,05	2,01	1,64	3,28	5,01	10,79
CORSE	0,61	0,00	0,61	2,44	1,59	MANQUE
COTE D'OR	21,99	12,93	13,20	43,11	7,55	3,53
COTE DU NORD	0,79	0,24	0,60	2,58	4,18	6,16
CREUSE	7,34	7,87	5,05	27,98	9,87	11,94
DORDOGNE	1,47	1,20	1,22	3,91	2,00	3,87
DOUBS	7,41	11,34	6,02	25,00	6,39	6,85
DROME	1,70	1,04	0,43	4,68	2,30	2,53
EURE	8,19	8,51	8,19	25,56	5,33	7,39
EURE ET LOIR	13,57	10,45	7,36	34,11	9,01	10,19
FINISTERE	0,91	0,28	1,14	3,19	1,85	3,01
GARD	1,33	0,82	3,00	5,67	1,76	2,34
HAUTE GARONNE	1,45	2,84	1,74	4,64	1,87	2,87
GERS	2,21	0,90	0,00	3,69	1,43	2,47
GIRONDE	1,19	1,46	1,39	8,15	1,63	3,17
HERAULT	0,73	1,78	1,45	5,45	1,36	2,41
ILLE VILAINE	0,20	2,00	2,04	9,41	3,01	5,17
INDRE	5,83	0,59	4,37	11,17	6,78	8,96
INDRE ET LOIRE	9,67	1,82	7,06	14,50	4,59	6,68
ISERE	2,98	2,25	2,75	10,09	1,79	1,98
JURA	8,68	1,70	3,12	13,19	6,22	6,77
LANDES	0,89	1,09	0,00	1,34	1,37	2,01
LOIR ET CHER	3,81	3,50	4,76	12,86	6,61	8,80
LOIRE	5,15	3,37	0,00	6,87	1,67	1,97
HAUTE LOIRE	2,61	2,13	0,00	7,83	2,29	3,06
L. ATLANTIQUE	1,90	0,66	2,44	7,86	2,52	4,11
LOIRET	12,94	6,85	14,69	30,07	9,45	12,35

COLONNE 1   ORIGINES   (P·10000) POPINCOURT II,2,1A
COLONNE 2   "   "   "   "   FEDERES   II,2,1B
COLONNE 3   "   "   "   "   ENGAGES   II,2,1C

LOT	0,38	0,94	1,91	4,58	3,44	7,26
LOT ET GARONNE	1,55	0,76	0,00	3,72	1,33	2,30
LOZERE	0,79	0,96	2,36	5,51	4,36	6,18
MAINE ET LOIRE	4,79	1,95	2,39	10,11	2,59	5,30
MANCHE	10,17	6,92	3,20	21,85	4,92	5,63
MARNE	14,10	25,70	12,46	31,80	5,84	7,74
HAUTE MARNE	31,72	31,30	15,42	39,65	7,47	7,86
MAYENNE	5,23	2,40	3,27	11,44	5,78	6,90
MEURTHE ET MSL	13,48	14,77	10,28	32,27	8,76	6,68
MEUSE	20,37	26,31	10,37	36,67	8,60	8,13
MORBIHAN	0,00	0,61	1,75	3,24	2,51	4,90
MOSELLE	22,62	14,58	22,62	81,55	MANQUE	MANQUE
NIEVRE	6,87	4,21	9,87	15,45	11,41	15,65
NORD	6,41	3,52	6,27	20,13	2,73	3,20
OISE	18,52	22,34	14,81	30,77	8,82	10,48
ORNE	21,97	6,19	7,32	29,55	7,54	8,19
PAS DE CALAIS	7,31	5,81	3,56	17,79	3,48	3,38
PUY DE DOME	4,73	3,38	2,76	12,43	4,18	5,56
P. ATLANTIQUES	1,40	0,69	0,84	3,65	2,00	3,36
HTES PYRENEES	2,86	1,40	0,57	2,29	2,28	3,56
P. ORIENTALES	0,90	1,10	2,70	4,50	1,13	2,00
BAS RHIN	7,41	5,67	5,56	20,37	MANQUE	MANQUE
HAUT RHIN	7,43	4,97	7,43	18,92	MANQUE	MANQUE
RHONE	5,35	5,74	5,35	23,41	2,77	3,72
HAUTE SAONE	18,84	10,91	12,67	29,45	10,44	6,02
SAONE ET LOIRE	5,52	2,70	3,75	8,83	4,54	6,02
SARTHE	5,15	3,16	3,09	15,72	6,53	7,05
SAVOIE	MANQUE	MANQUE	MANQUE	MANQUE	7,39	7,72
HAUTE SAVOIE	MANQUE	MANQUE	MANQUE	MANQUE	5,73	5,73
SEINE	0,00	0,00	0,00	0,00	0,04	MANQUE
SEINE MARITIME	8,36	6,83	11,64	25,25	4,73	6,33
SEINE ET MARNE	24,75	22,12	33,78	91,30	15,62	17,48
SEINE ET OISE	41,47	33,67	66,11	128,67	14,29	21,14
DEUX SEVRES	2,48	0,00	1,24	2,48	1,72	3,09
SOMME	16,78	17,61	13,07	33,77	5,89	6,26
TARN	1,48	0,00	1,48	1,85	1,31	1,86
TARN GARONNE	2,65	0,00	0,00	5,75	1,52	2,25
VAR	2,31	1,13	0,93	5,09	1,09	1,53
VAUCLUSE	2,09	1,28	1,05	4,19	1,94	1,94
VENDEE	0,82	0,50	0,41	4,12	1,14	2,04
VIENNE	2,49	1,02	1,66	5,81	3,01	5,81
HAUTE VIENNE	3,27	1,00	0,82	9,80	4,14	6,82
VOSGES	9,71	3,96	2,91	14,24	4,95	4,25
YONNE	20,25	13,74	18,07	56,07	13,28	14,60
T. DE BELFORT	MANQUE	MANQUE	MANQUE	MANQUE	5,12	4,92

COLONNE 4   ORIGINES (P. 10000)DECES 1833 II,2,2
COLONNE 5   "   "   "   " PARIS 1891 II,2,3A
COLONNE 6   "   "   "   " SEINE 1911 II,2,3B

AIN	9,00	25,00	74,34	86,55	94,18	99,14
AISNE	56,00	68,00	81,23	86,10	89,30	96,92
ALLIER	10,00	13,00	46,86	47,46	61,05	95,07
BASSES-ALPES	29,00	47,00	59,25	69,62	84,98	96,95
HAUTES-ALPES	64,00	75,00	81,38	91,77	97,68	99,59
A. MARITIMES	MANQUE	MANQUE	MANQUE	74,69	75,80	94,78
ARDECHE	20,00	45,00	57,38	69,85	80,74	95,37
ARDENNES	55,00	76,00	93,02	95,03	98,45	99,63
ARIEGE	6,00	22,00	48,78	60,87	72,66	93,49
AUBE	42,00	68,00	88,10	95,80	97,73	99,54
AUDE	17,00	32,00	59,62	58,81	84,17	96,76
AVEYRON	MANQUE	33,00	76,92	72,98	89,05	98,96
B. DU RHONE	17,00	30,00	62,99	79,07	89,57	98,37
CALVADOS	50,00	83,00	90,48	93,67	95,79	98,92
CANTAL	20,00	27,00	54,79	70,97	88,80	97,80
CHARENTES	14,00	27,00	62,56	67,07	79,31	91,92
CHARENTE MTME	40,00	54,00	67,64	65,82	90,46	96,36
CHER	20,00	24,00	33,35	50,28	71,75	95,18
CORREZE	12,00	28,00	34,43	46,89	62,71	83,70
CORSE	MANQUE	MANQUE	70,90	69,77	75,41	84,32
COTE D'OR	29,00	54,00	93,02	87,15	98,09	99,76
COTE DU NORD	12,00	23,00	38,61	48,22	66,09	85,60
CREUSE	12,00	14,00	35,05	65,52	81,79	95,97
DORDOGNE	MANQUE	MANQUE	36,45	47,27	64,79	84,52
DOUBS	30,00	80,00	75,65	98,89	99,69	99,52
DROME	24,00	40,00	75,08	78,16	81,88	96,79
EURE	47,00	75,00	85,34	88,72	91,94	97,82
EURE ET LOIR	37,00	49,00	79,50	87,73	94,83	98,89
FINISTERE	16,00	35,00	32,31	43,33	51,30	81,95
GARD	31,00	57,00	71,66	80,16	89,65	98,04
HAUTE GARONNE	8,00	18,00	54,57	74,95	82,65	96,05
GERS	26,00	32,00	59,72	68,84	85,96	93,93
GIRONDE	19,00	27,00	63,53	97,25	88,20	95,73
HERAULT	28,00	46,00	70,49	80,48	90,70	97,45
ILLE VILAINE	21,00	28,00	39,32	62,79	79,39	95,19
INDRE	12,00	15,00	37,48	44,74	68,36	92,54
INDRE ET LOIRE	MANQUE	23,00	50,76	62,76	82,81	96,83
ISERE	17,00	33,00	71,99	84,10	93,16	99,07
JURA	33,00	89,00	94,38	95,57	96,91	99,64
LANDES	6,00	5,00	46,10	51,45	71,55	90,48
LOIR ET CHER	22,00	30,00	54,24	71,64	83,91	96,58
LOIRE	18,00	27,00	58,04	78,20	86,38	98,18
HAUTE LOIRE	14,00	33,00	68,71	78,91	84,07	95,49
L. ATLANTIQUE	15,00	22,00	45,95	85,03	77,42	95,04
LOIRET	25,00	34,00	68,54	76,03	88,38	97,76

COLONNE 1	% SIGNATURES HOMMES			1686-90	III,1,1
COLONNE 2	"	"	"	" 1786-90	III,1,2
COLONNE 3	"	"	"	" 1854	III,1,3A

LOT	MANQUE	MANQUE	48,70	73,46	74,85	95,34
LOT ET GARONNE	9,00	22,00	66,18	72,97	85,63	92,15
LOZERE	MANQUE	60,00	76,17	79,17	85,81	98,37
MAINE ET LOIRE	18,00	18,00	57,17	67,85	75,30	96,59
MANCHE	37,00	82,00	91,47	84,67	97,81	99,68
MARNE	61,00	80,00	91,89	94,84	97,73	99,64
HAUTE MARNE	40,00	75,00	95,74	95,66	98,49	99,87
MAYENNE	14,00	24,00	50,67	63,51	78,93	96,15
MEURTHE ET MSL	43,00	88,00	96,60	99,11	99,12	99,69
MEUSE	46,00	85,00	98,62	98,90	99,51	99,85
MORBIHAN	13,00	10,00	59,20	42,68	55,97	78,42
MOSELLE	51,00	91,00	96,32	MANQUE	MANQUE	MANQUE
NIEVRE	7,00	14,00	42,54	58,55	80,93	96,11
NORD	10,00	51,00	65,41	69,50	85,23	95,82
OISE	55,00	71,00	83,45	88,52	93,26	98,56
ORNE	47,00	68,00	73,54	87,81	94,66	98,77
PAS DE CALAIS	33,00	49,00	72,45	78,27	85,20	96,83
PUY DE DOME	23,00	24,00	58,59	63,05	83,55	97,81
P. ATLANTIQUES	25,00	72,00	77,83	71,16	85,51	94,01
HTES PYRENEES	21,00	42,00	76,97	84,50	91,05	96,71
P. ORIENTALES	9,00	30,00	55,13	54,17	74,24	93,09
BAS RHIN	MANQUE	MANQUE	98,39	MANQUE	MANQUE	MANQUE
HAUT RHIN	MANQUE	MANQUE	96,58	MANQUE	MANQUE	MANQUE
RHONE	16,00	40,00	86,30	87,04	95,91	99,54
HAUTE SAONE	18,00	67,00	94,31	91,90	98,84	99,68
SAONE ET LOIRE	16,00	20,00	80,02	75,29	88,38	97,73
SARTHE	18,00	22,00	54,64	64,61	76,42	96,09
SAVOIE	MANQUE	MANQUE	MANQUE	85,39	96,02	99,31
HAUTE SAVOIE	MANQUE	MANQUE	MANQUE	81,46	95,65	99,61
SEINE	MANQUE	MANQUE	95,01	96,03	98,14	99,47
SEINE MARITIME	39,00	64,00	84,20	82,26	87,88	97,34
SEINE ET MARNE	45,00	61,00	87,79	92,20	96,71	99,48
SEINE ET OISE	45,00	63,00	76,77	92,88	96,70	99,13
DEUX SEVRES	22,00	32,00	69,33	64,28	81,77	96,41
SOMME	44,00	68,00	77,39	85,60	92,00	97,99
TARN	13,00	20,00	49,36	61,64	80,83	96,46
TARN GARONNE	12,00	18,00	48,96	65,37	79,75	96,90
VAR	14,00	30,00	54,79	67,48	76,39	96,66
VAUCLUSE	20,00	20,00	65,96	75,64	84,30	96,49
VENDEE	MANQUE	MANQUE	44,82	63,32	88,77	92,77
VIENNE	17,00	19,00	44,05	51,66	64,76	93,20
HAUTE VIENNE	8,00	11,00	29,62	42,33	55,69	83,15
VOSGES	30,00	92,00	94,47	99,09	99,23	99,85
YONNE	33,00	48,00	73,74	87,82	94,91	98,82
T. DE BELFORT	18,00	67,00	94,31	98,51	99,48	99,85

TABLEAU NO 16 : ALPHABETISATION FEMMES

AIN	22,86	27,27	50,40	77,63	89,95	97,96
AISNE	43,45	7,38	68,68	77,84	84,86	95,64
ALLIER	29,56	29,17	45,30	39,13	53,23	94,21
BASSES-ALPES	20,37	21,74	41,61	53,43	87,55	96,19
HAUTES-ALPES	22,26	28,57	59,49	78,92	95,35	98,64
A. MARITIMES	MANQUE	16,22	MANQUE	46,23	63,65	92,78
ARDECHE	14,52	42,86	32,72	43,45	67,06	93,49
ARDENNES	42,43	7,06	85,17	91,28	96,53	99,06
ARIEGE	29,25	39,29	17,62	26,69	49,09	83,80
AUBE	43,51	8,11	81,23	91,85	95,57	98,49
AUDE	29,42	32,43	17,81	77,39	66,45	92,94
AVEYRON	2,72	48,31	43,00	52,02	72,18	98,69
B. DU RHONE	0,00	6,98	38,20	64,83	76,12	96,58
CALVADOS	29,46	11,54	85,62	90,36	94,61	98,82
CANTAL	30,44	35,85	65,30	56,18	84,46	98,33
CHARENTES	31,75	9,76	39,23	44,49	62,59	88,38
CHARENTE MTME	24,36	10,00	46,15	45,69	60,05	95,13
CHER	27,15	9,68	20,04	36,30	63,41	94,25
CORREZE	4,52	32,26	22,58	26,10	47,43	79,67
CORSE	24,10	50,00	19,99	33,48	41,90	65,68
COTE D'OR	37,91	10,28	84,47	86,17	96,14	99,60
COTE DU NORD	17,54	44,90	29,50	35,68	52,86	79,59
CREUSE	28,65	27,27	7,30	41,95	71,23	94,40
DORDOGNE	29,64	29,41	16,34	32,02	49,99	80,86
DOUBS	25,25	15,91	67,67	95,29	98,94	99,52
DROME	30,43	25,81	53,09	55,35	74,92	96,52
EURE	37,04	14,44	77,70	83,28	89,19	96,12
EURE ET LOIR	39,50	7,46	72,95	84,89	92,84	98,24
FINISTERE	9,27	37,88	19,07	28,86	43,54	71,32
GARD	18,79	23,26	41,61	59,48	79,72	95,34
HAUTE GARONNE	35,64	14,67	21,71	46,09	65,42	93,36
GERS	18,63	40,82	21,32	45,35	70,61	91,12
GIRONDE	26,17	12,58	42,34	93,78	86,18	94,68
HERAULT	11,49	41,38	38,17	51,76	78,87	93,76
ILLE VILAINE	11,08	38,98	44,48	50,87	66,32	94,26
INDRE	21,29	7,69	23,69	35,94	60,38	92,54
INDRE ET LOIRE	23,49	11,32	36,98	55,39	77,44	96,20
ISERE	28,66	27,69	50,77	71,95	87,57	98,54
JURA	23,58	14,63	79,76	88,64	95,93	99,34
LANDES	32,91	18,52	18,05	30,46	47,64	84,06
LOIR ET CHER	38,24	13,04	40,26	64,59	79,84	96,02
LOIRE	19,93	34,55	60,30	67,35	80,36	97,04
HAUTE LOIRE	16,90	54,24	40,58	57,16	75,74	94,77
L. ATLANTIQUE	13,90	27,19	27,32	55,47	64,86	94,28
LOIRET	32,98	6,06	53,96	70,32	83,55	97,36

COLONNE 1 % ECOLES MIXTES 1837   III,1,8
COLONNE 2 % LISANT SEULEMENT 1872   III,1,11
COLONNE 3 % SIGNATURES FEMMES 1854   III,1,9A

LOT	6,89	21,43	20,39	64,82	54,51	92,42
LOT ET GARONNE	23,77	22,92	33,75	49,72	72,93	92,15
LOZERE	8,30	42,31	44,61	63,94	81,70	97,76
MAINE ET LOIRE	12,46	10,20	50,90	66,67	74,37	97,60
MANCHE	8,11	16,41	90,34	82,07	97,03	99,36
MARNE	41,02	2,78	82,33	88,98	94,11	99,08
HAUTE MARNE	36,13	4,11	91,16	93,96	97,83	99,24
MAYENNE	0,92	17,74	43,97	61,98	80,59	97,72
MEURTHE ET MSL	29,91	3,74	92,05	97,66	98,66	99,38
MEUSE	30,89	3,66	94,88	98,42	99,73	99,90
MORBIHAN	4,78	23,64	47,09	30,56	39,55	68,98
MOSELLE	34,98	MANQUE	84,98	MANQUE	MANQUE	MANQUE
NIEVRE	34,02	10,53	26,29	54,64	73,74	97,24
NORD	28,09	7,98	51,39	56,51	76,75	92,32
OISE	45,78	4,17	75,41	86,44	91,36	97,41
ORNE	29,96	9,91	64,71	84,58	93,07	98,77
PAS DE CALAIS	41,41	11,56	57,19	67,50	78,55	94,53
PUY DE DOME	23,16	28,87	35,26	48,64	74,09	96,76
P. ATLANTIQUES	24,91	30,88	22,91	59,13	73,82	92,21
HTES PYRENEES	31,05	24,24	30,46	49,28	69,47	95,68
P. ORIENTALES	5,03	16,67	16,20	21,99	36,66	82,09
BAS RHIN	43,63	MANQUE	95,04	MANQUE	MANQUE	MANQUE
HAUT RHIN	37,29	MANQUE	93,23	MANQUE	MANQUE	MANQUE
RHONE	8,29	13,83	69,60	76,53	92,48	99,03
HAUTE SAONE	19,72	6,67	74,68	88,10	96,34	99,31
SAONE ET LOIRE	36,48	14,89	70,57	62,65	82,13	97,08
SARTHE	8,25	8,54	46,33	56,73	76,68	95,10
SAVOIE	MANQUE	11,63	MANQUE	66,58	93,55	98,97
HAUTE SAVOIE	MANQUE	15,56	MANQUE	70,31	92,05	99,27
SEINE	MANQUE	2,65	85,27	88,42	94,85	98,79
SEINE MARITIME	38,40	9,52	70,71	74,03	81,74	95,07
SEINE ET MARNE	31,18	2,63	78,22	88,49	95,46	99,10
SEINE ET OISE	43,07	7,35	67,11	90,32	94,46	98,36
DEUX SEVRES	35,47	18,75	35,95	39,36	70,05	94,18
SOMME	40,42	11,30	66,41	77,44	86,47	96,66
TARN	22,20	28,21	20,91	31,05	64,85	93,85
TARN GARONNE	35,37	25,00	31,04	45,28	67,70	96,75
VAR	1,53	14,58	34,77	51,78	55,50	91,97
VAUCLUSE	7,17	13,51	32,41	51,18	71,12	93,91
VENDEE	18,58	4,88	26,77	41,86	56,24	90,70
VIENNE	31,97	10,53	27,33	35,55	58,12	90,31
HAUTE VIENNE	18,37	14,81	17,16	30,73	43,34	78,29
VOSGES	35,11	6,67	93,87	97,79	98,70	99,55
YONNE	40,60	4,00	72,02	82,24	92,70	98,69
T. DE BELFORT	19,72	1,41	74,68	97,52	97,08	99,71

COLONNE 4   % SIGNATURES FEMMES 1869   III,1,9B
COLONNE 5   "   "   "   "   1885   III,1,9C
COLONNE 6   "   "   "   "   1901   III,1,9D

TABLEAU NO 17 : ELITE ET DIVERS

AIN	5,40	8,00	2,60	4,12	3,57	2,70
AISNE	4,80	6,30	14,00	3,76	3,63	8,40
ALLIER	4,80	8,30	4,50	4,19	3,46	1,40
BASSES-ALPES	7,00	11,00	3,20	4,21	3,43	7,80
HAUTES-ALPES	6,00	11,20	2,60	4,41	3,60	6,00
A. MARITIMES	6,90	10,50	MANQUE	3,77	3,11	MANQUE
ARDECHE	4,90	7,80	2,40	4,46	3,59	1,90
ARDENNES	4,80	6,50	9,30	3,83	3,69	5,70
ARIEGE	5,80	9,60	2,00	4,53	3,47	1,20
AUBE	3,40	5,50	13,30	3,37	3,47	9,40
AUDE	6,20	8,80	5,60	4,01	3,45	2,60
AVEYRON	5,60	8,60	3,90	4,55	3,71	0,90
B. DU RHONE	6,00	9,40	1,40	3,69	3,45	9,90
CALVADOS	4,70	6,90	4,80	3,77	3,71	3,90
CANTAL	6,00	10,40	2,70	4,69	3,77	1,80
CHARENTES	5,10	6,50	2,00	3,44	3,54	6,20
CHARENTE MTME	4,70	7,00	5,20	3,90	3,45	6,40
CHER	4,70	6,50	3,00	4,04	3,47	4,10
CORREZE	4,90	8,80	1,50	4,82	3,48	2,10
CORSE	5,10	9,60	0,00	4,65	MANQUE	2,60
COTE D'OR	5,20	8,20	13,10	3,70	3,57	6,50
COTE DU NORD	6,00	7,90	0,70	4,80	3,62	2,10
CREUSE	4,60	7,20	1,00	4,60	3,49	1,40
DORDOGNE	5,00	7,60	1,00	4,67	3,51	3,60
DOUBS	3,80	6,50	10,70	4,32	3,71	3,80
DROME	5,70	8,00	1,70	3,51	3,52	5,70
EURE	4,20	5,80	3,60	3,60	3,65	7,30
EURE ET LOIR	4,20	6,50	7,40	3,62	3,55	7,70
FINISTERE	6,30	8,20	1,90	4,94	3,65	4,60
GARD	5,40	8,00	3,10	3,87	3,42	5,40
HAUTE GARONNE	7,70	10,80	3,70	4,06	3,51	2,60
GERS	5,30	8,80	3,10	3,87	3,74	2,00
GIRONDE	5,90	8,90	2,30	3,36	3,45	5,90
HERAULT	7,60	10,00	4,70	3,87	3,42	3,70
ILLE VILAINE	5,20	7,10	1,60	4,51	3,65	2,40
INDRE	4,40	6,40	1,40	4,09	3,45	4,00
INDRE ET LOIRE	5,30	6,90	1,90	3,46	3,51	8,50
ISERE	5,30	8,70	3,90	4,06	3,61	3,10
JURA	4,90	6,90	11,60	4,21	3,85	3,00
LANDES	5,50	7,00	3,10	4,16	3,80	3,20
LOIR ET CHER	4,00	6,30	2,50	3,72	3,43	6,50
LOIRE	3,80	6,90	3,90	4,07	3,48	1,70
HAUTE LOIRE	5,30	9,30	4,30	4,46	3,62	1,30
L. ATLANTIQUE	5,40	6,20	1,20	4,31	3,66	3,60
LOIRET	4,80	7,50	1,00	3,84	3,46	9,80

COLONNE 1   % BACHELIERS H. 25-34 ANS 1975 III,1,12
COLONNE 2   % BACHELIERS F. 25-34 ANS 1975 III,1,13
COLONNE 3   ELITE 1816-25 (POUR 1000 RECR.)III,1,7

LOT	6,70	9,00	5,20	4,38	3,63	2,00
LOT ET GARONNE	5,40	7,70	1,40	3,88	3,51	2,80
LOZERE	7,40	13,10	4,10	4,87	3,79	1,30
MAINE ET LOIRE	5,50	6,20	4,20	3,92	3,79	4,40
MANCHE	4,20	7,30	5,10	4,07	3,63	1,80
MARNE	4,60	6,40	16,00	3,69	3,59	13,60
HAUTE MARNE	4,80	6,60	19,90	3,76	3,64	5,50
MAYENNE	3,60	5,40	1,60	4,27	3,67	3,10
MEURTHE ET MSL	4,80	8,10	14,60	4,13	3,63	7,10
MEUSE	5,10	7,20	9,80	3,78	3,63	7,10
MORBIHAN	5,90	7,10	3,60	4,76	3,73	4,20
MOSELLE	4,80	5,50	9,30	MANQUE	3,80	5,10
NIEVRE	4,40	7,70	3,40	4,06	3,42	3,80
NORD	5,20	6,90	7,10	4,33	3,67	7,00
OISE	4,50	6,80	14,70	3,65	3,77	16,00
ORNE	4,30	6,50	3,00	3,84	3,65	3,10
PAS DE CALAIS	5,30	6,10	9,50	4,37	3,71	7,20
PUY DE DOME	5,40	9,90	4,70	4,24	3,51	1,80
P. ATLANTIQUES	5,80	8,50	8,40	4,97	3,71	1,80
HTES PYRENEES	5,60	9,10	19,30	4,50	3,64	0,80
P. ORIENTALES	6,20	7,50	1,70	4,22	3,32	3,00
BAS RHIN	5,10	6,70	16,40	MANQUE	3,68	6,30
HAUT RHIN	4,20	5,80	8,10	MANQUE	3,62	4,70
RHONE	5,70	9,20	4,80	3,82	3,52	5,60
HAUTE SAONE	4,40	6,10	8,80	3,93	3,68	2,60
SAONE ET LOIRE	4,10	6,40	2,60	4,13	3,49	4,20
SARTHE	3,90	5,70	2,20	3,65	3,60	4,00
SAVOIE	4,90	8,70	MANQUE	4,78	3,65	MANQUE
HAUTE SAVOIE	5,20	8,80	MANQUE	4,70	3,59	MANQUE
SEINE	6,60	10,10	10,20	3,34	3,63	34,70
SEINE MARITIME	4,40	6,00	7,00	4,06	3,58	9,90
SEINE ET MARNE	5,30	7,50	5,30	3,61	3,56	13,90
SEINE ET OISE	6,10	9,40	5,40	3,87	3,59	18,90
DEUX SEVRES	4,80	6,30	1,90	4,22	3,65	4,80
SOMME	4,90	6,90	18,50	3,84	3,65	7,50
TARN	7,00	8,30	3,00	4,37	3,59	2,00
TARN GARONNE	5,00	8,40	2,00	4,00	3,65	2,60
VAR	6,00	8,70	3,10	3,83	3,28	9,00
VAUCLUSE	5,40	8,40	4,70	3,94	3,47	7,00
VENDEE	4,90	5,60	2,70	4,24	3,73	3,00
VIENNE	5,30	7,20	3,90	4,09	3,57	4,80
HAUTE VIENNE	5,50	7,50	4,30	4,37	3,37	4,20
VOSGES	4,40	7,10	7,00	4,00	3,63	3,40
YONNE	4,60	7,00	7,20	3,57	3,44	7,80
T. DE BELFORT	4,20	7,10	8,80	4,70	3,58	2,60

```
COLONNE 4   DIMENSION MOY.MENAGES 1866      III,2,1
COLONNE 5      "        "       "       "    1975    III,2,5
COLONNE 6   TAUX DE SUICIDE (P.100000)1830  III,2,6A
```

AIN	8,60	14,50	29,57	19,30	29,77	15,90
AISNE	21,40	31,00	41,04	23,35	25,81	21,00
ALLIER	4,50	7,30	12,91	17,12	18,62	18,10
BASSES-ALPES	12,40	19,60	28,26	21,18	14,63	23,30
HAUTES-ALPES	8,60	8,90	15,14	18,18	11,90	14,40
A. MARITIMES	MANQUE	18,00	21,84	26,51	13,29	12,60
ARDECHE	4,70	9,30	14,59	16,91	12,25	14,40
ARDENNES	12,30	20,00	27,30	24,31	17,86	18,70
ARIEGE	2,00	3,30	5,48	6,45	11,97	17,30
AUBE	17,70	31,20	41,46	33,89	24,79	17,20
AUDE	5,30	7,70	16,13	17,54	12,31	15,50
AVEYRON	2,30	3,70	4,58	7,32	5,74	9,70
B. DU RHONE	10,40	22,80	25,34	13,73	11,21	13,20
CALVADOS	9,60	13,90	24,88	22,77	21,08	22,10
CANTAL	2,70	6,60	6,74	12,63	13,64	10,20
CHARENTES	11,50	14,40	18,57	21,68	21,90	21,00
CHARENTE MTME	11,00	16,90	24,45	28,88	23,54	21,60
CHER	7,30	8,30	12,46	23,61	19,79	21,10
CORREZE	4,20	8,00	12,26	11,45	17,48	19,50
CORSE	1,40	2,20	4,07	1,86	1,17	8,20
COTE D'OR	11,90	17,20	25,48	23,35	18,41	16,90
COTE DU NORD	5,10	6,50	13,30	24,67	20,39	31,50
CREUSE	4,50	6,30	10,65	19,40	24,00	19,40
DORDOGNE	7,60	11,60	14,60	21,76	20,84	20,60
DOUBS	9,20	12,80	23,15	13,82	11,80	7,40
DROME	13,40	17,10	22,05	20,60	16,49	15,80
EURE	16,20	29,10	46,26	45,21	31,94	23,40
EURE ET LOIR	16,70	27,80	39,09	32,94	32,20	20,90
FINISTERE	7,90	10,30	13,20	16,93	18,05	25,10
GARD	8,60	12,80	15,83	14,68	9,98	12,90
HAUTE GARONNE	4,30	7,00	9,71	8,95	8,30	11,10
GERS	4,10	5,80	10,50	12,95	16,76	11,40
GIRONDE	8,70	11,90	19,98	23,18	15,09	15,60
HERAULT	6,00	10,30	14,62	12,55	8,96	13,10
ILLE VILAINE	4,50	7,00	10,20	20,53	14,21	17,10
INDRE	6,90	9,30	13,72	25,31	18,07	23,50
INDRE ET LOIRE	14,10	21,30	35,07	27,41	22,74	22,40
ISERE	8,20	11,20	15,85	22,38	14,90	12,20
JURA	8,90	12,20	23,95	22,73	13,24	15,80
LANDES	8,70	8,60	9,11	18,73	11,34	13,60
LOIR ET CHER	10,70	16,50	28,73	26,67	24,27	23,70
LOIRE	4,20	8,20	19,86	17,23	22,95	16,90
HAUTE LOIRE	2,70	5,40	8,44	13,47	15,25	12,20
L. ATLANTIQUE	5,30	8,50	11,82	17,00	12,09	15,80
LOIRET	13,80	17,60	31,15	31,20	22,99	20,20

COLONNE 1	SUICIDES (P.100000) 1856-60	III,2,6B
COLONNE 2	" " " " 1875-85	III,2,6C
COLONNE 3	" " " " 1901-02	III,2,6D

LOT	4,80	6,70	13,50	19,14	17,45	15,40
LOT ET GARONNE	6,10	9,30	18,53	16,27	15,47	13,40
LOZERE	3,90	4,40	7,03	3,06	8,33	9,30
MAINE ET LOIRE	9,30	14,30	25,10	29,14	14,42	15,90
MANCHE	4,30	8,60	16,29	25,34	15,92	20,40
MARNE	30,00	38,50	46,18	27,07	24,46	17,80
HAUTE MARNE	10,60	15,70	26,99	15,43	18,78	17,80
MAYENNE	5,30	8,50	16,13	23,90	18,97	22,90
MEURTHE ET MSL	14,30	16,80	23,86	17,19	10,96	13,30
MEUSE	14,00	22,70	20,85	21,30	13,59	18,70
MORBIHAN	5,70	7,10	9,86	22,32	20,95	22,90
MOSELLE	9,20	MANQUE	MANQUE	9,34	9,41	12,90
NIEVRE	7,00	10,60	19,20	29,72	19,75	20,90
NORD	10,10	12,60	17,47	18,74	17,32	19,10
OISE	26,10	42,60	46,93	31,09	26,15	18,80
ORNE	6,50	10,50	24,23	27,51	23,81	25,80
PAS DE CALAIS	12,20	15,90	22,41	18,15	14,46	20,80
PUY DE DOME	4,10	7,10	14,25	18,31	13,04	16,40
P. ATLANTIQUES	5,10	6,50	10,21	9,69	8,15	11,20
HTES PYRENEES	3,20	3,90	8,84	10,11	10,24	13,20
P. ORIENTALES	5,50	8,50	16,51	13,30	14,41	14,30
BAS RHIN	7,70	MANQUE	MANQUE	19,41	11,87	15,70
HAUT RHIN	9,20	MANQUE	MANQUE	22,68	18,36	15,60
RHONE	11,40	18,50	20,40	17,41	10,50	8,20
HAUTE SAONE	6,70	9,80	18,61	23,58	21,33	17,20
SAONE ET LOIRE	9,70	14,70	24,60	27,81	22,48	21,40
SARTHE	10,80	17,70	31,99	35,82	29,22	28,90
SAVOIE	MANQUE	7,30	13,39	20,92	10,28	13,00
HAUTE SAVOIE	MANQUE	9,20	11,98	14,67	11,04	14,40
SEINE	35,70	42,60	37,59	25,84	14,27	10,60
SEINE MARITIME	17,90	24,70	34,64	28,96	17,60	21,70
SEINE ET MARNE	29,50	37,10	50,28	36,43	23,09	16,60
SEINE ET OISE	27,50	41,60	43,07	28,59	16,33	13,00
DEUX SEVRES	8,30	7,30	19,74	22,40	16,13	16,10
SOMME	14,40	29,90	36,03	33,83	23,28	19,50
TARN	4,60	5,30	7,08	6,73	6,82	13,30
TARN GARONNE	6,60	7,50	11,03	14,63	12,21	15,30
VAR	15,10	26,10	33,44	21,86	15,14	16,00
VAUCLUSE	12,10	20,60	32,63	20,41	17,16	15,80
VENDEE	5,10	7,60	7,82	15,42	10,59	17,10
VIENNE	9,00	11,40	15,77	19,28	14,64	19,90
HAUTE VIENNE	8,70	12,90	20,60	31,53	20,30	20,10
VOSGES	8,80	13,70	19,60	19,95	16,62	21,10
YONNE	14,00	22,30	29,13	24,35	20,53	19,30
T. DE BELFORT	6,70	9,80	MANQUE	17,17	12,12	14,90

```
COLONNE 4   SUICIDES (P.100000)   1934      III,2,6E
COLONNE 5      "        "     "    1954      III,2,6F
COLONNE 6      "        "     "    1975      III,2,6G
```

AIN	0,32	3,34	2,85	2,56	2,74	2,16
AISNE	0,30	3,36	3,20	2,79	3,42	2,77
ALLIER	0,36	3,61	2,64	2,03	2,24	2,05
BASSES-ALPES	0,33	3,71	3,55	2,69	2,78	2,02
HAUTES-ALPES	0,36	4,02	4,02	3,28	3,26	2,14
A. MARITIMES	MANQUE	3,61	2,64	2,03	1,85	1,40
ARDECHE	0,34	4,16	3,90	2,95	2,88	2,14
ARDENNES	0,31	3,28	2,97	2,79	3,06	2,88
ARIEGE	0,34	3,46	2,93	2,36	2,45	1,98
AUBE	0,27	2,73	2,69	2,36	2,63	2,50
AUDE	0,32	3,42	2,87	2,17	2,59	1,93
AVEYRON	0,30	3,98	3,67	2,97	2,89	2,05
B. DU RHONE	MANQUE	4,47	2,95	2,30	2,35	1,92
CALVADOS	0,22	2,58	2,69	2,77	3,10	2,76
CANTAL	0,28	3,20	3,14	2,87	3,06	2,45
CHARENTES	0,26	2,87	2,56	2,36	2,61	2,39
CHARENTE MTME	0,28	2,99	2,54	2,34	2,71	2,58
CHER	0,36	4,02	2,93	2,26	2,51	2,25
CORREZE	0,35	4,06	3,38	2,77	2,89	1,93
CORSE	0,36	3,73	3,69	3,16	2,39	2,42
COTE D'OR	0,27	3,03	2,46	2,21	2,60	2,45
COTE DU NORD	0,33	4,02	3,69	3,57	3,59	2,29
CREUSE	0,31	2,79	2,83	2,23	2,31	1,94
DORDOGNE	0,29	3,40	2,85	2,56	2,78	2,14
DOUBS	0,30	3,53	3,34	3,01	2,91	2,58
DROME	0,30	3,36	2,93	2,32	2,45	2,16
EURE	0,21	2,77	2,73	2,75	3,04	2,79
EURE ET LOIR	0,28	3,08	2,99	2,85	3,03	2,58
FINISTERE	0,40	4,35	4,84	3,79	3,46	2,20
GARD	0,32	4,06	3,16	2,28	2,37	2,13
HAUTE GARONNE	0,29	2,64	2,15	1,97	2,22	1,92
GERS	0,24	2,40	1,93	1,91	2,33	2,25
GIRONDE	0,28	2,81	2,11	1,80	2,28	2,08
HERAULT	0,29	3,30	2,71	2,21	2,50	1,90
ILLE VILAINE	0,32	3,67	3,32	2,81	2,95	2,33
INDRE	0,34	3,69	2,95	2,40	2,55	2,37
INDRE ET LOIRE	0,25	2,71	2,42	2,26	2,54	2,53
ISERE	0,33	3,92	2,81	4,02	2,34	2,16
JURA	0,27	3,22	3,05	2,71	2,88	2,40
LANDES	0,32	3,51	2,97	2,52	2,50	2,13
LOIR ET CHER	0,32	3,49	2,95	2,54	2,81	2,53
LOIRE	0,38	4,04	2,91	2,28	2,33	2,17
HAUTE LOIRE	0,32	3,59	3,24	2,64	2,67	2,15
L. ATLANTIQUE	0,29	3,51	2,97	2,38	2,55	2,43
LOIRET	0,33	3,65	2,99	2,48	2,66	2,37

COLONNE 1   INDICE DE FECONDITE IF 1831-35   III,3,5
COLONNE 2   NOMBRE MOYEN D'ENFANTS 1860-62   III,3,6
COLONNE 3   "   "   "   "   1890-92   III,3,8

LOT	0,26	3,03	2,21	2,26	2,65	2,02
LOT ET GARONNE	0,23	2,48	1,97	1,95	2,36	2,16
LOZERE	0,32	4,10	4,49	3,51	3,12	2,32
MAINE ET LOIRE	0,26	2,71	2,42	2,28	2,61	2,70
MANCHE	0,24	2,97	2,83	2,99	3,17	2,63
MARNE	0,30	3,22	3,16	2,71	2,83	2,62
HAUTE MARNE	0,27	3,08	2,83	2,60	2,93	2,86
MAYENNE	0,29	3,18	3,14	3,03	3,19	2,50
MEURTHE ET MSL	MANQUE	3,12	3,10	3,20	2,92	2,57
MEUSE	0,27	3,08	3,08	2,99	3,15	2,83
MORBIHAN	0,36	3,85	4,02	3,67	3,44	2,39
MOSELLE	MANQUE	3,67	3,85	4,04	3,46	2,68
NIEVRE	0,36	3,85	2,97	2,30	2,55	2,34
NORD	0,34	4,41	3,42	2,71	2,78	2,58
OISE	0,25	3,18	3,05	2,71	2,96	2,76
ORNE	0,23	2,48	2,46	2,56	2,92	2,56
PAS DE CALAIS	0,30	4,10	4,35	3,67	3,42	2,80
PUY DE DOME	0,30	2,99	2,44	2,15	2,35	1,99
P. ATLANTIQUES	0,28	3,16	3,14	2,97	2,73	2,16
HTES PYRENEES	0,28	2,89	2,54	2,34	2,52	2,07
P. ORIENTALES	0,35	4,33	3,44	2,60	2,44	1,78
BAS RHIN	MANQUE	4,22	3,90	3,24	2,96	2,34
HAUT RHIN	MANQUE	4,26	4,00	2,79	2,65	2,21
RHONE	MANQUE	3,03	2,17	1,72	1,85	1,90
HAUTE SAONE	0,32	3,24	3,08	2,69	2,91	2,67
SAONE ET LOIRE	0,32	3,77	3,12	2,54	2,69	2,33
SARTHE	0,28	2,81	2,64	2,73	2,99	2,70
SAVOIE	MANQUE	3,77	3,40	2,97	2,93	2,33
HAUTE SAVOIE	MANQUE	3,61	3,30	3,05	2,98	2,19
SEINE	MANQUE	3,12	2,46	1,76	1,74	1,71
SEINE MARITIME	0,30	3,96	3,79	3,14	3,07	2,57
SEINE ET MARNE	0,30	3,53	2,99	2,46	2,61	2,46
SEINE ET OISE	MANQUE	3,42	2,85	2,26	2,16	2,11
DEUX SEVRES	0,29	3,20	2,97	2,60	2,82	2,55
SOMME	0,27	3,12	3,01	2,54	2,88	2,72
TARN	0,29	3,38	2,54	2,28	2,53	2,04
TARN GARONNE	0,24	2,71	2,30	2,13	2,61	2,34
VAR	0,29	3,71	2,52	2,15	2,26	2,01
VAUCLUSE	0,32	3,79	2,44	2,36	2,49	2,00
VENDEE	0,33	3,30	3,40	2,87	3,04	2,68
VIENNE	0,30	3,18	2,85	2,52	2,70	2,52
HAUTE VIENNE	0,39	3,67	3,53	2,54	2,51	1,88
VOSGES	0,30	3,57	3,38	2,93	2,84	2,63
YONNE	0,28	3,12	2,48	2,17	2,60	2,56
T. DE BELFORT	MANQUE	MANQUE	3,79	2,75	2,91	2,67

```
COLONNE 4   NOMBRE MOYEN D'ENFANTS 1910-12   III,3,8
COLONNE 5     "      "      "       "    1926   III,3,11
COLONNE 6     "      "      "       "    1954   III,3,11
```

TABLEAU NO 20 : FECONDITE,FAMILLE

AIN	2,35	1,95	1,62	11,20	0,53
AISNE	2,85	2,17	2,53	12,10	0,62
ALLIER	2,18	1,82	1,04	10,10	0,56
BASSES-ALPES	2,26	1,69	2,55	11,90	0,56
HAUTES-ALPES	2,35	1,85	4,57	11,90	0,49
A. MARITIMES	1,71	1,50	1,63	14,70	MANQUE
ARDECHE	2,26	1,92	4,24	10,20	0,48
ARDENNES	3,03	2,26	1,95	10,60	0,58
ARIEGE	2,11	1,75	1,00	8,70	0,50
AUBE	2,53	2,00	1,54	13,50	0,63
AUDE	2,11	1,72	0,70	10,00	0,62
AVEYRON	2,13	1,93	3,34	10,10	0,43
B. DU RHONE	2,15	1,72	1,81	16,00	MANQUE
CALVADOS	2,68	2,05	1,60	14,40	0,48
CANTAL	2,40	2,03	3,61	9,80	0,39
CHARENTES	2,45	1,98	0,71	11,60	0,57
CHARENTE MTME	2,61	1,94	0,95	11,20	0,60
CHER	2,35	1,91	1,35	10,50	0,57
CORREZE	2,05	1,80	2,33	8,30	0,50
CORSE	2,53	1,92	4,18	9,10	0,51
COTE D'OR	2,48	1,93	1,20	12,90	0,55
COTE DU NORD	2,49	2,18	4,92	8,60	0,43
CREUSE	2,10	1,85	1,24	7,60	0,52
DORDOGNE	2,22	1,74	0,98	10,60	0,53
DOUBS	2,63	2,10	3,93	12,30	0,41
DROME	2,35	1,93	1,43	12,40	0,53
EURE	2,75	2,11	1,66	14,30	0,58
EURE ET LOIR	2,57	2,09	2,35	12,10	0,60
FINISTERE	2,45	2,08	5,94	9,00	0,48
GARD	2,30	1,75	1,52	10,90	0,59
HAUTE GARONNE	2,05	1,59	0,39	10,60	0,52
GERS	2,23	1,67	0,30	13,00	0,52
GIRONDE	2,18	1,80	0,38	10,30	0,63
HERAULT	2,00	1,65	0,64	11,20	0,54
ILLE VILAINE	2,41	2,10	3,04	10,90	0,39
INDRE	2,34	1,97	1,19	9,30	0,56
INDRE ET LOIRE	2,57	1,90	0,88	13,40	0,58
ISERE	2,30	1,92	1,30	12,00	0,49
JURA	2,50	2,09	2,40	12,00	0,44
LANDES	2,32	1,83	1,02	9,80	0,48
LOIR ET CHER	2,50	2,04	1,49	10,50	0,55
LOIRE	2,24	2,05	2,13	13,00	0,48
HAUTE LOIRE	2,16	2,06	3,36	9,60	0,42
L. ATLANTIQUE	2,58	2,20	1,81	10,40	0,43
LOIRET	2,46	1,93	2,23	10,80	0,56

COLONNE 1   NOMBRE MOYEN DE NAISSANCES 1962 III,3,11
COLONNE 2   "   "   "   "   " 1975 III,3,12
COLONNE 3   % FAMILLES 9 ENFANTS ET + 1906 III,3,7A

LOT	2,25	1,78	0,79	10,30	0,50
LOT ET GARONNE	2,25	1,79	0,38	12,50	0,61
LOZERE	2,28	1,96	7,48	8,80	0,44
MAINE ET LOIRE	2,73	2,38	1,24	13,00	0,47
MANCHE	2,63	2,25	2,26	11,30	0,40
MARNE	2,58	2,00	2,62	12,90	0,61
HAUTE MARNE	2,96	2,17	1,83	12,20	0,53
MAYENNE	2,52	2,36	2,62	11,40	0,41
MEURTHE ET MSL	2,60	1,95	2,24	12,80	MANQUE
MEUSE	2,98	2,16	2,11	11,90	0,56
MORBIHAN	2,59	2,29	3,97	8,10	0,43
MOSELLE	2,85	1,99	MANQUE	MANQUE	MANQUE
NIEVRE	2,37	1,90	1,19	9,80	0,58
NORD	2,74	2,30	4,58	10,90	0,48
OISE	2,83	2,13	2,09	12,30	0,65
ORNE	2,63	2,19	1,13	13,00	0,47
PAS DE CALAIS	2,83	2,29	4,76	9,10	0,47
PUY DE DOME	2,18	1,82	0,97	9,50	0,51
P. ATLANTIQUES	2,30	1,80	3,32	10,60	0,41
HTES PYRENEES	2,14	1,62	1,28	11,50	0,42
P. ORIENTALES	2,29	1,81	1,77	9,50	0,51
BAS RHIN	2,48	1,85	MANQUE	MANQUE	MANQUE
HAUT RHIN	2,39	1,97	MANQUE	MANQUE	MANQUE
RHONE	2,14	1,91	1,27	16,00	MANQUE
HAUTE SAONE	2,74	2,23	1,93	11,40	0,48
SAONE ET LOIRE	2,46	2,08	2,20	10,60	0,54
SARTHE	2,72	2,18	1,66	12,00	0,51
SAVOIE	2,36	1,89	3,67	10,80	MANQUE
HAUTE SAVOIE	2,36	1,84	3,93	11,70	MANQUE
SEINE	1,84	1,75	1,01	20,80	MANQUE
SEINE MARITIME	2,64	2,04	5,36	14,30	0,46
SEINE ET MARNE	2,45	1,97	2,02	12,30	0,66
SEINE ET OISE	2,28	1,93	1,65	13,70	MANQUE
DEUX SEVRES	2,63	2,19	1,60	10,50	0,50
SOMME	2,76	2,20	2,36	11,40	0,54
TARN	2,12	1,88	0,98	10,00	0,54
TARN GARONNE	2,33	1,84	0,40	9,50	0,59
VAR	2,23	1,80	1,04	14,50	0,59
VAUCLUSE	2,27	1,86	1,35	12,90	0,58
VENDEE	2,73	2,38	2,27	10,10	0,47
VIENNE	2,51	1,86	0,98	10,10	0,56
HAUTE VIENNE	1,98	1,62	1,62	9,40	0,61
VOSGES	2,60	2,14	3,44	13,30	0,45
YONNE	2,60	2,07	1,18	11,20	0,58
T. DE BELFORT	2,74	2,05	3,15	11,70	0,48

```
COLONNE 4 % FAMILLES SANS ENFANTS      1906 III,3,7B
COLONNE 5   INDICE MARIAGE IM          1831 III,3,4
```

AIN	56,57	27,00	18,10	22,10	16,50	16,60
AISNE	26,03	25,60	22,20	23,90	27,20	28,80
ALLIER	19,80	42,70	16,40	20,50	30,30	31,00
BASSES-ALPES	19,39	23,00	29,90	25,20	27,10	25,40
HAUTES-ALPES	34,09	0,00	20,60	22,80	21,40	20,30
A. MARITIMES	6,93	15,70	16,50	18,40	25,60	25,90
ARDECHE	35,94	18,60	20,00	22,20	20,70	19,20
ARDENNES	7,02	35,40	24,50	26,10	23,20	25,30
ARIEGE	33,44	11,80	42,50	35,50	21,30	25,40
AUBE	15,20	22,40	24,90	24,30	19,40	20,30
AUDE	55,78	19,80	35,80	31,70	24,50	25,90
AVEYRON	6,77	12,00	25,90	29,40	9,80	11,20
B. DU RHONE	7,32	40,90	27,20	23,80	32,70	32,00
CALVADOS	0,00	59,00	21,50	21,70	18,30	13,10
CANTAL	55,61	10,80	15,60	23,70	18,30	14,00
CHARENTES	11,21	14,70	17,60	23,50	22,10	23,60
CHARENTE MTME	19,61	14,10	12,40	28,30	19,40	19,20
CHER	19,02	25,90	9,90	16,00	31,60	33,00
CORREZE	34,98	22,80	17,00	18,70	27,50	27,90
CORSE	19,40	2,20	MANQUE	23,60	15,60	16,00
COTE D'OR	38,62	27,00	22,40	27,50	16,60	14,00
COTE DU NORD	11,93	0,00	12,80	26,30	24,50	22,10
CREUSE	32,56	19,10	32,40	29,20	26,30	26,50
DORDOGNE	16,61	12,60	25,70	28,10	24,40	25,70
DOUBS	18,96	17,30	29,50	29,20	14,10	15,00
DROME	19,73	21,20	29,50	31,10	18,90	17,90
EURE	13,79	11,30	16,90	23,50	19,50	20,70
EURE ET LOIR	0,00	5,90	20,10	28,20	16,40	16,00
FINISTERE	13,04	20,70	22,60	24,10	18,00	13,50
GARD	6,77	25,60	22,00	21,60	34,80	33,70
HAUTE GARONNE	45,05	24,50	31,10	35,30	17,50	21,60
GERS	50,19	5,50	30,60	33,80	16,40	16,00
GIRONDE	3,97	15,80	29,20	31,90	16,40	18,00
HERAULT	44,42	32,10	28,70	27,10	25,30	25,20
ILLE VILAINE	5,99	12,90	16,50	24,90	10,70	9,40
INDRE	24,05	16,90	16,30	21,60	29,20	26,40
INDRE ET LOIRE	36,04	25,30	25,70	25,30	14,50	14,30
ISERE	18,35	26,80	24,00	28,80	23,40	23,50
JURA	31,90	16,00	18,20	29,10	15,70	18,30
LANDES	31,11	6,60	25,90	32,00	16,40	17,30
LOIR ET CHER	23,75	14,40	21,90	25,80	18,40	17,80
LOIRE	15,78	15,80	17,10	25,70	20,40	20,60
HAUTE LOIRE	21,92	0,00	29,50	28,80	8,50	8,80
L. ATLANTIQUE	1,94	10,10	22,10	23,40	10,90	12,10
LOIRET	58,69	11,10	16,30	19,80	21,20	20,40

COLONNE 1 % SUFFRAGES EXP. RADICAUX 1914 IV,2,8A
COLONNE 2   "   "   "   SOCIALISTES 1919 IV,2,8B
COLONNE 3   "   "   "   "   "   1973 IV,2,3

LOT	43,50	17,90	35,10	39,70	16,80	16,00
LOT ET GARONNE	29,87	16,60	21,40	25,50	24,60	23,20
LOZERE	32,72	4,20	13,90	26,60	9,30	8,30
MAINE ET LOIRE	0,00	7,70	16,80	23,30	9,90	10,10
MANCHE	0,00	14,60	17,60	19,60	8,20	8,20
MARNE	22,16	15,70	18,30	18,90	24,70	23,60
HAUTE MARNE	11,29	13,30	15,20	20,60	20,10	20,40
MAYENNE	11,64	1,60	22,80	28,10	6,40	6,00
MEURTHE ET MSL	0,00	21,00	15,00	25,10	23,30	21,80
MEUSE	0,00	7,60	26,70	29,80	13,20	13,50
MORBIHAN	19,29	7,00	18,10	22,60	13,60	13,10
MOSELLE	MANQUE	27,80	16,00	23,80	14,50	15,70
NIEVRE	29,57	34,20	37,50	37,30	19,70	20,70
NORD	10,94	41,10	24,70	25,10	25,50	26,30
OISE	24,61	18,30	21,60	22,10	23,00	23,90
ORNE	0,00	7,30	16,50	23,10	10,00	10,10
PAS DE CALAIS	0,00	40,20	29,90	31,40	29,30	29,90
PUY DE DOME	32,12	29,70	31,00	30,50	18,00	16,70
P. ATLANTIQUES	11,83	7,40	24,80	28,70	10,40	13,00
HTES PYRENEES	64,99	4,80	30,10	32,10	20,30	23,40
P. ORIENTALES	23,79	0,00	26,20	22,30	32,00	30,20
BAS RHIN	MANQUE	36,60	12,20	17,90	7,60	6,50
HAUT RHIN	MANQUE	36,90	10,70	21,00	8,20	6,70
RHONE	25,93	25,00	20,20	24,90	19,30	18,40
HAUTE SAONE	16,22	9,80	28,90	23,70	12,90	12,00
SAONE ET LOIRE	34,81	29,90	23,60	31,30	19,20	18,50
SARTHE	23,61	15,80	19,30	21,90	21,80	20,80
SAVOIE	22,10	11,10	23,30	32,20	17,00	15,80
HAUTE SAVOIE	27,24	12,90	16,40	20,80	15,90	13,70
SEINE	13,73	32,40	16,00	18,40	29,50	24,90
SEINE MARITIME	8,50	28,80	16,80	20,20	27,90	28,20
SEINE ET MARNE	42,20	20,10	17,80	23,50	21,30	20,80
SEINE ET OISE	31,49	21,80	14,20	21,10	27,40	24,60
DEUX SEVRES	33,67	6,40	26,30	30,40	9,40	9,20
SOMME	22,76	14,10	12,30	25,00	33,40	30,50
TARN	31,61	25,60	31,60	31,10	15,60	16,20
TARN GARONNE	14,23	8,20	30,40	28,10	13,90	18,70
VAR	3,97	39,00	31,70	20,60	23,60	24,00
VAUCLUSE	23,79	30,70	22,30	21,80	23,70	24,90
VENDEE	6,56	3,20	13,20	19,60	8,20	9,40
VIENNE	16,13	12,80	22,10	29,00	20,20	16,60
HAUTE VIENNE	25,39	51,20	28,60	26,60	33,00	33,70
VOSGES	5,72	16,30	25,30	21,60	13,40	12,70
YONNE	27,41	12,90	17,70	20,80	22,50	21,10
T. DE BELFORT	43,99	18,60	37,40	37,60	12,10	12,60

```
COLONNE 4   % SUFFRAGES EXP.SOCIALISTES1978 IV,2,11C
COLONNE 5   "      "      " COMMUNISTES 1973  IV,2,6
COLONNE 6   "      "      "     "      "      1978 IV,2,8D
```

AIN	55,80	18,00	4,00	3,30	54,90	1,63
AISNE	55,80	27,70	4,10	3,40	44,40	3,61
ALLIER	45,10	31,90	5,10	3,10	45,50	2,26
BASSES-ALPES	43,90	24,70	7,90	3,80	46,50	1,73
HAUTES-ALPES	54,00	22,90	3,80	3,50	51,80	1,98
A. MARITIMES	50,50	23,20	3,30	2,40	53,70	2,08
ARDECHE	55,40	21,30	4,50	3,10	52,40	1,76
ARDENNES	55,30	24,60	5,00	3,70	46,40	3,54
ARIEGE	37,50	25,40	7,10	3,20	36,50	2,42
AUBE	54,30	21,50	5,40	2,60	51,00	3,43
AUDE	35,10	25,10	8,60	3,30	38,10	1,99
AVEYRON	56,40	12,50	3,90	2,90	56,60	3,11
B. DU RHONE	43,50	30,80	10,90	2,90	43,60	1,91
CALVADOS	64,40	15,50	3,50	3,80	55,60	3,06
CANTAL	62,40	14,00	3,60	2,30	61,50	2,72
CHARENTES	53,10	23,60	4,20	3,10	46,00	3,79
CHARENTE MTME	51,10	19,40	4,30	3,80	50,40	2,94
CHER	50,10	28,90	3,20	2,50	48,00	3,03
CORREZE	45,60	31,70	4,40	2,70	44,40	1,71
CORSE	59,70	16,00	4,30	1,10	53,20	0,00
COTE D'OR	53,10	15,80	4,80	3,90	51,60	3,10
COTE DU NORD	54,80	23,70	3,80	4,80	49,80	1,76
CREUSE	47,50	30,90	6,30	2,40	44,00	2,66
DORDOGNE	46,90	25,90	4,60	2,70	44,50	2,51
DOUBS	58,50	15,90	5,40	4,90	52,50	5,76
DROME	50,70	21,80	5,30	4,00	48,20	3,26
EURE	55,80	18,50	7,00	3,50	51,00	3,41
EURE ET LOIR	57,20	18,40	5,50	3,40	52,20	3,79
FINISTERE	63,20	17,10	4,20	4,60	58,40	2,32
GARD	39,90	30,30	5,30	3,70	44,00	2,33
HAUTE GARONNE	42,70	19,50	6,70	4,50	43,60	3,03
GERS	34,80	18,50	6,40	4,40	42,20	3,42
GIRONDE	51,00	18,10	6,70	3,70	45,40	2,58
HERAULT	39,90	25,70	6,20	3,20	45,20	4,45
ILLE VILAINE	67,60	11,90	3,80	3,30	61,80	3,46
INDRE	46,70	27,20	3,70	2,30	47,90	2,99
INDRE ET LOIRE	53,30	17,50	4,80	3,60	53,10	3,63
ISERE	48,50	23,70	5,50	4,70	46,70	1,97
JURA	55,70	17,60	3,90	3,90	51,00	5,48
LANDES	53,40	18,80	6,40	2,70	46,70	2,12
LOIR ET CHER	53,10	20,00	4,50	3,10	51,40	4,57
LOIRE	53,80	20,10	4,20	4,30	52,10	3,39
HAUTE LOIRE	60,40	12,50	4,90	3,10	59,70	1,73
L. ATLANTIQUE	60,70	12,70	4,50	5,10	57,00	3,50
LOIRET	58,20	18,00	4,70	3,50	55,30	3,04

```
COLONNE 1    SUFFRAGES EXP.DE GAULLE  1965    IV,3,1
COLONNE 2       "      "     "    DUCLOS   1969    IV,4,2B
COLONNE 3       "      "     "    DEFERRE  1969    IV,4,1
```

	COL4	COL5	COL6			
LOT	48,90	18,00	3,30	2,80	46,10	3,10
LOT ET GARONNE	40,60	25,50	4,10	3,20	45,00	1,93
LOZERE	66,80	12,30	3,20	2,80	64,30	3,05
MAINE ET LOIRE	67,50	10,80	3,80	4,10	63,20	3,74
MANCHE	73,30	8,00	3,70	3,30	65,40	4,82
MARNE	55,90	22,60	5,00	3,70	50,90	1,61
HAUTE MARNE	62,00	16,80	3,70	4,00	52,30	3,01
MAYENNE	69,80	9,00	3,60	2,80	57,00	3,40
MEURTHE ET MSL	58,70	20,80	3,80	4,10	49,50	3,80
MEUSE	66,70	14,30	3,30	3,10	54,10	4,25
MORBIHAN	66,50	15,10	3,50	2,60	62,20	2,81
MOSELLE	71,80	14,30	2,80	3,50	54,00	3,80
NIEVRE	39,00	25,90	6,50	2,90	38,70	3,61
NORD	55,50	26,90	7,30	3,40	45,90	2,52
OISE	57,00	24,30	4,40	4,00	47,40	3,23
ORNE	67,20	11,30	3,50	3,20	60,60	3,80
PAS DE CALAIS	50,90	28,40	7,50	3,20	42,10	2,86
PUY DE DOME	51,70	22,50	7,30	4,30	52,20	5,04
P. ATLANTIQUES	59,30	13,70	5,40	3,40	56,20	1,14
HTES PYRENEES	44,40	24,90	4,30	3,50	43,20	3,27
P. ORIENTALES	42,50	28,30	4,40	3,00	43,30	0,99
BAS RHIN	79,90	6,10	2,90	1,90	67,00	2,84
HAUT RHIN	74,00	6,80	3,40	2,30	65,80	2,15
RHONE	53,40	19,70	4,30	4,50	52,70	4,40
HAUTE SAONE	54,60	15,70	4,20	3,90	50,20	2,74
SAONE ET LOIRE	51,30	23,10	4,20	3,00	49,00	2,08
SARTHE	53,60	21,60	4,60	3,50	51,40	3,26
SAVOIE	53,90	20,10	3,90	4,20	50,60	1,66
HAUTE SAVOIE	63,50	15,00	4,00	3,50	59,40	2,75
SEINE	52,50	22,30	5,20	4,50	49,50	3,04
SEINE MARITIME	51,60	26,70	4,40	4,00	46,60	3,40
SEINE ET MARNE	55,90	23,10	3,70	3,60	50,70	1,80
SEINE ET OISE	51,80	26,80	4,60	4,90	48,90	3,80
DEUX SEVRES	58,40	11,10	4,80	3,90	57,70	3,95
SOMME	53,90	28,90	4,40	3,30	45,70	3,41
TARN	45,60	18,30	6,50	3,30	48,90	2,72
TARN GARONNE	44,20	17,20	5,40	3,40	48,00	5,10
VAR	47,40	24,70	5,70	2,80	49,40	1,35
VAUCLUSE	41,60	24,60	6,70	3,60	45,90	3,24
VENDEE	71,20	9,00	3,60	2,90	66,90	4,01
VIENNE	57,20	18,80	3,70	3,40	51,90	3,41
HAUTE VIENNE	44,40	33,60	7,70	3,10	40,00	3,06
VOSGES	62,90	16,50	4,10	3,40	54,30	3,30
YONNE	55,30	19,90	4,20	3,00	52,70	3,99
T. DE BELFORT	53,50	18,50	6,20	4,60	46,60	4,10

```
COLONNE 4  SUFFRAGES EXP. ROCARD       1969      IV,4,4
COLONNE 5     "      "   " GISCARD      1974      IV,3,1
COLONNE 6     "      "   " EXT. GAUCHE 1978 IV,2,9
```

AIN	49,75	23,60	25,30	13,69	34,57
AISNE	13,61	17,20	29,80	21,58	20,64
ALLIER	24,07	23,60	20,00	18,22	19,13
BASSES-ALPES	68,69	22,00	19,90	16,64	10,56
HAUTES-ALPES	81,14	26,10	11,30	6,52	45,54
A. MARITIMES	MANQUE	6,50	18,70	24,95	22,68
ARDECHE	60,58	25,60	27,00	28,20	29,36
ARDENNES	27,16	14,60	32,60	29,92	11,82
ARIEGE	59,13	30,70	21,50	23,20	7,76
AUBE	54,01	14,90	35,00	27,97	19,08
AUDE	15,30	31,80	10,90	22,82	11,50
AVEYRON	56,29	39,20	13,30	15,75	26,81
B. DU RHONE	26,77	5,80	20,50	16,18	18,19
CALVADOS	22,46	22,80	19,00	24,04	43,11
CANTAL	59,81	44,90	6,40	57,69	0,00
CHARENTES	59,25	29,40	21,10	48,79	4,64
CHARENTE MTME	54,89	28,40	13,60	22,95	19,71
CHER	13,67	20,30	27,20	27,94	16,18
CORREZE	52,39	36,40	14,10	42,66	0,00
CORSE	38,37	25,40	10,00	33,27	12,86
COTE D'OR	23,16	15,50	20,90	28,83	9,12
COTE DU NORD	8,01	41,80	7,90	6,54	25,17
CREUSE	62,07	51,20	5,00	36,31	3,78
DORDOGNE	48,36	37,40	13,70	37,84	3,03
DOUBS	46,67	12,10	38,90	19,53	13,35
DROME	60,83	19,50	27,00	18,52	20,61
EURE	22,89	19,20	30,90	21,06	24,90
EURE ET LOIR	11,27	18,50	26,50	14,79	32,47
FINISTERE	15,35	32,50	13,40	33,24	20,26
GARD	46,66	17,60	21,40	9,15	20,56
HAUTE GARONNE	45,02	13,50	20,90	19,78	18,01
GERS	57,00	50,90	4,10	9,85	17,55
GIRONDE	42,85	15,80	18,50	25,05	13,46
HERAULT	32,78	20,30	14,00	12,60	25,71
ILLE VILAINE	36,30	31,80	13,80	40,78	22,36
INDRE	19,15	28,90	20,50	27,18	13,61
INDRE ET LOIRE	25,36	20,60	20,10	19,62	14,52
ISERE	27,94	10,60	35,30	9,94	26,00
JURA	46,53	21,10	29,70	19,37	36,26
LANDES	27,10	33,20	14,20	13,82	27,16
LOIR ET CHER	17,47	27,20	22,50	16,42	34,13
LOIRE	38,68	11,20	39,70	22,21	31,18
HAUTE LOIRE	50,19	37,60	18,20	2,78	54,73
L. ATLANTIQUE	4,15	19,90	22,90	29,46	14,15
LOIRET	21,66	17,10	25,80	29,38	17,04

```
COLONNE 1   % PROPRIETAIRES AGRICOLES 1851    IV,2,2
COLONNE 2   % OUVRIERS (S.SECONDAIRE) 1968    IV,2,10
COLONNE 3   % PAYSANS (S. PRIMAIRE ) 1968     IV,1,2
```

LOT	64,71	41,30	9,00	31,71	0,00
LOT ET GARONNE	51,79	36,80	13,70	24,10	6,27
LOZERE	54,90	45,40	3,20	2,50	56,64
MAINE ET LOIRE	19,03	28,50	20,90	32,51	17,20
MANCHE	43,63	42,00	9,70	22,13	24,18
MARNE	38,31	16,90	24,30	25,59	23,67
HAUTE MARNE	24,19	20,50	26,10	30,01	21,52
MAYENNE	12,86	45,00	11,90	24,06	17,94
MEURTHE ET MSL	16,20	5,60	33,30	21,01	30,32
MEUSE	25,96	20,40	26,50	9,96	45,91
MORBIHAN	17,50	36,90	12,80	23,34	34,29
MOSELLE	22,00	6,40	38,50	30,16	26,40
NIEVRE	27,54	22,10	21,30	9,27	13,05
NORD	14,11	5,80	36,70	18,00	12,55
OISE	22,44	11,40	34,10	28,84	12,95
ORNE	31,29	35,80	16,30	32,77	24,38
PAS DE CALAIS	13,90	13,10	34,60	21,19	11,07
PUY DE DOME	60,23	18,70	28,10	10,07	32,67
P. ATLANTIQUES	48,51	23,90	19,90	32,26	11,54
HTES PYRENEES	70,39	24,50	18,90	16,57	20,98
P. ORIENTALES	40,22	24,10	13,70	17,06	8,98
BAS RHIN	48,46	12,00	26,80	37,42	17,35
HAUT RHIN	44,34	9,50	35,40	28,36	30,11
RHONE	46,47	5,30	33,10	22,93	22,56
HAUTE SAONE	35,67	22,10	30,50	10,95	38,33
SAONE ET LOIRE	35,04	24,30	26,90	28,10	14,44
SARTHE	19,01	27,10	19,90	33,35	16,16
SAVOIE	MANQUE	17,20	23,70	41,85	16,03
HAUTE SAVOIE	MANQUE	14,30	30,10	0,00	44,98
SEINE	25,33	0,30	27,00	25,52	17,99
SEINE MARITIME	5,60	10,50	26,50	23,41	17,86
SEINE ET MARNE	17,74	7,70	30,60	32,15	12,45
SEINE ET OISE	25,35	3,10	28,40	21,85	17,12
DEUX SEVRES	31,66	35,80	14,50	27,64	45,02
SOMME	12,82	19,40	26,60	24,45	17,28
TARN	55,56	24,50	26,00	27,23	1,49
TARN GARONNE	49,07	38,20	11,80	42,80	0,00
VAR	42,91	11,70	19,70	17,95	26,58
VAUCLUSE	54,15	21,00	18,40	25,90	17,22
VENDEE	15,16	37,50	16,50	30,58	28,91
VIENNE	24,33	27,90	15,30	21,64	25,64
HAUTE VIENNE	31,06	23,60	21,60	19,69	8,02
VOSGES	38,46	14,40	36,60	30,16	21,68
YONNE	38,19	21,70	21,50	24,84	19,32
T. DE BELFORT	MANQUE	4,40	42,60	16,75	23,91

COLONNE 4   % SUFFR.EXPR.   RPR   1978
COLONNE 5   "   "   "   UDF   1978

AIN	50,00	29,10	185,00	0,67	24,76	20,86
AISNE	52,00	39,70	202,00	0,72	23,23	20,16
ALLIER	64,00	41,20	155,00	0,68	24,25	22,46
BASSES-ALPES	63,00	30,40	283,00	0,59	26,18	21,32
HAUTES-ALPES	45,00	25,70	239,00	0,64	24,72	19,39
A. MARITIMES	36,00	24,80	197,00	0,61	25,63	21,12
ARDECHE	67,00	36,30	287,00	0,67	24,35	21,92
ARDENNES	72,00	39,60	136,00	0,75	22,38	22,16
ARIEGE	84,00	26,70	161,00	0,60	26,26	23,17
AUBE	38,00	39,00	293,00	0,66	24,38	22,65
AUDE	80,00	15,60	170,00	0,61	26,02	22,67
AVEYRON	81,00	22,30	191,00	0,64	25,32	22,73
B. DU RHONE	49,00	23,10	284,00	0,66	24,53	18,71
CALVADOS	43,00	36,00	180,00	0,72	22,95	19,32
CANTAL	85,00	35,90	200,00	0,71	23,61	22,14
CHARENTES	78,00	28,70	158,00	0,64	25,20	21,01
CHARENTE MTME	66,00	24,60	196,00	0,64	25,17	23,03
CHER	61,00	38,40	159,00	0,68	23,96	21,82
CORREZE	82,00	38,60	165,00	0,67	24,62	21,24
CORSE	53,00	16,40	177,00	0,64	25,70	20,98
COTE D'OR	30,00	35,00	223,00	0,65	24,69	22,68
COTE DU NORD	77,00	53,60	240,00	0,74	22,40	18,41
CREUSE	77,00	32,60	148,00	0,67	24,17	22,32
DORDOGNE	77,00	43,10	171,00	0,67	24,57	21,45
DOUBS	56,00	19,50	177,00	0,67	24,36	19,34
DROME	61,00	21,10	271,00	0,66	24,78	21,59
EURE	38,00	35,40	235,00	0,70	23,58	20,76
EURE ET LOIR	34,00	34,30	248,00	0,65	24,90	20,93
FINISTERE	77,00	46,30	195,00	0,73	22,39	16,77
GARD	67,00	23,10	263,00	0,65	24,67	21,13
HAUTE GARONNE	74,00	16,20	170,00	0,64	25,35	21,77
GERS	76,00	19,40	179,00	0,62	25,84	21,76
GIRONDE	57,00	29,70	136,00	0,67	24,49	19,91
HERAULT	71,00	19,30	263,00	0,61	25,88	21,36
ILLE VILAINE	61,00	36,00	209,00	0,74	23,06	18,80
INDRE	73,00	40,90	122,00	0,64	25,26	22,94
INDRE ET LOIRE	41,00	33,70	143,00	0,62	25,53	22,57
ISERE	43,00	26,60	203,00	0,68	24,37	20,52
JURA	62,00	30,30	205,00	0,68	24,18	19,96
LANDES	77,00	29,00	174,00	0,69	24,03	18,26
LOIR ET CHER	59,00	35,80	195,00	0,62	25,26	22,45
LOIRE	52,00	43,70	211,00	0,71	23,43	19,71
HAUTE LOIRE	66,00	45,30	191,00	0,67	24,20	22,22
L. ATLANTIQUE	62,00	50,50	145,00	0,72	22,88	19,80
LOIRET	41,00	27,50	210,00	0,64	25,14	22,53

```
COLONNE 1   % DECES A DOMICILE 1975          I,1,9
COLONNE 2   DECES PAR CIRRHOSE(P.100000)1975 I,1,12
COLONNE 3   MORTALITE INFANTILE(P.1000) 1861 III,1,5
```

LOT	80,00	27,40	193,00	0,65	25,25	21,46
LOT ET GARONNE	77,00	27,80	170,00	0,65	25,06	21,83
LOZERE	78,00	43,90	170,00	0,65	24,49	20,87
MAINE ET LOIRE	70,00	35,50	163,00	0,63	25,16	20,87
MANCHE	72,00	28,20	141,00	0,73	23,12	16,96
MARNE	40,00	33,80	224,00	0,68	23,99	21,03
HAUTE MARNE	56,00	44,60	254,00	0,70	23,76	22,52
MAYENNE	68,00	37,90	148,00	0,73	23,15	18,36
MEURTHE ET MSL	37,00	34,20	199,00	0,72	23,11	19,89
MEUSE	56,00	46,70	157,00	0,72	23,09	21,29
MORBIHAN	68,00	60,00	208,00	0,76	21,57	19,02
MOSELLE	35,00	35,10	174,00	0,76	22,30	MANQUE
NIEVRE	65,00	41,40	155,00	0,67	24,53	21,93
NORD	60,00	48,30	206,00	0,77	21,79	19,96
OISE	44,00	33,10	233,00	0,71	23,20	20,09
ORNE	62,00	38,00	213,00	0,71	23,77	20,97
PAS DE CALAIS	73,00	51,00	170,00	0,78	21,35	20,08
PUY DE DOME	63,00	34,50	170,00	0,71	23,31	21,12
P. ATLANTIQUES	68,00	20,20	134,00	0,66	24,78	21,57
HTES PYRENEES	77,00	36,40	133,00	0,69	24,34	22,69
P. ORIENTALES	81,00	27,90	176,00	0,63	25,21	21,67
BAS RHIN	31,00	42,40	295,00	0,74	22,66	MANQUE
HAUT RHIN	26,00	38,00	244,00	0,75	22,35	MANQUE
RHONE	32,00	29,20	209,00	0,69	23,95	19,25
HAUTE SAONE	56,00	33,10	181,00	0,69	23,93	21,21
SAONE ET LOIRE	52,00	33,30	209,00	0,68	24,11	20,97
SARTHE	64,00	32,30	184,00	0,64	25,28	21,82
SAVOIE	37,00	37,50	246,00	0,71	23,41	21,12
HAUTE SAVOIE	44,00	26,90	195,00	0,70	23,45	19,78
SEINE	27,00	33,50	456,00	0,89	24,53	17,44
SEINE MARITIME	35,00	40,90	365,00	0,70	23,41	18,52
SEINE ET MARNE	33,00	27,90	208,00	0,68	24,18	21,21
SEINE ET OISE	30,00	27,30	265,00	0,67	24,81	18,87
DEUX SEVRES	61,00	30,60	147,00	0,61	25,83	22,41
SOMME	66,00	29,90	217,00	0,69	23,78	20,55
TARN	84,00	18,30	187,00	0,62	25,91	22,70
TARN GARONNE	82,00	22,30	218,00	0,66	25,11	22,77
VAR	52,00	33,40	183,00	0,67	24,30	20,75
VAUCLUSE	68,00	25,00	267,00	0,66	25,01	21,43
VENDEE	72,00	36,30	168,00	0,66	24,74	20,53
VIENNE	70,00	29,20	133,00	0,61	26,02	23,12
HAUTE VIENNE	79,00	26,60	173,00	0,63	25,56	20,03
VOSGES	56,00	37,50	222,00	0,71	23,02	19,51
YONNE	47,00	38,60	221,00	0,67	24,40	23,48
T. DE BELFORT	47,00	32,00	181,00	0,73	22,97	19,51

```
COLONNE 4   MORTALITE H. DE 50 A 80 ANS 1975 V,1
COLONNE 5   ESPERANCE DE VIE H. A 50 ANS 1975 V,3
COLONNE 6     "       "      "      "     "  1891 V,2
```

Statistiques
Moyennes, écarts-types, coefficients de variation et de contiguïté

MOYENNE	ÉCART-TYPE	COEFFICIENT DE VARIATION	COEFFICIENT CONTIGUÏTÉ
4.60	4.06	0.88	0.873
1.67	1.08	0.64	0.859
1.06	0.67	0.62	0.791
9.25	4.83	0.52	0.879
1.26	1.38	1.09	0.645
13.63	3.13	0.22	0.691
36.18	6.53	0.18	0.428
26.74	0.69	0.02	0.802
23.05	0.61	0.02	0.810
41.32	21.34	0.51	0.781
25.67	15.37	0.59	0.822
19.53	9.62	0.49	0.716
11.79	1.64	0.13	0.703
725.83	321.86	0.44	0.734
1679.97	9.61	0.00	0.775
4.52	2.02	0.44	0.622
30.12	16.42	0.54	0.836
28.68	13.15	0.45	0.592
13.80	5.43	0.39	0.559
7.42	3.73	0.50	0.698
9.41	6.23	0.66	0.675
7.49	18.50	2.46	0.469
6.84	4.41	0.64	0.781
25.30	12.96	0.51	0.812
11.09	5.31	0.47	0.720
12.28	4.36	0.35	0.422

MOYENNE	ÉCART-TYPE	COEFFICIENT DE VARIATION	COEFFICIENT CONTIGUÏTÉ
6.50	4.13	0.63	0.156
6.11	3.29	0.53	0.501
6.64	3.52	0.53	0.616
7.46	2.05	0.27	0.741
4.00	1.97	0.49	0.782
15.20	3.62	0.23	0.702
3.12	2.72	0.87	0.824
4.97	2.93	0.58	0.897
1.21	0.09	0.07	0.510
25.53	14.60	0.57	0.708
14.60	9.09	0.62	0.741
25.65	11.47	0.44	0.677
97.60	4.37	0.04	0.291
67.56	13.87	0.20	0.174
142.29	77.38	0.54	0.401
15.48	3.52	0.22	0.689
0.36	0.18	0.51	0.435
44.87	10.88	0.24	0.834
31.10	8.25	0.26	0.698
16.03	5.21	0.32	0.618
33.84	36.31	1.07	0.307
3.66	0.75	0.20	0.678
59.39	16.34	0.27	0.831
1.07	0.60	0.56	0.685
61.44	33.29	0.54	0.477
33.23	12.46	0.37	0.631
152.74	124.11	0.81	0.583
1.15	1.27	1.10	0.576
113.22	43.75	0.38	0.133

MOYENNE	ÉCART-TYPE	COEFFICIENT DE VARIATION	COEFFICIENT CONTIGUÏTÉ
41.51	20.10	0.48	0.783
23.41	13.75	0.58	0.799
11.04	8.22	0.74	0.768
16.19	8.95	0.55	0.704
21.72	10.04	0.46	0.678
26.85	7.38	0.27	0.622
121.37	387.51	3.19	0.584
63.49	129.55	2.04	0.495
44.76	120.56	2.69	0.434
56.49	105.61	1.86	0.448
48.85	111.79	2.28	0.589
37.89	97.67	2.57	0.428
129.26	607.98	4.70	0.127
124.23	309.16	2.48	0.436
74.29	139.87	1.88	0.634
75.51	124.93	1.65	0.636
84.76	47.92	0.56	0.756
7.45	8.37	1.12	0.510
5.90	7.80	1.32	0.574
5.95	8.82	1.48	0.341
17.50	20.38	1.16	0.438
4,55	3.32	0.72	0.655
5.80	3.86	0.66	0.799

Tableau n° 15 : alphabétisation hommes

% signatures hommes 1686-90	III,1,1
% signatures hommes 1786-90	III,1,2
% signatures hommes 1854	III,1,3A
% signatures hommes 1869	III,1,3B
% signatures hommes 1885	III,1,3C
% signatures hommes 1901	III,1,3D

Tableau n° 16 : alphabétisation femmes

% écoles mixtes 1837	III,1,8
% lisant seulement 1872	III,1,11
% signatures femmes 1854	III,1,9A
% signatures femmes 1869	III,1,9B
% signatures femmes 1885	III,1,9C
% signatures femmes 1901	III,1,9D

Tableau n° 17 : élite et divers

% bacheliers hommes 25-34 ans 1975	III,1,12
% bacheliers femmes 25-34 ans 1975	III,1,13
Elite 1816-25 (p. 1 000 recrues)	III,1,7
Dimension moyenne ménages 1886	III,2,1
Dimension moyenne ménages 1975	III,2,5
Taux de suicide (p. 100 000) 1830	III,2,6A

Tableau n° 18 : suicides

Suicides (p. 100 000) 1856-60	III,2,6B
Suicides (p. 100 000) 1875-85	III,2,6C
Suicides (p. 100 000) 1901-02	III,2,6D
Suicides (p. 100 000) 1934	III,2,6E
Suicides (p. 100 000) 1954	III,2,6F
Suicides (p. 100 000) 1975	III,2,4

Tableau n° 19 : fécondité

Indice de fécondité IF 1831-35	III,3,5
Nombre moyen d'enfants 1860-62	III,3,6
Nombre moyen d'enfants 1890-92	III,3,8A
Nombre moyen d'enfants 1910-12	III,3,8B
Nombre moyen d'enfants 1926	III,3,11A
Nombre moyen d'enfants 1954	III,3,11E

MOYENNE	ÉCART-TYPE	COEFFICIENT DE VARIATION	COEFFICIENT CONTIGUÏTÉ
25.62	14.76	0.57	0.779
43.55	23.94	0.54	0.838
67.61	19.17	0.28	0.849
75.13	15.73	0.20	0.811
85.29	11.31	0.13	0.833
96.12	4.26	0.04	0.819
25.30	12.01	0.47	0.698
18.43	12.45	0.67	0.788
50.81	24.39	0.48	0.901
62.55	21.19	0.33	0.811
76.74	16.45	0.21	0.844
94.38	6.15	0.06	0.826
5.21	0.87	0.16	0.688
7.71	1.49	0.19	0.730
5.61	4.60	0.81	0.701
4.09	0.39	0.09	0.692
3.57	0.12	0.03	0.780
5.32	4.62	0.86	0.894
9.83	6.39	0.65	0.886
14.48	9.26	0.63	0.892
21.09	10.79	0.51	0.855
20.85	7.41	0.35	0.717
16.86	5.70	0.33	0.642
17.20	4.49	0.26	0.760
0.30	0.03	0.13	0.678
3.41	0.49	0.14	0.640
3.02	0.55	0.18	0.649
2.62	0.47	0.18	0.640
2.72	0.36	0.13	0.713
2.32	0.30	0.13	0.854

Tableau n° 20 : fécondité, famille

Nombre moyen d'enfants 1962	III,3,11
Nombre moyen d'enfants 1975	III,3,12
Familles de 9 enfants et + 1906	III,3,7B
Familles sans enfants 1906	III,3,7A
Indice mariage IM 1831	III,3,4

Tableau n° 21 : politique : la gauche

% suffrages exprimés radicaux 1914	IV,2,9A
% suffrages exprimés socialistes 1919	IV,2,9B
% suffrages exprimés socialistes 1973	IV,2,3
% suffrages exprimés socialistes 1978	IV,2,9C
% suffrages exprimés communistes 1973	IV,2,6
% suffrages exprimés communistes 1978	IV,2,9D

Tableau n° 22 : présidentielles

% suffrages exprimés de Gaulle 1965	IV,3,1
% suffrages exprimés Duclos 1969	IV,4,2B
% suffrages exprimés Defferre 1969	IV,4,1B
% suffrages exprimés Rocard 1969	IV,4,4
% suffrages exprimés Giscard 1974	IV,3,1
% suffrages exprimés extrême gauche 1978	IV,2,8

Tableau n° 23 : divers

% propriétaires agricoles 1851	IV,2,2
% ouvriers (s. secondaire) 1968	IV,2,10
% paysans (s. primaire) 1968	IV,1,2
% suffrages exprimés RPR 1978	
% suffrages exprimés UDF 1978	

Tableau n° 24 : mortalité

% décès à domicile 1975	I,1,9
Décès par cirrhose (p. 100 000) 1975	I,1,12
Mortalité infantile (p. 1 000) 1861	III,1,5
Mortalité homme de 50 à 80 ans 1975	V,1
Espérance de vie homme à 50 ans 1975	V,3
Espérance de vie homme à 50 ans 1891	V,2

MOYENNE	ÉCART-TYPE	COEFFICIENT DE VARIATION	COEFFICIENT CONTIGUÏTÉ
2.42	0.25	0.10	0.841
1.96	0.19	0.09	0.843
2.09	1.36	0.64	0.694
11.43	1.99	0.17	0.731
0.51	0.06	0.12	0.756
22.31	15.38	0.68	0.487
19.04	11.79	0.61	0.425
22.50	6.81	0.30	0.331
25.67	4.88	0.19	0.269
19.60	6.86	0.35	0.721
19.41	6.85	0.35	0.766
54.20	9.08	0.16	0.792
20.27	6.17	0.30	0.783
4.86	1.43	0.29	0.418
3.46	0.67	0.19	0.336
50.85	6.62	0.13	0.715
3.03	0.96	0.31	0.327
35.91	17.66	0.49	0.715
23.00	11.60	0.50	0.722
22.20	8.80	0.39	0,759
23.51	10.11	0.43	0.056
20.82	11.82	0.56	0.382
59.39	16.34	0.27	0.831
33.39	8.59	0.25	0.680
201.49	52.35	0.25	0.668
0.67	0.04	0.07	0.737
24.22	1.10	0.04	0.866
20.91	1.49	0.07	0.724

Sources des cartes

I, 1

1　Musset (L.) : *Les Invasions*, « La vague germanique ».
2　Recensement de 1975.
3　A partir des éléments fournis par Mendras H. : *Sociétés paysannes*.
4a　Recensement de 1975.
4b　Recensement de 1975.
5a, 5b, 5c Recensement de 1975.
6　Recensement de 1975.
7　d'Angeville (A.) : *Essai sur la statistique de la population française* (nombre de centenaires pour dix millions d'habitants en 1825, 1826, 1828, 1830 et 1832).
8　Recensement de 1975.
9　INSERM, Statistique des causes médicales de décès 1975.
10　Recensement de 1975.
11　Recensement de 1975.
12　INSERM, Statistique des causes médicales de décès 1975.
13　Recensement de 1911.
14　Statistique générale de la France 1858-1860.
15　Statistique du mouvement de la population 1911-1913.
16　Statistique du mouvement de la population 1946-1947.
17　Croze (M.) : *Tableaux démographiques et sociaux*.
18　*France at the Polls*.
19　Isambert (F.A.) et Terrenoire (J.P.) : *Atlas de la pratique religieuse des catholiques français*. (Pour les quelques départements pour lesquels les données font défaut, on a repris l'estimation des auteurs p. 186.)
20　Recensement de 1975.
21　Recensement de 1975.
22　Statistique du mouvement de la population 1911-1913.
23　Broca (P.) : *Recherches sur l'ethnologie de la France*.

24 Tremolières et Boulanger : *Etude du phénomène de croissance.*

25 Croze (M.) : *Tableaux démographiques et sociaux.*

26 Croze (M.) : *Tableaux démographiques et sociaux.*

27a et 27b Van de Walle (E.) : *The Female Population of France in the Nineteenth Century.*

28 Van de Walle (E.) : *The Female Population of France in the Nineteenth Century.*

I, 2

1a Annuaire statistique 1896.

1b Statistique du mouvement de la population 1920-1924.

2a Statistique du mouvement de la population 1946-1947.

2b Compte général de l'administration de la justice civile 1975.

3a Guerry (A.M.) : *Essai sur la statistique morale de la France.*

3b Statistique générale de la France 1861-1865.

4a Statistique du mouvement de la population 1911-1913.

4b

5a Statistique générale de la population 1858-1860.

5b Statistique du mouvement de la population 1911-1913.

6 Prioux (F.) : *Les Conceptions prénuptiales en Europe.*

7 Statistique générale de la France 1952-1953.

8 Statistique générale de la France 1852-1853.

9 Statistique du mouvement de la population 1911-1913.

10a Statistique générale de la France 1852-1853.

10b Statistique du mouvement de la population 1911-1913.

11 Statistique du mouvement de la population 1911-1913.

12 Statistique du mouvement de la population 1911-1913.

13 Statistique du mouvement de la population 1911-1913.

14a D'Angeville (A.) : *Essai sur la statistique de la population française.* (Proportion d'enfants ayant atteint leur 13e année par rapport à l'ensemble des enfants trouvés entre 1824 et 1833.)

14b Variable précédente lissée.

15 Album de statistique graphique 1889.

16a Recensement de 1896.

16b Recensement de 1901.

17 Croze (M.) : *Tableaux démographiques et sociaux.*

18 Régions où les procès de sorcières ont abouti à plus d'une condamnation à mort. A partir des ouvrages de R. Mandrou, J. Delumeau, J.C. Baroja, R. Muchembled, A. Macfarlane et H. Trevor-Roper.

19a Calculé à partir de la structure des décès par âge (INSERM) et de la structure d'âge au recensement de 1975.
19b Statistique générale de la France 1866-1868.
20 Recensement de 1856.
21a Blayo (C.) : *Les interruptions de grossesse en France en 1975.*
21b Résultats nominaux publiés dans *Le Monde*.

I, 3

1 Annuaires statistiques 1876 à 1886. (En raison des petits effectifs, on a utilisé 11 années successives pour ce calcul et plusieurs suivants : de 1875 à 1885.)
2a Annuaire statistique 1876.
2b Compte général de l'administration de la justice criminelle 1975.
3 Annuaire statistique 1886.
4 Annuaires statistiques 1876 à 1886.
5 Dépouillement des résultats publiés dans *Le Monde*.
6 Statistique des familles 1906.
7 Recensement de 1876.
8 De Dainville : d'après l'atlas historique Larousse
9a Recensement de 1876.
9b Recensement de 1975.

II, 1

1a Recensement de 1872.
1b Recensement de 1901.
1c Recensement de 1936.
1d Recensement de 1975.
2 Recensement de 1881.
3 Statistique du mouvement de la population 1911-1913. (Des données plus récentes ont été publiées par Tabah et Sutter, mais ces mariages deviennent très rares.)
4a, 4b, 4c, 4d Recensement de 1975. (A partir des croisements entre lieu de naissance et lieu de résidence.)
5a, 5b, 5c, 5d Recensement de 1891.
6a, 6b, 6c, 6d Recensement de 1891.
7a, 7b, 7c, 7d Recensement de 1975.

1a Sevegrand (M.) : *Contribution à l'histoire démographique de la Révolution française.*

1b Rousseau-Vigneron (F.) : *Contribution à l'histoire démographique de la Révolution française.*

1c Bergeron (L.) : *Contribution à l'histoire démographique de la Révolution française.*

1d Somme des trois sources précédentes.

2 Chevalier (L.) : *La formation de la population parisienne au XIXe siècle.*

3a Recensement de 1891.

3b Recensement de 1911.

3c Recensement de 1946.

3d Recensement de 1975.

4 Statistique des causes médicales de décès (INSERM) 1975.

5a à 5h Recensement de 1911.

6 Recensement de 1911. (Rapport du nombre des Français ayant émigré à Paris à celui ayant émigré dans l'ensemble de la Seine.)

7 Recensement de 1975. (Rapport du nombre de Français ayant émigré à Paris à celui ayant émigré dans l'ensemble de la région parisienne.)

1 Annuaire de l'Education nationale 1880. (Résultats de l'enquête Maggiolo.)

2 Annuaire de l'Education nationale 1880.

3a Statistique générale de la France 1854-1856.

3b Statistique générale de la France 1867-1869.

3c Annuaire statistique 1886.

3d Statistique du mouvement de la population 1901.

3e Statistique du mouvement de la population 1911-1913.

4 Lebrun (F.) : *Histoire des catholiques en France.*

5 Statistique du mouvement de la population 1901.

6a Annuaire de l'Education nationale 1880.

6b Hugo (A.) : *France pittoresque* et Furet (F.) et Ozouf (J.) : *Lire et Ecrire.*

7 Aron (J.P.), Dumont (P.), Le Roy Ladurie (E.) : *Anthropologie du conscrit français.*

8 Annuaire de l'Education nationale 1880.

9a Statistique générale de la France 1867-1869.

9b Annuaire statistique de la France 1886.
9c Statistique du mouvement de la population 1901.
9d Statistique du mouvement de la population 1911-1913.
10 D'après Furet (F.) et Ozouf (J.) : *Lire et Ecrire.*
11 Recensement de 1872.
12 Recensement de 1975.
13 Recensement de 1975.
14 Statistique du mouvement de la population 1963-1965.

III, 2

1 Annuaires statistiques 1876 à 1886.
2 Recensement de 1886.
3 Compte général de l'administration de la justice criminelle 1901 et 1902.
4 Compte général de l'administration de la justice criminelle 1975.
5 Recensement de 1975.
6a Guerry (A.) : *Essai sur la statistique morale de la France.*
6b Statistique générale de la France 1856-1860.
6c Annuaires statistiques 1876-1886.
6d Comptes généraux de l'administration de la justice criminelle 1901 et 1902.
6e Statistique du mouvement de la population t. II 1934.
6f Statistique du mouvement de la population t. II 1954.
6g Statistique des causes médicales de décès 1975, INSERM.

III, 3

1 *France at the Polls.*
2 Calculé à partir des microfiches d'état civil et de la structure de la population au recensement de 1975.
3 *France at the Polls.*
4 Van de Walle (E.) : *The Female Population of France in the Nineteenth Century.* (Somme de l'effectif des femmes mariées à chaque âge multiplié par leur fécondité « naturelle », rapportée à la même somme calculée pour toutes les femmes.)
5a Van de Walle (E.) : *The Female Population of France in the Nineteenth Century.* (Indice comparable au précédent, mais on remplace le numérateur par le nombre de naissances observées.)

5b Van de Walle (E.) : *The Female Population of France in the Nineteenth Century.*
6 Depoid (P.) : *Reproduction nette en Europe depuis l'origine des statistiques d'état civil.*
7a et 7b Statistique des familles en 1906 (familles dont le chef a entre 65 et 74 ans et est marié depuis plus de 25 ans).
8a et 8b Depoid (P.) : *Reproduction nette en Europe depuis l'origine des statistiques d'état civil.*
9 Carte établie à partir d'une analyse de l'évolution de la fécondité légitime des départements de 5 ans en 5 ans de 1831 à 1901 (telle qu'elle a été reconstituée par E. Van de Walle).
10 Comme la précédente.
11a Statistique du mouvement de la population 1926.
11b Statistique du mouvement de la population 1954.
12a Statistique du mouvement de la population 1962 (écart relatif à la moyenne).
12b Calculé à partir des microfiches d'état civil et du recensement de 1975.

IV, 1

1 *France at the Polls.*
2 Croze (M.) : *Tableaux démographiques et sociaux.*

IV, 2

1 Bouillon : *Les Suffrages démocrates-socialistes aux élections de 1849.*
2 Recensement de 1851.
3 *Le Monde,* 6 mars 1973.
4 Bouillon : *Les Suffrages démocrates-socialistes aux élections de 1849.*
5 Annuaire statistique de la France 1880.
6 *Le Monde,* 6 mars 1973.
7 Statistique des causes médicales de décès, INSERM 1975.
8 *Le Monde,* Résultats des élections législatives.
9a Berstein : *Histoire du parti radical.*
9b Charles, Girault et al. : *Le congrès de Tours.*
9c *Le Monde,* Résultats des élections législatives.
9d *Idem.*

10a Croze (M.) : *Tableaux démographiques et sociaux.*
10b *Le Monde*, Résultats des élections législatives.
10c Combinaison des deux cartes précédentes.
11a Annuaire statistique de la France 1957.
11b *Le Monde*, 6 mars 1973
11c *Le Monde*, Résultats des législatives de 1978.
12 Comme le précédent.

IV, 3

1 *France at the Polls.*
2 Isambert (F.A.) et Terrenoire (J.-P.) : *Atlas de la pratique religieuse des catholiques français.*
3a et 3b Potel (J.) : *Les Prêtres séculiers en France. Evolution de 1965 à 1975.*
4a D'Angeville (A.) : *Essai sur la statistique de la population française.*
4b Annuaire statistique de la France 1877.
5 Annuaire statistique de la France 1879.
6 Combinaison des cartes IV, 3, 1 et IV, 3, 2.
7 Lebrun (F.) : *Histoire des catholiques en France.*

IV, 4

1a *Le Monde*, Résultats des élections législatives.
1b *France at the Polls.*
2a *Le Monde*. Résultats des élections législatives.
2b *France at the Polls.*
3 *France at the Polls.*
4 *France at the Polls.*

V

1 Recensement de 1975 et statistique des causes médicales de décès, INSERM 1975.
2 Statistique du mouvement de la population 1901.
3 Recensement de 1975 et statistique des causes médicales de décès, INSERM 1975.
4 *France at the Polls.*

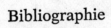

Bibliographie

AGULHON (M.) : *La République au village*, Plon, Paris, 1970.

Album de Statistique Graphique, ministère du Commerce, de l'Industrie et des Colonies, Berger-Levrault, Nancy, 1889.

ANDERSON (M.) et collaborateurs : *Sociology of the family*, Penguin, Londres, 1971.

ANGEVILLE (A. d') : *Essai sur la statistique de la population française, considérée sous quelques-uns de ses rapports physiques et moraux*, Imprimerie F. Dufour, Bourg, 1836.

Annales E.S.C. Numéro spécial, *Famille et Société*, Armand Colin, Paris, 1972, n°ˢ 4-5.

ARENSBERG (C.M.) : *The Irish countryman*, American Museum Science Books, New York, 1968 (1ʳᵉ édition 1937).

ARMENGAUD (A.) : *Les Débuts de la dépopulation dans les campagnes toulousaines*, Annales : Economie, Société, Civilisation, 1951.

✓ *Atlas historique Larousse* (sous la direction de G. Duby), Larousse, Paris, 1978.

BARBERIS (C.) : *Sociologia rurale*, Edizione agricole, Bologne, 1965.

BARNES (J.A.) : *Three styles in the study of kinship*, Tavistock, Londres, 1971.

BAROJA (J.C.) : *Les Sorcières et leur monde*, Gallimard, Paris, 1972.

BAROJA (J.C.) : *Le Mythe du caractère national*, Federop, Lyon, 1975.

BERGUES (H.) et al. : *La Prévention des naissances dans la famille : ses origines dans les temps modernes*, P.U.F., Paris, 1960.

BERKNER (L.K.) : « The stem-family and the developmental cycle of the peasant household ; an 18th century Austrian example », *American historical review*, 77, 197, pp. 398-418.

BERNOT (L.) et BLANCARD (R.) : *Nouville, un village français*, Institut d'ethnologie, Paris, 1953.

BERSTEIN (S.) : *Histoire du Parti radical*, Presses de la Fondation nationale des sciences politiques, Paris, 1980.

BERTILLON (J.) : *Les Naissances illégitimes en France et dans quelques pays d'Europe*, IV⁰ congrès de démographie, Vienne, 1887.

BERTILLON (J.) : *Atlas de Statistique graphique de la ville de Paris*, Paris, t. I : 1888 ; t. II : 1889.

BERTILLON (J.) : *La Natalité en France*, Bulletins de la Société d'Anthropologie, 4⁰ série, Paris, 1891.

BLAYO (C.) : « Les interruptions volontaires de grossesse en France en 1976 », *Population*, 1979, pp. 307-342.

BLAYO (Y.) et BLAYO (C.) : *L'Illégitimité en France en 1800 et en 1968*, in V⁰ colloque national de démographie du C.N.R.S., vol. 935, Paris, 1976, pp. 221-226.

BLOCH (M.) : *Les caractères originaux de l'histoire rurale française*, Armand Colin, 1930, 1952. Supplément de 1968 établi par R. Dauvergne d'après les notes de Marc Bloch. Paris.

BOIS (P.) : *Paysans de l'Ouest*, Flammarion, Paris, 1968.

BOUDIN (J.) : *L'accroissement de la taille*, mémoire de la Société d'Anthropologie de Paris, Paris, 1865.

BOUILLON : « Les démocrates socialistes aux élections de 1849 », *Revue française de science politique*, 1956, pp. 212-247.

BOULARD (F.) : *Essor ou Déclin du clergé français ?*, Ed. du Cerf, Paris, 1950.

BROCA (P.) : *Recherches sur l'ethnologie de la France*, mémoires de la Société d'Anthropologie de Paris, t. I, Paris, 1860.

BURGUIÈRE (A.) : *Bretons de Plozévet*, Flammarion, Paris, 1977.

CAUDERLIER (G.) : *Les Lois de la population en France. Atlas de démographie statique et dynamique*, Guillaumin, Paris, 1902.

CHAMOUX (A.) : « Mise en nourrice et mortalité des enfants légitimes », *Annales démographie historique*, 1973.

CHARBONNEAU (H.) : *Tourouvre-au-Perche aux XVII⁰ et XVIII⁰ siècles*, P.U.F., Paris, 1970.

CHARLES (J.), GIRAULT (J.) et collaborateurs : *Le congrès de Tours*, Editions sociales, Paris, 1980.

CHARLOT (J.) : *Le Phénomène gaulliste*, Fayard, Paris, 1970.

CHATELAIN (A.) : *Les Migrants temporaires et la propagation des idées révolutionnaires en France au XIX⁰ siècle*, Revue des révolutions contemporaines, 1951.

CHESNAIS (J.-C.) : *Les Morts violentes en France depuis 1826. Comparaisons internationales*, P.U.F., Paris, 1976.

CHEVALIER (L.) : *La Formation de la population parisienne au XIXᵉ siècle*, P.U.F., Paris, 1950.

CLAVAL (P.) : *Essai sur l'évolution de la géographie humaine*, Les Belles-Lettres, Paris, 1964.

CLIFF (A.D.) et ORD (J.K.) : *Spatial Autocorrelation*, Pion, Londres, 1973.

COLLOMP (A.) : « Alliance et Filiation en Haute-Provence au XVIIIᵉ siècle », *Annales E.S.C.*, 1977, pp. 445-477.

COUTROT (A.) et DREYFUS (F.) : *Les Forces religieuses dans la société française*, Armand Colin, Paris, 1965.

CROZE (M.) : *Tableaux démographiques et sociaux*, INED, Paris, 1976.

CUTRIGHT (P.) : *Economic events and Illegitimacy in Developed Countries*, Journal of Comparative Family Studies, 1971.

DAVIS (K.) : *Illegitimacy and the Social Structure*, American Journal of Sociology, 1939, pp. 215-233.

DENIKER (J.) : *Les Races de l'Europe*, 2ᵉ éd., Paris, 1925.

DEPOID (P.) : *Reproduction nette en Europe depuis l'origine des statistiques d'état civil*, Statistique générale de la France, Paris, 1941.

DEUTSCH (E), LINDON (D.) et WEILL (P.) : *Les Familles politiques aujourd'hui en France*, Editions de Minuit, Paris, 1966.

DICKENS (A.G.) : *The German Nation and Martin Luther*, Edward Arnold, Londres, 1974.

DION (M.) et DION-SALITOT (M.) : *La Crise d'une société villageoise*, Anthropos, Paris, 1972.

DOUGLAS (J.) : *The Social Meanings of suicide*, Princeton University Press, 1967.

DUBLIN (L.I.) et BUNZEL (B.) : *To be or not to be*, Harrison Smith and Robert Haas, New York, 1933.

DUBY (G.) : *L'Economie rurale et la Vie des campagnes dans l'Occident médiéval*, Aubier, Paris, 1962.

DUMONT (A.) : *Dépopulation et Civilisation*, Lecrosnier et Babé, Paris, 1890.

DUPIN (C.) : *Forces productives et commerciales de la France*, Paris, 1827.

DUPLEX (J.) et collaborateurs : *Atlas de la France rurale*, A. Colin, Paris, 1968.

DUPONT-BOUCHAT (M.S.), FRIJHOFF (W.) et MUCHEMBLED (R.) : *Prophètes et Sorciers dans les Pays-Bas. XVIᵉ-XVIIIᵉ siècle*, Hachette, Paris, 1978.

DURKHEIM (E.) : *Le Suicide. Etude de sociologie*, Alcan, Paris, 1897.

DUVERGER (M.), GOGUEL (F.), TOUCHARD (J.) : *Les Elections du 2 janvier 1956*, Armand Colin, Paris, 1957.

Les Elections législatives de mars 1967. Supplément aux *Cahiers du communisme*, Paris, 1968. (Au lendemain de cette élection, le P.C.F., qui vient de récupérer une partie des voix perdues en 1958 et 1962, est tenté par la sociologie électorale.)

Les Elections législatives de mars 1978. La défaite de la gauche. Supplément aux dossiers et documents du *Monde*, Paris, 1978.

ELLUL (J.) : *Histoire des institutions*, P.U.F., Paris, 1967.

ENGELS (F.) : *L'Origine de la famille, de la propriété privée et de l'Etat*, Editions sociales, Paris, 1972 (1re édition 1884).

EPSTEIN (A.L.) et collaborateurs : *The Craft of Social Anthropology*, Tavistock publication, Londres, 1967.

FEBVRE (L.) : *La Terre et l'Evolution humaine*, Albin Michel, Paris, 1938.

FINE-SOURIAC (A.) « La Famille-souche pyrénéenne au XIXe siècle : quelques réflexions de méthode », *Annales E.S.C.*, 1977, pp. 478-487.

FLANDRIN (J.-L.) : *Familles*, Hachette, Paris, 1976.

FLETCHER (R.) : *The Family and Marriage in Britain*, Penguin, Londres, 1966, 1971.

FLEURY (M.) et VALMARY (P.) : « Les Progrès de l'instruction élémentaire de Louis XIV à Napoléon III, *Population*, 1957.

FOX (R.) : *Kinship and Marriage*, Penguin, Londres, 1967.

FREUD (S.) : *L'Avenir d'une illusion*, Denoël et Steele, Paris, 1932 (1re édition 1927).

FREUD (S.) : *Malaise dans la civilisation*, P.U.F., Paris, 1971 (1re édition 1929).

FURET (F.) et OZOUF (J.) : *Lire et Ecrire : l'alphabétisation des Français de Calvin à Jules Ferry*, Ed. de Minuit, Paris, 1977.

GARAUD (M.) et SZRAMKIEWICZ (R.) : *La Révolution française et la Famille*, P.U.F., Paris, 1978.

GARRISSON-ESTÈBE (J.) : *L'Homme protestant*, Hachette, Paris, 1980.

GAUTIER (E.) et HENRY (L.) : *La Population de Crulai, paroisse normande. Etude historique*, P.U.F., Paris, 1958.

GERTH (H.H) et MILLS (C.W.), *From Max Weber : Textes*

choisis et présentés, Routledge and Kegan Paul, Londres, 1948.

GIBBS (J.P.) : *Suicide,* Harper & Row, New York, Evanston, Londres, 1968.

GOGUEL (F.) : *Géographie des élections françaises de 1870 à 1951,* Armand Colin, Paris, 1951. ✓

GOGUEL (F.) et GROSSER (A.) : *La Politique en France,* Armand Colin, Paris, 1964.

GOODY (J.) et collaborateurs : *The Development Cycle in Domestic Groups,* Cambridge Papers in Social Anthropology 1, Cambridge U.P., 1958.

GUERRY (A.M.) : *Essai sur la statistique morale de la France,* Crochard, Paris, 1833.

HADDON (A.C.) : *Les Races humaines et leur répartition géographique,* F. Alcan, Paris, 1930.

HÄGERSTRAND (T.) : *The Propagation of innovation Waves,* Lund Studies in Geography Serie B, 4, 1952.

HÄGERSTRAND (T.) : *Migration and Area : Survey of a Sample of Swedish migration Fields and Hypothetical considerations on their Genesis,* Lund Studies in Geography Serie B, 1952.

HAGETT (P.), CLIFF (A.D.), FREY (A.) : *Locational Methods,* Ed. Arnold, Londres, 1977.

HALBWACHS (M.) : *Les Causes du suicide,* Alcan, Paris, 1930.

HALÉVY (D.) : *Visites aux Paysans du Centre,* Le Livre de Poche, « Pluriel », Paris, 1978.

HALÉVY (D.) : *Trois Epreuves : 1814-1871-1940,* Plon, Paris, 1941.

HARRIS (C.C.) : *The Family,* Allen and Unwin, Londres, 1969.

HARTLEY (S.F.) : *Illegitimacy,* U. of California Press, Berkeley, 1975.

HAWLEY (A.) : *Human Ecology,* Ronald Press, Chicago, 1950.

HILL (C.) : *God's Englishman. Oliver Cromwell and the English revolution,* Weidenfeld and Nicolson, Londres, 1970.

HIMES (N.E.) : *Medical History of Contraception,* The Williams and Wilkins Cny, Baltimore, 1936.

HUXLEY (J.) et collaborateurs : *Le Comportement rituel chez l'homme et l'animal,* Gallimard, Paris, 1971.

ISAMBERT (F.A.) et TERRENOIRE (J.-P.) : *Atlas de la pratique des catholiques en France,* Presses de la Fondation nationale des sciences politiques, Paris, 1980.

JAKEZ-HÉLIAS (P.) : *Le Cheval d'orgueil*, Plon, Paris, 1975.

JOLLIVET (M.), MENDRAS (H.) et collaborateurs : *Les Collectivités rurales françaises*, Armand Colin, Paris, 1971.

KAMEN (H.) : *The Iron Century*, « Social change in Europe 1550-1660 », Weidenfeld and Nicolson, Londres, 1971.

KANTNER (J.F.) et ZELNIK (M.) : *The Probability of Premarital Intercourse*, Social Science Research, 1972.

LANCELOT (A.) : *L'Abstentionnisme électoral en France*, Presses de la Fondation nationale des sciences politiques, Paris, 1968.

LASLETT (P.) et collaborateurs : *Household and Family in past time*, Cambridge University Press, 1972.

LASLETT (P.) : « Long Term Trend in Bastardy in England », *Population Studies*, 1973, pp. 255-286.

LASLETT (P.) : *Family life and illicit love in earlier generations*, Cambridge University Press, 1977.

LASLETT (P.), OOSTERVEEN (K.), SMITH (R.M.) (édité par) : *Bastardy and its comparative History*, Edward Arnold, Londres, 1980.

LE BRAZ (A.) : *La Légende de la mort*, Belfond, Paris, 1966.

LEBRUN (F.) : « Naissances illégitimes et abandons d'enfants en Anjou au XVIIIe siècle », *Annales*, 1972.

LEBRUN (F.) : *La Vie conjugale sous l'Ancien Régime*, Armand Colin, Paris, 1975.

LEBRUN (F.) et collaborateurs : *Histoire des catholiques en France*, Privat, Toulouse, 1980.

LEDERMANN (S.) : *Alcool, alcoolisme, alcoolisation. Mortalité, morbidité, accidents du travail*, P.U.F., Paris, 1964.

LEGOYT (A.) : *La France statistique ou la France intellectuelle, morale, financière, industrielle, politique, judiciaire, physique, territoriale et agricole*, Paris, 1843.

LEMOINE (G.) : *L'Emigration bretonne à Paris*, Science sociale, 1892.

LE PLAY (F.) : *L'Organisation du travail*, Mame, Tours, 1870.

LE PLAY (F.) : *L'Organisation de la famille*, Mame, Tours, 1875.

LE PLAY (F.) : *Les Ouvriers européens*, Mame, Tours, 1879, 2e édition, 7 tomes.

LE ROY LADURIE (E.) : *Histoire du Languedoc*, P.U.F., Paris, 1962.

LE ROY LADURIE (E.) : *Paysans du Languedoc*, Flammarion, Paris, 1969.

LE ROY LADURIE (E.) : *Un Théoricien du développement*, Introduction à la réédition de l'Essai de d'Angeville, Ed. Mouton, Paris-La Haye, 1969.

LE ROY LADURIE (E.) : *Montaillou, village occitan*, Gallimard, Paris, 1975.

LE ROY LADURIE (E.) : *L'Argent, l'Amour et la Mort en Pays d'Oc*, Seuil, Paris, 1980.

LEVASSEUR (M.E.) : *Esquisse de l'ethnographie de la France*, Institut de France, Paris, 1880.

LEVASSEUR (E.) : *La Population française. Histoire de la population avant 1789 et démographie de la France comparée à celle des autres nations au XIXe siècle*, Rousseau, Paris, T, I : 1889 ; t. II : 1891 ; t. III : 1892.

LÉVI-STRAUSS (C.) : *Les Structures élémentaires de la parenté*, Mouton, Paris-La Haye, réédition 1968.

LÉVI-STRAUSS (C.) : *Anthropologie structurale*, Plon, Paris, 1958.

LÉVY-BRUHL (L.) : *Morceaux choisis*, Gallimard, Paris, 1936.

LOCK (S.) et SMITH (T.) : *The medical risks of life*, Penguin, Londres, 1976.

LORIMER (F.) : *Culture and Human Fertility*, Unesco, Paris, 1954.

LUKES (S.) : *Emile Durkheim. His life and work*, Allen Lane, Londres, 1973.

MACFARLANE (A.) : *Witchcraft in Tudor and Stuart England. A regional and comparative study*, Routledge & Kegan, Londres, 1970.

MACFARLANE (A.) : *The family life of Ralph Josselin. An essay in historical anthropology*, Cambridge University Press, 1970.

MACFARLANE (A.) : *The Origins of English individualism*, Blackwell, Londres, 1978.

MAIR (L.) : *Marriage*, Penguin, Londres, 1971.

MAISTRE (J. de) : *Considérations sur la France*, Garnier, Paris, 1980.

MANDROU (R.) : *Magistrats et Sorciers en France au XVIIe siècle*, Seuil, Paris, 1980.

MARKALE (J.) : *La Femme celte*, Payot, Paris, 1979.

MARX (K.) : *Le 18 brumaire de Louis-Napoléon Bonaparte*, Editions sociales, 1969.

MEAD (M.) : *Male and Female*, Penguin, Londres, 1962.

MENDRAS (H.) : *Sociologie de la campagne française*, P.U.F., Paris, 1965.

MENDRAS (H.) : *Sociétés paysannes*, Armand Colin, Paris, 1976.

MEURIOT (P.) : *La Population et les Lois électorales en France de 1789 à nos jours*, Berger-Levrault, Nancy, 1916.

MOHEAU : *Recherches et considérations sur la population de la France*, Paris, 1778 (republié en 1912 avec une préface de R. Gonnard).

MORIN (E.) : *Commune en France. Métamorphose de Plohémet*, Fayard, Paris, 1967.

MORSELLI (H.) : *Suicide : an Essay on Comparative Moral Statistics*, Appleton-Century, New York, 1882.

MURDOCK (G.P.) : *Social Structure*, Macmillan, Londres, 1949.

MUSSET (L.) : *Les Invasions. Les Vagues germaniques*, P.U.F., Paris, 1969.

NIZARD (A.) : « Droit et Statistiques de filiation en France. Le droit de filiation depuis 1804 », *Population*, 1977, pp. 91-122.

NIZARD (A.), PRIOUX (F.) : « La Mortalité départementale en France », *Population*, 1975, pp. 781-824.

PARK (R.E.), BURGESS (E.), MCKENZIE (R.) : *The City*, U. of Chicago Press, 1925.

PENNIMAN (H.R.) et collaborateurs : *France at the polls*, American Enterprise Institute for public policy research, Washington, 1975.

PEYRONNET (J.-C.) : « Famille élargie ou Famille nucléaire ? L'exemple du Limousin au début du XIXᵉ siècle », *Revue d'histoire moderne et contemporaine*, 1975, XXII, pp. 568-582.

PIEM et TOMICHE (F.) : *La France et les Français*, La Documentation française, Paris, 1979.

POTEL (J.) : *Les Prêtres séculiers en France. Evolution de 1965 à 1975*, Le Centurion, Paris, 1977.

POURCHER (G.) : *Le Peuplement de Paris. Origine régionale. Attitudes et Motivations*, P.U.F., Paris, 1964.

PRIOUX (F.) : « Les conceptions prénuptiales en Europe occidentale depuis 1955 », *Population*, 1974, pp. 61-88.

REINHARD (M.) et collaborateurs : *Contributions à l'histoire démographique de la Révolution française*, Bibliothèque nationale, Paris, 1970.

ROBINSON (W.S.) : « Ecological correlations and the Behavior of Individuals », *American Sociological Review*, 15, 1950, pp. 351-357.

ROLLET (C.) : « Allaitement, mise en nourrice et mortalité

infantile en France à la fin XIXe », *Population*, 1978, pp. 1189-1204.

ROUSSEAU (J.-J.) : *Du contrat social*, Le Livre de Poche, « Pluriel », Paris, 1972.

SCHNAPPER (D.) : *Sociologie de l'Italie*, P.U.F., Paris, 1974.

SEGALEN (M.) : *Mari et Femme dans la société paysanne*, Flammarion, Paris, 1980.

SHORTER (E.) : *Naissance de la famille moderne*, Seuil, Paris, 1977.

SIEGFRIED (A.) : *Tableau politique de la France de l'Ouest*, ✓ Slatkine, Paris-Genève, 1980 (1re édition 1913).

STOUFFER (A.) : « Intervening opportunities : a Theory relating Migration and Distance », *American Sociological Review*, 5, 1940, pp. 845-867.

SUTTER (J.) et TABAH (L.) : « Fréquence et répartition des mariages consanguins en France », *Population*, 1948, pp. 607-630.

SUTTER (J.) et GOUX (J.-M.) : « Evolution de la consanguinité en France de 1926 à 1958 avec des données récentes détaillées », *Population*, 1962, pp. 683-702.

TARDE (G.) : *Les Lois de l'imitation*, Slatkine, 1979, Paris-Genève (1re édition 1885).

TILLY (C.) : *La Vendée*, Fayard, Paris, 1970.

TOCQUEVILLE (A. de) : *Souvenirs*, Gallimard, Paris, 1964.

TÖNNIES (F.) : *Community and Society (Gemeinschaft und Gesellschaft)*, Harper, New York, 1963 (1re édition allemande 1887).

TRÉMOLIÈRES (J.) et BOULANGER (J.-J.) : *Contribution à l'étude du phénomène de croissance et de stature en France de 1940 à 1948*, Recueil des travaux de l'Institut national d'hygiène, Masson, Paris, 1950, pp. 117-212.

TREVOR-ROPER (H.) : *The European witch-craze of the 16th and 17th centuries*, Penguin, Londres, 1969.

VALMARY (P.) : *Familles paysannes au XVIIIe siècle en Bas-Quercy*, INED, P.U.F., Paris, 1965.

VAN DE WALLE (E.) : *The Female Population of France in the Nineteenth Century : a Reconstruction of 82 Departments*, Princeton U.P., 1974.

VIDAL DE LA BLACHE (P.) : *Tableau de la géographie de la France*, Tallandier, Paris, 1979 (1re édition 1903).

WEBER (E.) : *Peasants into Frenchmen. The Modernization of Rural France 1870-1914*, Stanford University Press, Stanford, 1976.

WEIL (R.) : *Politique d'Aristote*, Textes choisis et présentés, Armand Colin, Paris, 1966.

WILLARD (C.) : *Socialisme et Communisme français*, Armand Colin, Paris, 1978.

WILLIAMS (Ph.) : *Politics in post-war France*, Longmans, Londres, 1954.

WOLF (E.R.) : *Peasants, Prentice-Hall*, Englewood Cliffs, New Jersey, 1966.

WOLF (E.R.) : *Peasant wars of the twentieth century*, Faber, Londres, 1969.

WYLIE (L.) : *Un village du Vaucluse*, Gallimard, Paris, 1979.

WYLIE (L.) : *Chanzeaux, village d'Anjou*, Gallimard, Paris, 1970.

YOUNG (M.) et WILLMOTT (P.) : *Family and kinship in East London*, Routledge and Kegan Paul, Londres, 1957.

YVER (J.) : *Egalité entre héritiers et exclusion des enfants dotés. Essai de géographie coutumière*, Sirey, Paris, 1966.

ZELDIN (T.) : *France 1848-1945*, Oxford University Press, 1973 et 1977.

Index
des thèmes cartographiés

Composition réalisée par C.M.L. - MONTROUGE.

IMPRIMÉ EN FRANCE PAR BRODARD ET TAUPIN
7, bd Romain-Rolland - Montrouge - Usine de La Flèche.
LE LIVRE DE POCHE - 12, rue François Ier - Paris.

ISBN : 2 - 253 - 02791 - X   30/8365/6